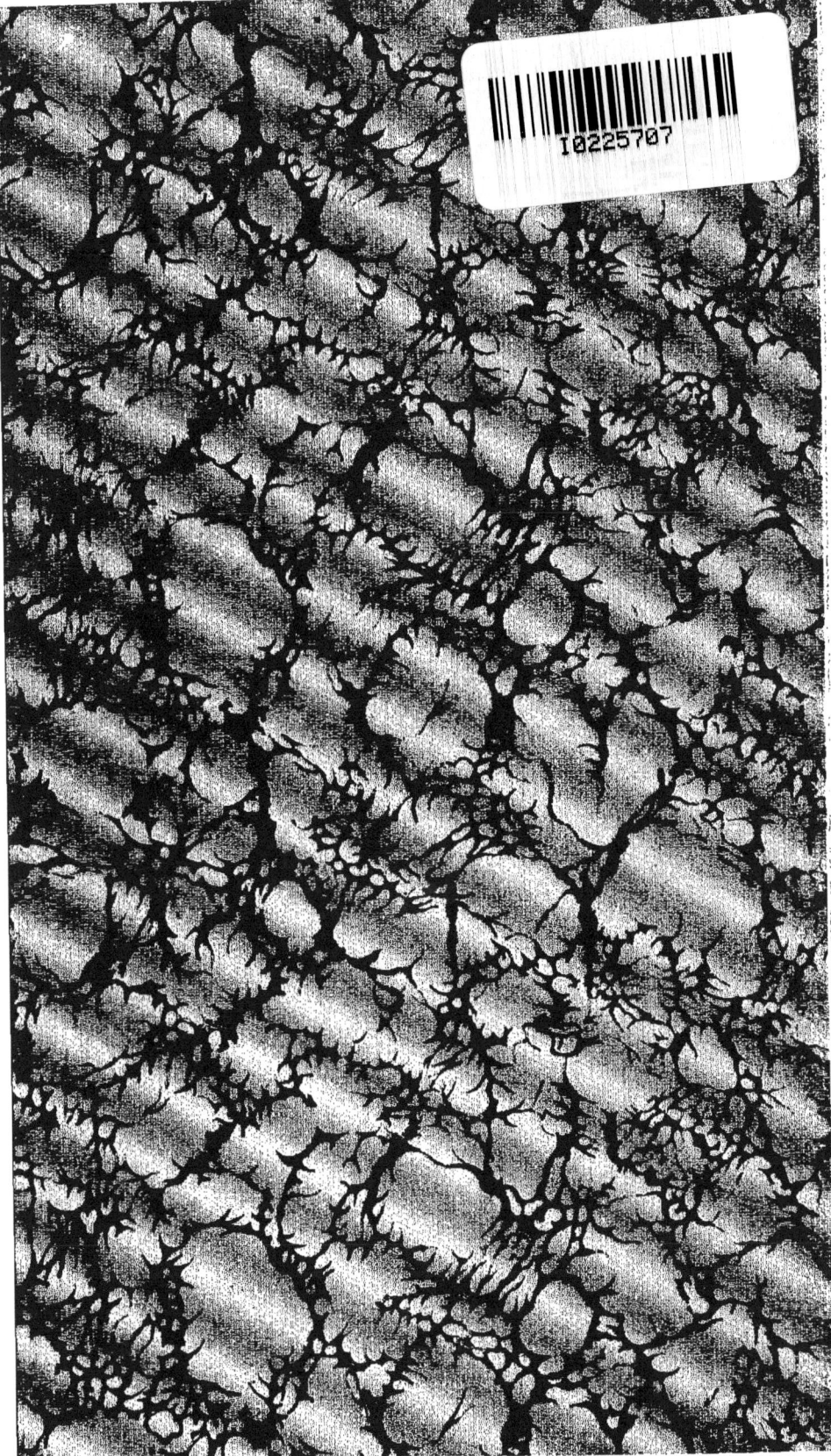

STEMPFER-REL.

LE LIVRE D'OR

DES

GRANDES CURIOSITÉS DU GLOBE.

2ᵉ SÉRIE IN-4°.

Propriété des Editeurs.

LE

LIVRE D'OR

DES GRANDES

CURIOSITÉS DU GLOBE

OU

LE TOUR DU MONDE AU COIN DU FEU

PAR

ALFRED DRIOU.

LIMOGES,
IMPRIMERIES Eugène ARDANT et C. THIBAUT,
ÉDITEURS.

1870

PRÉFACE.

Dans un ouvrage précédent, qui a pour titre LES CIEUX, LA TERRE ET LES EAUX, j'ai eu pour but de vulgariser la science la plus élevée, celle de l'univers, et de la rendre familière à quiconque veut acquérir des connaissances. Mais, dans ce livre, malgré son développement, il a fallu effleurer seulement centaines parties de ces connaissances, qui cependant sont d'un grand charme pour l'esprit, et d'une incontestable utilité dans le cours de l'existence.

En écrivant cet autre livre, LE LIVRE D'OR DES GRANDES CURIOSITÉS DU GLOBE, j'ai eu l'intention de réparer ce dommage et de faire passer sous les yeux du lecteur les mille phénomènes dont notre sphère est constamment le théâtre.

On peut dire que mon travail premier est la théorie, et cette seconde étude la pratique.

Ces deux ouvrages se complètent donc l'un par l'autre, et, dans leur ensemble, ils forment un tout complet.

J'ai eu pour auxiliaires nombre de volumes étudiés depuis bien des années, mais aussi les savantes leçons de MM. Henry Berthoud, Félix Hément, Flamel, A. Langel, A. des Genevez, Moquin-Tandon, F. Fouqué, etc.

Dans notre XIXe siècle, il faut savoir, si l'on veut jouer son rôle dans la société. Pour savoir, il faut étudier.

La science marche vite; elle fait à notre époque de vrais pas de géant. Pour arriver à suivre son phare lumineux, il ne faut pas s'amuser à battre les buissons le long du chemin. Voyez ce qui se passe, à l'appui de mon dire!

Dans le premier des livres dont je vous parle, je me mets à la remorque de la généralité des astronomes pour donner une idée aussi vraie que possible sur les *étoiles filantes*, n'est-ce pas? Il y a de cela un mois à peine. Or, voici que se produit soudain un progrès dans la météorologie, et qu'un nouveau système, ou plutôt la confirmation d'un nouveau système va en résulter.

Vous savez que dans les nuits du 10 et 11 août, et du 12 et 13 novembre de chaque année, s'éparpille dans l'air une véritable averse d'étoiles filantes. Ces deux époques sont les deux grands maximums de cette pluie d'astéroïdes, dont les deux moindres sont en avril et octobre.

Mais cette année même, 1869, le 11 de ce mois que nous achevons, décembre, on a enregistré une autre pluie, très remarquable, de semblables météorites, fournissant par nombre horaire moyen, ramené à minuit, une valeur égale à cinquante-trois étoiles quatre dixièmes d'étoiles, ce qui signifie que le phénomène se présenta à raison de cinquante étoiles quatre dixièmes d'étoiles par heure, soit six cent quarante étoiles huit dixièmes d'étoiles par une nuit de douze heures d'observation.

Ainsi, à la suite des patientes études de M. Chapelas-Coulvier-Gravier, voici une nouvelle époque de l'année, du 11 au 12 décembre, où se produit le phénomène des étoiles filantes.

D'après les belles découvertes de MM. Schiaparelli, Le Verrier et Adams, qui ont montré qu'à chacune des pluies périodiques d'étoiles déjà connues correspond une comète, *dont les étoiles filantes ne seraient que la poussière*, il devient intéressant de rechercher à quelle comète se rapporte le nouveau phénomène de décembre 1869.

Attendons, et nous aurons la jouissance de savoir, car savoir est certainement le premier des plaisirs et une source de bonheur.

A quoi ressemble l'être vulgaire qui, ne voulant pas se donner la peine d'apprendre, se vautre dans la fange de l'ignorance, d'une ignorance ignominieuse, sinon au vil reptile qui se traîne dans l'obscure solitude d'un tombeau?

L'homme qui veut s'instruire, au contraire, et qui, chaque jour acquiert de nouveaux enseignements, je puis le comparer à l'aigle altier que son vol hardi promène dans les sublimes régions de l'air, et dont le regard planant sur le monde, non-seulement en observe toutes choses, mais ne craint pas même de fixer le soleil!

Nemours, 27 décembre 1869.

ALFRED DRIOU.

LE LIVRE D'OR

DES

GRANDES CURIOSITÉS DU GLOBE.

CHAPITRE PREMIER.

La nuit des temps éclairée par le flambeau de la science. — Temps antéhistoriques mis en opposition avec les temps historiques. — Recherches des savants. — Le déluge universel. — Dépôts diluviens. — Dépôts modernes. — Premières découvertes relatives à l'homme primitif. — Ustensiles, outils et armes en silex. — Découvertes en Picardie. — Ce que l'on exhume en Angleterre. — Age de pierre ébauchée. — Ere de l'aurochs et du renne. — Age de pierre polie. — Fouilles près de la Meuse. — Fouilles dans le Devonshire. — Ce que rendent les grottes de France. — Instruments aratoires en silex trouvés en Amérique. — Les rebuts de repas et les restes de cuisine du Danemarck. — Age de bronze. — Découvertes de stations d'hommes primitifs sur les lacs de Suisse, etc. — Palafites lacustres. — Villages palustres. — Descriptions de palafites. — Les reliques des lacs. — Les terramares de l'Emilie. — Cavernes à ossements. — Leurs richesses en fossiles. — Curiosités antéhistoriques de l'exposition de 1867.

Cette époque la plus reculée des âges, que l'on appelle la *Nuit des Temps*, a dû être de longue durée, et certainement l'humanité a dormi dans ses langes pendant bien des siècles.

De cette nuit des temps, encore enveloppée de profondes ténèbres, on ne peut que balbutier. Mais la science, en promenant son flambeau dans ces ténèbres, les repousse insensiblement, les fait reculer, et elle écarte petit à petit le voile de nuages que l'ignorance laisse encore planer sur cette obscure période des premiers âges du monde.

En effet, depuis vingt ans, la société humaine est livrée à un frisson fébrile ; il se fait dans son sein un mouvement toujours croissant. L'homme veut savoir quelle est son origine. Il commence à fouiller, jusqu'aux plus lointaines distances et jusqu'aux plus minutieux détails, la nature au sein de laquelle il est jeté ; il en a découvert les plus mystérieux ressorts, les plus magnifiques lois ; mais il ne sait pas encore quel fut son rôle dans ce drame, dont, seul pourtant, il est appelé à connaître l'énigme.

D'où partons-nous? Alors, tenant à le savoir, nous cherchons, nous examinons, nous étudions, et déjà nous arrivons petit à petit aux découvertes.

Du reste, quelle que soit notre origine, nos devoirs restent les mêmes. Si notre berceau, comme celui du Christ, est dans une étable, notre royaume actuel n'en est pas moins vaste et beau, puisque nous rachetons par la grandeur et la puissance de notre pensée, par la faculté de concevoir l'infini, c'est-à-dire Dieu, toutes les misères de notre existence matérielle.

Donc, assuré de son avenir, la patrie céleste, l'homme veut connaître son passé, et il le cherche dans le grand livre de la planète terre. La nature a déjà révélé l'existence primitive des animaux par leurs *fossiles* ; pourquoi ne ferait-elle pas tomber de même un rayon lumineux sur l'existence de l'*homme primitif*, également par ses reliques? Aussi cherche-t-il...

L'induction et la déduction jouent un grand rôle dans cette résurrection pénible d'un passé si lointain, et dans le progrès des connaissances nouvelles dévoilées par ce procédé de raisonnement, appuyé de l'analyse et de la synthèse, et rendu plus net et plus évident par l'éclectisme. Il en advient que le résultat de ces longs et patients travaux produit déjà, dans le présent, et produira davantage encore dans l'avenir, la certitude, qui, à un moment donné, répandra son éblouissante lumière.

Il y a quelques années à peine, qui aurait cru à un *âge de pierre* et à un *âge de bronze* ?

Qui aurait soupçonné l'existence, si bien dissimulée à tous les regards, de *stations lacustres* ou *paludéennes*, de leurs *palafites*, et des *terramares*, et des *kjokken-moddings* ?

Qui songeait à l'*homme fossile?*

Aujourd'hui, l'archéologie et la géologie se sont posées en pionniers de ce nouveau monde des temps antéhistoriques, et, chaque jour, des terrains du déluge ces Christophe Colomb, ces Cortez et ces Pizarre de la science exhument des trésors, et nous font assister à d'incessantes découvertes.

Pourtant, le problème de l'antiquité de l'espèce humaine ne se définit pas de la même manière pour l'archéologue et le géologue. Le premier possède une chronologie vigoureuse, mais bornée par nos connaissances. Tout ce qui recule au-delà des premières civilisations se confond pour lui dans la *nuit des temps*.

Le géologue, lui, étudie les choses autrement que par les années. Qu'on lui mette sous les yeux un spécimen de l'humaine industrie, il ne s'occupe pas de l'âge de ce débris, il demande seulement de quel terrain on l'a extrait, et si ce terrain est antérieur à ceux qui résultent des alluvions, si la relique appartient aux terrains renfermant des débris d'espèces animales aujourd'hui éteintes; aussitôt il l'étudie, et se donne pour mission de reconstruire les habitudes et les mœurs de l'homme primitif. Il n'invente rien, il ne parle que preuve en main. Voyez-le se tenir à l'affût des travaux de fouilles, de tranchées, de mines, de canaux, de remaniements du sol, qui bouleversent la surface des contrées. Il observe, il ramasse, il s'empresse de trier, de colliger ces restes de toute sorte que la pioche met au jour. Alors il juge et décide.

En un mot, l'archéologue cherche l'homme ancien, le géologue cherche l'homme fossile.

Ces préliminaires établis, cherchons les trésors de l'homme primitif.

Pour cela, nous devons sortir du domaine des TEMPS HISTORIQUES, qui tous nous offrent des données plus ou moins certaines sur les agissements de l'humanité, après que Dieu l'eut créée, réunie en sociétés, et partagée en empires, après le déluge, et la dispersion des peuples avec Sem, Cham et Japhet. Et puis, nous devons pénétrer dans le passé de plus en plus reculé, de plus en plus lointain, pour nous enfoncer dans les TEMPS ANTÉHISTORIQUES, puisque ni écrits, ni monuments, ni traditions ne nous entretiennent de ces époques perdues, et dont le sein de la terre possède seul le secret.

Si la pioche du savant ouvrait les plateaux de l'Asie centrale, peut-être aurait-on déjà recueilli des renseignements sur l'homme primitif, puisque cette partie du monde fut le berceau de l'humanité et le théâtre de son extinction. Mais la science n'a point sondé cette région que l'on nomme l'ombilic du monde.

Pour trouver quelque chose de l'homme antédiluvien, il faut visiter et parcourir successivement les points du globe où, après sa création, la postérité d'Adam fut portée par le hasard de ses migrations, la curiosité de ses recherches, les aventures de ses chasses, le choix de ses stations, etc. Nous devons surtout examiner les terrains les plus aptes à conserver des vestiges de son passage.

Or, les dépôts les plus superficiels de la surface de nos continents se divisent en *dépôts diluviens*, d'une part, et de l'autre en *dépôts modernes*. De ceux-ci nous n'avons rien à attendre.

Attachons-nous donc aux dépôts provenant du GRAND DILUVIUM.

Les terrains diluviens ne sont pas rares. On les trouve sur nombre de points, et on les reconnaît à leurs stratifications nettes et tranchées de cailloux roulés, entremêlés de sables ou de terre brunâtre, à une épaisseur de dix à douze mètres. On remarque facilement si leurs couches sont serrées, parfaitement superposées, sans lacunes, telles qu'elles furent au moment de leur formation, quand les eaux entraînèrent pêle-mêle les terres et les galets, et si elles n'ont pas été remaniées par des inondations postérieures. Ces terrains, intacts comme je les dépeins, sont purement et positivement des terrains diluviens.

Dans les terrains tels que je vous les décris, chers lecteurs, un de nos géologues qui en fit la fouille, il y a quelques années, un savant observateur, un infatigable pionnier, M. Boucher de Perthes, le premier, ou à peu près, trouva soudainement, un jour de 1847, à Moulin-Quignon, dans la Somme, les ossements d'espèces d'animaux éteintes, particulièrement du cervus-somonensis, de l'hippopotamus major, de l'éléphant, du buffle, etc.; mais, en outre, à quelques pas de là, des amas de silex, taillés en forme de haches, de pointes de flèches, de lances, d'hameçons, de couteaux, de doloires, de polissoirs, etc. Or, cette pierre de silex, brisée d'abord, puis taillée de cette sorte en *langues de chat*, etc., produisant des armes, des outils, des instruments, pouvant servir à chasser la bête fauve, à égorger les animaux, à préparer leurs peaux, à pêcher le poisson, etc., et composant les ustensiles les plus indispensables à l'homme, révèlent que le fer et les métaux lui sont encore inconnus, et deviennent un monument authentique affirmant que c'est à l'homme antédiluvien qu'ils appartiennent, dont ils sont l'œuvre et l'unique ressource.

Aussitôt l'esprit se porte vers les barbares peuplades de sauvages privés des notions les plus rudimentaires de l'existence, qui, toutes, dans le nouveau monde comme chez les Samoyèdes, dans l'Océanie comme partout où il y a des misérables tribus sans civilisation, possèdent des engins similaires pour la pêche et la chasse, des ustensiles semblables pour les wigwams, et de pareils outils pour la préparation des pelleteries.

Mais cette découverte de M. de Perthes, dans le département de la Somme, découverte suivie de beaucoup d'autres par le même dans la même contrée, met en rumeur les savants de la France, de l'Angleterre et d'ailleurs. Un Anglais, sir Charles Lyell, en quête des nouveautés géologiques, se rend lui-même en Picardie, afin de constater la position précise des pierres taillées. Il est immédiatement, *de visu*, converti à l'opinion de M. Boucher de Perthes.

Puis, voici venir M. Albert Gaudry, de Paris, qui fait aussi des fouilles à Saint-Acheul, près d'Amiens. Là, le jeune savant détache lui-même, à une profondeur de quatre mètres environ, plusieurs haches, dans le voisinage desquelles il recueille des dents de cheval et de bœuf.

De son côté, l'Anglais Prestwich démontre que la France n'est pas en possession du privilége des haches antédiluviennes. La vallée de la Larke, dans le Suffolk, la vallée de l'Ouse, dans le Bedfordshire, explorées par lui, permettent d'exhumer de ces armes primitives. Car hélas! c'est toujours par des moyens de destruction et de mort que se manifestent les premiers travaux de l'homme. En effet, pour que l'homme primitif vécût, il fallait qu'il se nourrît; pour se nourrir, il fallait qu'il tuât les animaux; et pour utiliser les cadavres de ses victimes, il devenait nécessaire qu'il se fît des outils pour la préparation des chairs, et des instruments pour disposer les peaux à lui tenir lieu de vêtements.

Aussi ces silex, trouvés déjà, et ceux trouvés ensuite ailleurs par milliers, par leurs formes représentent-ils nos casse-têtes, nos haches, nos couteaux, nos grattoirs, nos poinçons, nos gouges, nos râcloirs, et jusqu'aux aiguilles à passer le cordon de nos ménagères.

En cent autres endroits de notre Europe, semblables fouilles dans les travaux diluviens, et semblables découvertes.

Disons toutefois que ces instruments de tout genre ne sont encore qu'à l'état rudimentaire; les haches sont mal réussies, les couteaux ont peu de tranchant, etc. Ce n'est qu'un essai. Aussi nomme-t-on l'époque à laquelle remonte cette enfance de l'art

L'AGE DE PIERRE ÉBAUCHÉE.

Qu'un esprit difficile à persuader ne s'empresse pas d'objecter que ces outils et ces armes sont fabriqués par les ouvriers mêmes, afin d'en tirer profit aux dépens d'un fol enthousiasme. Ces silex sont parfaitement authentiques; ils ont, comme les vieilles médailles, la *patine* du temps, c'est-à-dire qu'ils sont couverts de dendrites ferrugineuses, ramifications, broderies délicates que les infiltrations lentes peuvent seules produire.

Entre l'âge de pierre ébauchée et l'âge qui va suivre, se placent deux ères qu'il est important de signaler : *l'ère de l'aurochs* et du *renne*.

L'aurochs, l'urus gaulois, sorte de buffle sauvage, le plus gros des quadrupèdes mammifères après l'éléphant et le rhinocéros, animal terrible qu'un caprice des empereurs de Russie laisse vivre encore dans ces forêts de la Lithuanie, l'aurochs habitait alors dans notre pays. On en a trouvé des débris dans la caverne de Massas, au département de l'Ariège, avec des flèches, une sorte d'épingle grossière faite d'un os d'oiseau, et une corne de cerf sur laquelle une main inhabile a gravé une tête d'ours.

Avant l'aurochs, le renne se trouvait aussi sous nos latitudes. Ses ossements ont été retrouvés en abondance dans la grotte de Savigné, près de Civray, dans la Vienne.

Dans le sud du pays de Galles, au fond de la caverne appelée Bosco's Den, mille bois du renne ont été recueillis par un colonel anglais, grand géologue s'il en fut.

Près de Torquay, dans le Devonshire, un autre géologue, le docteur

Falconner, trouve également le renne dans la fameuse grotte de Brixham, très riche en silex taillés de main d'homme.

L'AGE DE PIERRE POLIE se produit alors.

Mais il ne se montre qu'après un long temps, car tout donne à penser que l'enfance de notre espèce a été d'une excessive longueur. On trouve donc, sur nombre de points, d'autres silex, mais taillés cette fois avec régularité ; leur tranchant est parfaitement effilé ; les pierres sont plus choisies ; on rencontre, parmi les armes, des instruments en serpentine, en diorite, en quartz, en jade. Les haches sont très polies; les outils sont mieux dessinés. Il y a un progrès évident.

Le docteur Schmerling, de Liége, en 1833, en fouillant dans les cavernes de la Meuse, met la main sur des armes, des ustensiles en silex et en os.

Dans les grottes de France et d'Angleterre, on recueille des haches et des flèches en silex, mais aussi des os épointés, mais aussi des poteries grossières.

Chose bien plus étrange! en cette année 1869, dans l'Amérique, au sud de l'Illinois, des colons viennent de découvrir un certain nombre d'instruments aratoires en silex, par conséquent appartenant à cette époque préhistorique des âges de pierre. C'est probablement la première trouvaille de ce genre qui ait été faite dans le Nouveau-Monde; et elle est d'autant plus remarquable que jamais, jusqu'à présent, on n'avait encore rencontré des instruments ayant servi à l'agriculture.

La faune de ces temps obscurs nous montre en ces temps deux espèces de rhinocéros se baignant dans nos fleuves de l'occident. Des troupeaux d'éléphants errent dans nos latitudes avec le buffle, les cerfs et des chevaux d'espèce inconnue de nos jours. Elle nous fait trouver dans les cavernes des tigres, des hyènes, des ours différents de ceux qui vivent aujourd'hui.

On voit qu'on est dans un monde antédiluvien.

En outre, cet âge de pierre polie laisse des traces de son existence dans les tombes du Danemark. Là, certains monticules, échelonnés le long des côtes, pris d'abord pour des soulèvements de grèves, sont reconnus depuis peu pour être des amoncellements arrondis en forme d'entonnoirs. Les pioches des savants éventrent ces monticules, et qu'y trouve-t-on ? Des *kjokken-modding*, c'est-à-dire des *restes de cuisine*, des débris de repas. Ces kjokken-modding, ou hioek-kenmoëddings, se retrouvent également dans la presqu'île scandinave.

Voici leur origine : Au retour de la chasse ou de la pêche, les hommes des premiers âges s'établissaient sur les bords de la mer, accroupis et groupés par familles, pour dévorer, plutôt que pour manger, leurs provisions. Alors ils en laissaient les débris sur la place même, autour d'eux, ce qui est très bien indiqué par la forme, les saillies et les creux des monticules. Ces repas étaient composés de coquillages d'assez grande taille, pris loin du rivage, où l'on n'en trouve pas de semblables, et de poissons, d'animaux marins, d'oiseaux terrestres, tels que le coq de bruyère notamment. Aussi est-il permis d'établir la date approximative du séjour de ces peuplades primitives. Le coq de bruyère ne vit que de bourgeons de pin. Or, les pins, remplacés par les chênes d'abord, puis maintenant par des hêtres, trois peuples de végétaux qui se succèdent comme une sorte d'assolement naturel, les pins, dis-je, par les troncs qu'ils ont laissés, renseignent sur l'époque de ces repas, et rendent possible de la fixer à quatre mille ans de notre temps.

Que l'on ne dise pas que ces collines échelonnées sur toute la côte occidentale du Danemark, présentant un espace vide à leur milieu, ne sont pas formées de restes de repas, puisque parmi les coquilles, les arêtes de poissons, les os de coqs de bruyère, etc., on trouve aussi des ustensiles de pierre polie, couteaux et coins en silex, des poteries grossières et quantité de charbons.

Qui de nous, à l'exposition de 1867, à Paris, comme actuellement dans les galeries du château de Saint-Germain-en-Laye transformé en musée des âges primitifs, qui de nous n'a pas vu avec étonnement et anxieusement examiné ces armes et ustensiles des âges de pierre, et ces *rebuts de cuisine* importés du Danemark pour notre édification?

En ces temps-là, le buffle parcourait les plaines danoises, comme les régions alpines; le castor y vivait encore avec le pingouin, maintenant disparu de l'Europe et relégué au Groënland; le phoque venait aussi s'ébattre sur ces côtes, qu'il a depuis abandonnées. Les naturels de cette triste région étaient plus sauvages que ceux des latitudes du sud, car ils n'avaient d'autre animal domestique qu'un petit chien.

Bref, la nuit des âges barbares régnait d'un bout à l'autre de l'Europe, avant surtout, mais aussi pendant les temps de la pierre brute. Sous la période de la pierre polie, un progrès s'accomplit; les ténèbres s'effacent quelque peu, et cette embellie montre le travail de l'esprit de l'homme primitif.

En effet, voici venir l'AGE DE BRONZE.

Dans ces mêmes tourbières du Danemark, et au sein des kjokkenmoddings, dont quelques-unes ont jusqu'à dix mètres d'élévation, un jour on exhume non-seulement des coins et des couteaux en silex, mais aussi on rencontre les premiers débris de métaux.

Le fer a fait son apparition. Des épées et des boucliers de bronze sont retirés des couches superficielles des débris de cuisine, et maintenant on les conserve au musée de Copenhague. On recueille même les moules qui ont servi à couler le métal. Enfin on rencontre des poteries où se révèle déjà quelque recherche d'ornementation.

Bien mieux. Voici que, en 1854, pour la première fois, on signale à Meilen, sur le lac de Zurich, en Suisse, d'anciens pilotis autour desquels gisent des ustensiles divers de pierre et de bronze.

Puis, pendant les hivers de 1858 et 1859, les eaux de ce même lac étant restées très basses, on recherche avec beaucoup de soin les objets en question, disséminés autour des vieux pilotis. Or, ces découvertes se multiplient tellement qu'on est forcé d'en conclure que des peuplades ou des familles amphibies se sont jadis bâti des cabanes sur des pieux, à une faible distance du rivage, soit pour s'isoler et se défendre contre leurs ennemis, soit pour éviter l'attaque des bêtes sauvages répandues au pied des Alpes.

Le fait est que sur ces pilotis on trouve bientôt des débris de huttes qui démontrent que ce lac était habité, et que tous les autres lacs de la Suisse et d'ailleurs servaient de repaire à l'homme primitif.

De ces *stations* et *villages lacustres* ou *paludéens*, c'est le nom qu'on leur donne alors, on en retrouve dix sur le lac de Bienne, douze sur celui de Neufchatel et vingt sur le lac de Genève.

Ces petits villages étaient semés à fleur d'eau sur tous les lacs, et communiquaient avec la terre ferme par des ponts-levis. Les huttes qui les composaient, au nombre de deux cents dans l'une des stations lacustres du lac de Genève, sur une superficie de quatre cents mètres de long et de cinquante de large, pouvant contenir un millier d'habitants, portent le nom de *palafites*. Isolées l'une de l'autre, ou agglomérées, ces palafites reposaient sur des pilotis, lesquels, bien conservés, portent encore la trace d'entailles faites avec des outils de pierre. Carbonisés à leur tête, car ils ont été empruntés à des arbres qu'on n'a pu abattre qu'en brûlant leur tronc, peut-être aussi ont-ils été incendiés par un ennemi quelconque. A la position de ces pilotis et aux débris de huttes qui ont occupé leurs plates-formes, on reconnaît que ces habitations étaient rondes, quelquefois rectangulaires, avec un parquet à fleur d'eau. On peut même juger qu'elles étaient recouvertes d'une toiture et cimentées avec de l'argile. Voisines de la rive du lac, elles étaient munies d'un pont-levis : éloignées de cette rive, on y arrivait à l'aide de canots faits de troncs d'arbres creusés. Un de ces canots a figuré à l'exposition de 1867. Les habitants se trouvaient ainsi à l'abri des incursions des bêtes féroces et des attaques de l'homme lui-même.

A Wangen, sur le lac de Constance, on a reconnu l'existence de l'une de ces stations lacustres d'au moins mille âmes. Elle était élevée sur plus de quarante mille pilotis. Là, les outils étaient en serpentine, en quartz et en diorite. Déjà les habitants de cette station savaient feutrer le chanvre. Ils cultivaient trois céréales, et ils avaient déjà réduit à la domesticité le chien, le bœuf, la chèvre et le mouton. Les fossiles de toutes ces créatures le démontrent.

Les hordes du petit lac de Moosseedorf, près de Berne, possédaient des instruments en pierre, en corne et en os. Ils polissaient des haches et des coins en silex et en jade. Ils connaissaient l'ambre, qui sans doute leur provenait des bords de la mer Baltique.

Autour des pilotis de plusieurs de ces stations, quelques vases en métal ont été trouvés parmi les mille autres ustensiles en silex. Le bronze étant un alliage de cuivre et d'étain, après la découverte du minerai de ces métaux, ces gens grossiers avaient cependant imaginé de le fondre, et ils avaient réussi. Aussi trouve-t-on chez eux l'origine des armes de fer et de bronze.

Au pied des palafites composant ces cités lacustres, on découvre une immense quantité d'ossements, qui permettent de reconstituer la faune ou règne animal de cette époque et dans ces contrées. On y voit que la faune d'alors ne différait pas de celle que plus tard Jules-César trouve dans notre Gaule. J'ai déjà signalé l'aurochs. On y rencontrait l'élan, qui a émigré vers les pôles. Mais surtout on avait les quelques animaux domestiques cités plus haut. Ces tribus vivaient principalement de chasse, et le renard semble avoir été leur gibier favori. En revanche, peu de fossiles de lièvre. Ce ruminant était peut-être déjà protégé par une superstition que César trouva encore vivante parmi les habitants de la Grande-Bretagne. Les os des ours, des cerfs, des buffles, des chevreuils, recueillis autour des pilotis, sont tous brisés, ce qui prouve que les chasseurs en suçaient la moelle.

On se demande comment, seuls, ou avec des chiens de petite taille, à pied, — car le cheval ne fut apprivoisé que pendant la vraie période de bronze, — armés de simples flèches en pierre, ces pauvres gens pouvaient venir à bout d'animaux aussi redoutables ou aussi agiles.

Les anciens, du reste, ont eu également des stations palustres. L'historien grec Hérodote nous dit que les Péoniens, peuplade de la Macédoine, demeuraient au milieu de vastes marais.

Dans l'Italie, d'autre part, notamment chez les Etrusques, puis dans l'Irlande, et enfin dans l'Amérique, les lacs ont eu des cités lacustres. En Irlande, les huttes étaient construites sur des îlots artificiels nommés *crannages*.

Evidemment, c'est aux hommes primitifs que les anciens et ces dernières contrées avaient emprunté l'idée des habitations sur les eaux.

Je passe maintenant aux *terramares*.

C'est spécialement dans le nord de l'Italie, au cœur de l'Emilie, et même dans notre département du Nord, l'ancienne Flandre, aux environs de Bergues, que l'on trouve des terramares.

Comme les palafites des villages lacustres, et les terper de la Hollande, les terramares étaient des maisons bâties sur pilotis, non plus au milieu des lacs, mais au milieu des terres. Seulement elles étaient entourées d'un large fossé, creusé tout exprès pour recevoir les eaux du ciel et protéger l'habitation, ainsi isolée. Ces pilotis, en chêne ou en orme, car on reconnaît leur essence en les arrachant du sol, sont longs de deux à trois mètres, larges de dix à quinze centimètres, et sans pointes à leur extrémité inférieure. On les plantait dans la terre à une profondeur de cinquante centimètres. Une charpente composée de solives et d'épais madriers, que fixaient des chevilles, formait le plancher du petit édifice. C'était sur cette base solide que s'élevait le logis fait de branches entrelacées et enduites d'un torchis d'argile. Un toit de glaïeuls et de roseaux recouvrait le tout.

Dans plusieurs de ces terramares, placés entre Parme et Modène, on a trouvé une aire de terre brute et une couche de sable destinée à combattre l'humidité. De rustiques foyers en pierres servaient à chauffer cette demeure et à entretenir le feu pour la cuisson des aliments. La fumée s'échappait par une ouverture pratiquée dans le toit. Enfin une sorte de pont-levis mettait le terramare en communication avec la plaine.

Les terramares, en progrès sur les cités lacustres, appartiennent tout-à-fait à l'âge de bronze.

De nos jours, en Italie, les colons exploitent leurs massifs comme engrais, car ce ne sont plus que des amas de terre et de détritus de toutes sortes, épars dans les plaines.

En France, ces habitations antédiluviennes ont convié, par leur forme, les possesseurs à les convertir en véritables fermes fortifiées.

Nombre de reliques et d'ustensiles, provenant des terramares, ont été et sont encore colligés et renfermés dans les musées de l'Europe. Nous en dirons quelques mots tout-à-l'heure.

Enfin, les peuplades primitives qui vivaient dans nos contrées occidentales, — car je ne puis vous entretenir des hordes sauvages des autres régions, — ont encore laissé des vestiges de leur séjour dans un grand nombre de cavernes.

On les nomme *cavernes à ossements*.

Les plus célèbres par les objets qu'on y a trouvés et que l'on y rencontre encore, sont les cavernes de l'est et du sud de la France, de l'Angleterre, de la Franconie, de la Bavière et de la Hongrie.

On en a également trouvé dans la Nouvelle-Hollande.

Ces cavernes contiennent des restes d'animaux dont les espèces sont encore vivantes dans le pays, mêlés à ceux d'espèces anciennes et inconnues, dont quelques-unes sont de la taille de l'hippopotame, sinon plus.

Le remplissage de ces cavernes n'a pas été assurément simultané sur toute la surface terrestre. Mais partout il fait partie de la période que nous avons appelée époque quaternaire, qui précède immédiatement les temps historiques.

Le dépôt meuble introduit dans les cavernes est généralement composé d'argile et de sable, quelquefois séparés, plus souvent confondus en un limon rougeâtre. Dans ce limon sont ordinairement empâtés des ossements d'animaux et des débris de roches. Ces ossements ne sont presque jamais réunis en un squelette entier; et leur disposition prouve qu'ils ont été remués par des causes postérieures à la mort des animaux. Cependant ils sont rarement usés par le frottement, et leur fraîcheur est telle parfois qu'on les dirait ensevelis de la veille, si leur état de *fossilisation* ne témoignait de leur long séjour au sein du limon.

Ce qu'il y a de singulièrement remarquable, c'est que la plupart de ces ossements sont ceux d'espèces animales complètement perdues, soit pour la création entière, soit pour notre Europe. C'étaient des pachydermes gigantesques, des éléphants, des rhinocéros; c'étaient de nombreux carnassiers de toutes tailles, ours, lions, tigres, panthères, hyènes, loups, renards, chats, belettes, putois, martes, etc. Une partie de ces animaux habite aujourd'hui la zone torride, et tout porte à croire qu'un climat plus chaud que notre climat actuel régnait alors sur l'Europe moyenne.

On estime que trois douzièmes des ossements trouvés dans les cavernes appartiennent à des ours, deux douzièmes à des hyènes, et un douzième seulement aux autres animaux.

Mais, pour ne pas donner une fausse idée du règne animal dont quelques débris sont accumulés dans les cavernes, il faut rappeler que, dans ces dépôts meubles des plaines, on a trouvé des débris d'innombrables troupeaux de chevaux, de cerfs, de gazelles, etc. Et, en effet, à tant d'ours et d'hyènes, habitants des cavernes, il fallait bien des victimes à dévorer.

Aussi, comme tout se tient et s'enchaîne dans la nature, n'existât-il pas un seul débris de la flore de cette époque, on n'en pourrait pas moins assurer qu'une riche végétation couvrait la surface du sol, puisque tant d'énormes pachydermes, puisque des armées de ruminants, trouvaient à vivre et à se perpétuer.

Reprenons actuellement l'énumération des produits de cette époque intéressante.

D'abord, dans les terrains diluviens d'Abbeville, de Saint-Acheul, du Pecq, de Poissy, etc., on trouve des silex taillés à larges facettes par le choc d'autres pierres, et analogues aux armes de matières minérales que l'on rencontre chez la plupart des hordes sauvages qui nous sont contemporaines.

Par leurs formes, ces silex représentent nos instruments, nos outils, nos armes, nos ustensiles les plus en usage : casse-têtes, couteaux, haches, marteaux, pointes de flèches, lances, harpons, poinçons, aiguilles, râcloirs, polissoirs, doloires, hameçons, gouges, etc., le tout en pierre dure, cette pierre enfin qui a nom silex.

Ensuite, au sein des cavernes cachées sous le sol de la croûte terrestre, à une profondeur variable, sous des galeries tantôt fort élevées, tantôt basses à contraindre le visiteur à ramper, sans doute foyer commun où hommes et animaux cherchaient un lieu de refuge et une tanière, on rencontre quantité d'autres objets qui déjà dénotent un progrès. Dans les grottes de la Dordogne, de la Charente, et de Tarn-et-Garonne, par exemple, comme dans les lacs de l'Aveyron, on recueille parmi des restes de cendres et de charbons, des silex travaillés avec plus d'art que ceux de pierre brute de l'alluvion. Ainsi, on reconnaît que ces silex ont été détachés d'un bloc ou noyau, au moyen d'un coup sec, et rendus plus acérés. Signalés à leur surface supérieure par une ou deux arêtes, ils sont lisses en-dessous, légèrement recourbés et se terminant par un léger renflement à l'une de leurs extrémités longitudinales. Ces outils primitifs ne sont plus uniquement en silex; on en trouve en porphyre, en jade. On rencontre aussi des os travaillés. Et non-seulement l'homme se fabrique alors, avec les ossements des animaux, des objets destinés à sa défense et à ses besoins, mais encore il décore ces instruments de figures de rennes et d'autres bêtes fauves, soit au trait gravé, soit même en relief.

Par exemple, vous avez dû voir à l'exposition de 1867, dans la galerie du travail, cet ivoire arraché aux cavernes à ossements, et qui représentait, gravée au trait, grossièrement bien entendu, une figure d'éléphant-mammouth, ce qui fait supposer que ce gigantesque pachyderme, maintenant exclus du catalogue des animaux du globe, vivait encore lorsque l'homme primitif fit son apparition sur la terre.

On rencontre enfin jusqu'à des mâchoires de bêtes féroces façonnées en massues formidables et faisant involontairement songer à celle dont Caïn se servit pour accomplir le meurtre de son frère Abel.

Ces ossements appartiennent à des ours, des hyènes, des panthères, des éléphants, des rhinocéros, des sangliers, des loups, des chevreuils, des castors, et même à nombre d'oiseaux.

On peut admettre que les eaux torrentielles du déluge et des tempêtes ont entraîné ces ossements avec les sables dans les fissures du sol, de là dans les cavernes, où alors elles ont fait un mélange du tout.

Vous plaît-il de vous faire une idée des difficultés que l'archéologue éprouve à explorer ces cavernes à ossements? Je vous dirai alors que le savant Schmerling, pour descendre dans leurs galeries, se laissait glisser le long d'une corde attachée à un arbre, atteignait ainsi l'ouverture de la caverne d'Engis, pénétrait dans la première galerie, rampait à quatre pattes dans un long et très étroit boyau conduisant aux grandes chambres, et là, faisant percer sous ses yeux les parois de stalactites et de stalagmites, dépôts calcaires qui en suintant à travers le sol avaient couvert les parois des souterrains d'épaisses couches de ce dépôt, il extrayait pièce à pièce la brèche osseuse, composée de toutes sortes de détritus amalgamés, demeurant des heures entières les pieds dans la fange et la tête sous l'eau qui tombait sans fin de la voûte.

Dans ces grottes, on recueille aussi çà et là des fragments de poteries grossières, qui commencent à révéler que l'homme, ne se contentant plus de la pierre, imagine dès-lors l'emploi de l'argile et la cuisson de la terre.

Maintenant, que rencontre-t-on sous les palafites, et dans les fossés des terramares de l'Emilie, alors que l'on commence à sortir de l'âge de pierre pour entrer dans l'âge de bronze?

Là, sous la couche épaisse du limon des palafites, et parmi les pilotis des habitations lacustres, la pierre brute ne se montre plus. On trouve bien encore quelques créations en pierre, mais alors en pierre polie, en pierre ouvragée. Témoin la magnifique hache provenant de la station de Concise, et appartenant au docteur Clément, qui l'envoya à notre exposition de 1867. Chose rare! elle est encore en possession de son emmanchure en bois. On rencontre aussi de superbes marteaux, également en pierre, véritables objets d'art, et on se demande comment avec les moyens bornés dont ils disposaient, nos premiers parents pouvaient forer des trous aussi réguliers dans la pierre dure.

Quant à la céramique ou poterie, les palafites des lacustres exhument souvent des vases qui portent l'empreinte du pouce du potier et le cachet d'une certaine recherche. Ces vases nous révèlent la manière dont se nourrissaient nos aïeux, car ils renferment la plupart du froment, de l'orge, de l'avoine, des pois, des lentilles, etc. C'est-à-dire que déjà l'homme primitif n'était plus absolument à l'état sauvage, car il cultivait.

Les palafites de l'âge de bronze sont plus nombreux et plus importants néanmoins. L'homme connaît alors la fonte et l'emploi des métaux, mais presque exclusivement du cuivre, plus fusible que le fer, moins difficile à extraire du minerai, et qui devient le premier métal de l'antiquité. Mélangé avec l'étain, l'homme primitif produit ainsi le bronze, qui donne son nom à cet âge de progrès. Aussi la céramique se développe. Seulement les vases de cette époque sont coniques, de sorte que, pour les faire tenir debout, il faut les enfoncer dans le sable, ou bien les placer sur des anneaux en terre cuite.

Les haches, très nombreuses, sont excessivement variées de forme. Les couteaux sont élégants et la facture tourmentée de leur lame rappelle les formes orientales. Les faucilles abondent, ce qui indique une agriculture déjà développée.

Parmi les armes, les épées sont pourvues d'une poignée d'une petitesse caractéristique qui semble devoir confirmer l'hypothèse que les populations presque encore antéhistoriques de ces temps étaient d'une taille au-dessous de la moyenne actuelle.

De toutes ces épaves des âges de pierre et de bronze, des palafites et des terramares, des cavernes et des terrains diluviens, que le hasard des découvertes vient de faire passer sous nos yeux, nous avons pu juger et apprécier les étranges et curieux spécimens que l'exposition de 1867 a fait venir à Paris, pour la plus grande satisfaction des archéologues, des géologues et des simples amateurs.

Je ne dirai rien des bijoux, bracelets, épingles à cheveux, boucles d'oreilles, etc., faisant connaître que la coquetterie des femmes a fait naître la joaillerie, et qu'elle est aussi bien de l'âge de pierre que de l'âge d'or.

Dans les terramares, en dernier lieu, l'absence absolue d'objets en silex, et la présence de nombreux ustensiles en bronze, démontrent clairement que, dans cette période, on préférait déjà, même aux poteries en terre, cet alliage de métaux dont on rencontre à chaque pas de nombreux débris dans les fossés des terramares.

Cependant, les poteries que l'on y rencontre atteignent une certaine perfection, quoique l'usage du tour n'ait pas encore été connu. Elles se faisaient avec une argile noirâtre, grise ou roussâtre, et toujours préalablement lavée. Il est présumable qu'on les façonnait avec des spatules et des lissoirs en os et en bronze, car ces outils gisent à terre au milieu de ces débris.

Les rebuts de bronze, coulés dans des creusets en terre rencontrés là aussi, et colligés avec soin, reproduisent des pointes de lances, des haches destinées à être emmanchées dans des ramures d'arbres, serpes, ciseaux, alènes, boutons, épingles à cheveux et peignes. Ces peignes se fabriquaient en os plutôt qu'en métal. On a trouvé l'un de ces peignes découpé dans une corne de cerf soigneusement gravée. C'est une merveille d'adresse et de goût. On rencontre encore des aiguilles à filocher, des navettes de tisserand, d'autres aiguilles à coudre munies de leur chas, etc. Toutes ces reliques de l'âge de bronze accompagnent des colliers en coquilles de pèlerins et des fusioles, sorte de disques troués au milieu, faits en os ou en terre cuite, regardés comme des objets de parure, mais, en réalité ayant pour fin de tordre le fil des fuseaux.

Enfin, dans les vases de bronze, on retrouve de notables quantités de blé, orge, millet analogue à celui que l'on cultive de nos jours dans l'Ombrie et l'Emilie, graine de sureau, fèves, pépins de pommes, noyaux de prunes et de merises, noisettes et glands, etc.

Le tout est entremêlé d'ossements de cerfs, de bœufs, de chevaux, de porcs, de moutons et de chiens. Ces pauvres chiens étaient comestibles, hélas! car leurs os, comme tous les crânes que l'on exhume, sont brisés et démontrent qu'on les a ouverts afin d'en extraire la cervelle et la moelle.

Des terramares on a retiré aussi un vase portant, à la partie la plus évasée de ses flancs, quatre petites anses destinées à recevoir un cordon permettant de placer le vase en sautoir.

Enfin, de l'âge de bronze encore, je signale une superbe trompette, spécimen unique assurément, et qui, par sa forme, rappelle notre cor de chasse.

Ne suffit-il pas de constater l'existence de tous ces objets, pour donner la preuve incontestable de l'existence de hordes inconnues, remontant aux époques les plus lointaines. Nous regardons peut-être du haut de notre grandeur ces produits de l'humble transformation des aborigènes de tous les temps et de tous les pays, Peaux-Rouges et Océaniens; mais que l'on songe à ce qu'a dû faire l'homme primitif pour arriver à la civilisation, alors qu'il était livré à ses propres ressources et exposé à tous les dangers!

Certes! ces débris des palafites, ces ustensiles des terramares, et ces rebuts de cuisine, reliques de cavernes, etc., nous montrent suffisamment ces peuplades sauvages telles qu'elles étaient, vivant isolées, par petits clans, obligées de s'entourer d'eau pour se défendre. Les hommes se faisaient des armes, tandis que leurs rustiques compagnes fabriquaient des ustensiles de ménage, des étoffes, voire même des parures, pour paraître plus belles aux yeux des leurs farouches époux.

Qui pourrait faire le catalogue des autres curiosités des temps anciens renfermées sous le sol diluvien : cités fameuses, telle qu'Hénoch a, élevée par Caïn; Sodome et Gomorrhe; Babylone et Ninive; Persépolis et Balbeck; Herculanum et Pompéïa; richesses d'art enfouies sous les ruines; reliques d'orgies architecturales; dol-mens et men-hirs; peul-vens et chrom-lechs; mystérieuses tombelles et magnificences de souterrains inexplorés?

Cependant nous n'avons pas encore vu l'apparition de *l'homme fossile*, de *l'homme antédiluvien*, de *l'homme primitif...*

C'est ce qui va nous occuper dans le chapitre suivant.

Après quoi nous parlerons de la *cité palustre de Bordeaux;*

Puis, je lèverai le voile sur une *ville antédiluvienne, antéhistorique*, découverte depuis quelques mois à peine.

Ah ! comme l'a dit le grand poète Virgile :

.... tempus veniet, quum finibus illis
Agricola, incurvo terram molitus aratro,
Exesa inveniet scabra rubigine pila,
Aut gravibus rastris galeas pulsabit inanes,
Grandiaque effossis mirabitur ossa sepulcris.

GEORG., liv. I, v. 403.

CHAPITRE II.

Aspects de la planète terre après la création de l'homme. — L'homme primitif. — Vestiges de ses stations. — Recherches sur l'homme fossile. — Ossements de l'homme antédiluviendans la grotte de Bize. — Découvertes du docteur Schmerling. — La caverne d'Engis. — Sépulture antéhistorique d'Aurignac. — Fouilles du sol diluvien de Moulin-Quignon. — Une mâchoire d'homme fossile. — Les découvertes de Rethondes. — Le squelette du coteau de Montebras. — Une station paludéenne remise au jour en plein centre de Bordeaux. — Ce qu'il faut attendre de l'avenir. — Une ville antéhistorique en Grèce. — Comment sort de terre cette nouvelle Pompéïa. — Ce que produisent les fouilles de Thérésia. — Maison. — Galeries. — Cours. — Squelette humain. — Outils en silex et en obsidienne. — Vases primitifs. — Autres vases artistement œuvrés. — Deux pépites d'or natif. — Comme quoi cette cité préhistorique appartient à l'âge de pierre polie.

La création des mondes était terminée.

Des profondeurs de son sanctuaire d'azur et d'or, Dieu contemplait son œuvre.

L'homme, roi de cette création par les facultés de son âme, errait tristement sur la planète terre.

C'est l'époque nuageuse où va se produire l'enfance de l'humanité et où le besoin, la nécessité, donneront origine à l'industrie d'abord : les silex et les pierres !...

En ces temps primitifs, ce devait être un étrange spectacle que celui de nos contrées occidentales, pour ne pas dire du globe entier !

Des montagnes sourcilleuses, comme les simples collines, hérissées de grandes forêts aux lignes sombres, aux coupoles sublimes; des roches granitiques perçant çà et là le feuillage luxuriant des vallées et des clairières; de larges plaines, d'immenses prairies, s'étendant en tout sens et attendant la main du colon; des fleuves et des rivières promenant majestueusement leurs eaux limpides, lentes ou fougueuses à travers les campagnes, et s'acheminant vers les mers ; telles étaient les perspectives.

Au loin, dans les marais, sur les lagunes, parmi les lacs rutilants au soleil comme de vastes miroirs, de modestes huttes, demeures de l'homme primitif, ponctuaient l'horizon.

Puis, dans les bois, sur les monts, à travers les plaines, parmi les prairies, au sein des vallées, sous les clairières, partout, jusque dans les eaux des courants, s'agitaient, bramaient, grommelaient, mugissaient, vagissaient, râlaient, craquetaient, tous les animaux imaginés par la nature, depuis le mammouth gigantesque, le mastodonte, le plésiosaure, le ptérodactyle, l'épiornis, les sauriens, l'éléphant, le rhinocéros et l'hippopotame, jusqu'au lion, au tigre, à l'ours, à la panthère, à la hyène, au renard et au loup...

Voyez-vous les hommes d'alors, les femmes et les enfants de ces temps préhistoriques, à moitié nus, à peine vêtus de peaux de rennes ou d'aurochs, les voyez-vous allant, les uns à la chasse de ces terribles fauves, les autres à la culture de quelques plantes confiées au sein de la terre, sur les rives de leurs lacs ?

Pauvre homme primitif, de quelles terreurs devait-il être assailli en face de ces bandes de carnassiers, dont les fossiles innombrables nous révèlent l'existence ! Pauvre compagne de ce roi de la création, reine à la couronne d'épines, quelles épouvantes devait-elle subir !

On conçoit que les hordes de ces premiers siècles se soient isolées, fortifiées, au milieu des eaux.

Mais comment, pourquoi, allaient-elles aussi chercher un abri dans les cavernes, dans les cavernes hantées par ces féroces animaux ? Car enfin, l'homme primitif, lui aussi, a demeuré dans ces repaires. Les produits de son industrie que l'on y trouve le démontrent. Il y vivait, il y mangeait et y dormait, il y était inhumé ; tout le prouve. Ne craignait-il donc pas, comme nous, les appétits sanguinaires de ses sujets, ce hardi souverain des animaux? Ou bien les bêtes féroces n'étaient-elles point à craindre, comme de nos jours ? Mais non, puisque, pour vivre, l'homme poursuivait à la chasse et égorgeait ces ours et ces loups, ces lions et ces tigres, ces aurochs et ces rennes !

Que l'on ne dise pas que la présence de l'homme éloignait les animaux. Cela n'est pas. Les amoncellements énormes de leurs ossements, ossements du carnassier confondus avec ceux du pachyderme, du proboscidien et du ruminant ; du vainqueur et du vaincu, du fort et de sa victime ; et puis les amas même de leurs excréments fossiles étendus, superposés à une grande épaisseur, par induction nous contraignent à affirmer que ces monstres faisaient des tanières de l'homme, dans un temps du moins, leur séjour commun.

O mystères, profonds mystères! qui lèvera jamais le voile qui vous cache ?

Or, puisqu'on trouve ainsi, partout, les fossiles de tous ces animaux, pourquoi donc ne trouve-t-on pas, avec les objets qui lui ont appartenu, avec les charbons dont il a fait son foyer, avec les poteries dans lesquelles il a mangé, avec les armes qui lui ont permis d'égorger les animaux, pourquoi ne trouve-t-on pas les restes de l'homme des anciens temps, les reliques de son corps, l'homme fossile, en un mot?

Ces temps antéhistoriques ne sont plus.

Des empires et des royaumes, des républiques et d'innombrables sociétés de peuples leur ont succédé.

Et voici qu'une curiosité posthume s'occupe des temps primitifs, alors qu'ils sont plongés dans les ténèbres. On cherche, on cherche beaucoup, avec passion même.

Suivons donc ce mouvement de curiosité générale.

Tandis qu'on n'a jamais trouvé des ossements humains dans les graviers des vallées, on a été alors heureux pour en découvrir dans des cavernes transformées en charniers. Ces cavernes sont devenues les ossuaires d'innombrables animaux inhumés là, avec leurs victimes, soit par attrait de ces repaires adoptés par eux, soit par le fait des eaux diluviennes, soit par des fissures de galeries ouvertes au-dehors aux pluies torrentielles.

Dès 1828, M. Tournal trouve des ossements d'hommes, mêlés à ceux d'espèces animales éteintes, dans la grotte de Bize, au département de l'Aude.

L'année suivante, M. Christol fait une découverte semblable à Gondres, près de Nîmes.

Ces explorateurs en concluent que l'homme a été le contemporain du mammouth, des sauriens gigantesques, etc.

En 1833, le docteur Schmerling fouille avec une admirable patience toutes les cavernes des environs de Liége. Dans celle d'Engis, il a la bonne fortune de découvrir plusieurs crânes humains, dont l'un est entier, et que l'on conserve maintenant au musée de l'Université. Ce spécimen, très précieux, fut trouvé dans une brèche stalagmiteuse contenant des dents de rhinocéros, de renne, et des débris de ruminants fossiles.

Au pied des Pyrénées, à Aurignac, Haute-Garonne, un de nos savants les plus distingués, M. Lartet, découvre naguère une sépulture d'hommes antédiluviens. Une dalle de pierre, cachée par des éboulis, servait de porte à une chambre taillée dans le rocher. On y trouva dix-sept squelettes humains...

Oh ! ne vous réjouissez pas, chers lecteurs. Au moment précis où l'on croit mettre la main sur l'homme fossile, l'homme fossile se dérobe soudain et se soustrait à toute investigation !

Ces dix-sept cadavres d'Aurignac sont perdus pour la science. En effet, on les avait transportés au cimetière du village, et Lartet n'est pas assez heureux pour les retrouver... Il fait faire des fouilles dans la grotte, et devant l'entrée il trouve une couche assez épaisse de cendres et de charbons, avec quantité d'ossements, et une centaine d'ustensiles en silex. Parmi ces ossements, le savant anatomiste reconnaît ceux de neuf animaux carnivores et de dix herbivores, chiens, hyènes, éléphants, rhinocéros, cheval, cerf, aurochs, etc. D'après M. Lartet, les dix-sept morts ont été déposés au fond de l'étroite caverne dans la posture d'hommes assis; un repas funèbre a eu lieu en leur honneur à l'entrée de la grotte, et plus tard, les hyènes sont venues ronger les restes du repas, lequel consistait en rhinocéros, etc.

Plus récemment encore, le 28 mars 1866, un des terrassiers employés à déblayer le sol diluvien de Moulin-Quignon, dans la Somme, vient dire à M. Boucher de Perthes que quelque chose ressemblant à un os se montre sous le banc de gravier qu'il explore. En effet, l'extrémité d'une dent, enfermée dans sa gangue, apparaît dans une longueur d'un centimètre. Voulant la dégager complètement, M. de Perthes fait enlever le gravier qui l'enveloppe, et réussit dans son œuvre. Victoire! ce n'est pas seulement une dent, c'est une mâchoire humaine que le savant tient entre ses mains, mâchoire humaine encore garnie d'une *molaire!*

Une chose frappe tous les témoins de la scène : c'est la parfaite conformité, identité de patine ou couleur de cette mâchoire avec le terrain qui la contenait, patine brune, presque noire. Sur ce, grande affluence de savants de France, d'Angleterre, d'Allemagne, etc. On démontre que cette relique de l'homme fossile était à quatre mètres cinquante-deux centimètres de la superficie du sol, tout près de la craie, à Moulin-Quignon même, sur un plateau dominant la vallée de la Somme, à trente mètres au-dessus du niveau de la rivière et de la Manche ; que ce n'est plus un ossement extrait d'une caverne, cette fois, car on se défie des cavernes ; enfin que c'est bien un débris humain appartenant à un terrain diluvien parfaitement intact... Hélas! M. Boucher de Perthes ne peut faire partager son ardente conviction...

Ah! les savants ne se laissent point persuader facilement.

En 1868, — voilà qui est bien près de nous, — une station de l'âge de bronze est mise à jour dans la vallée de l'Aisne. En fouillant les graviers de Rethondes, à dix kilomètres de Compiègne, et sur les bords de la rivière, on exhume des sépultures dans lesquelles se trouvent plusieurs squelettes, des poteries, des vases, dont chaque mort a deux près de sa tête, un collier de bronze, etc. Maladroitement ces vases sont brisés, un seul excepté, qui, par sa forme, son galbe, sa pâte, rappelle à merveille les poteries de l'âge préhistorique. Quant au collier, c'est une œuvre d'art, presque. Il est à tige unie et à section quadrangulaire.

Les cadavres sont au nombre de trente à quarante.

Il paraît qu'un cimetière antéhistorique touche à ces sépultures, sur lesquelles les savants travaillent à cette heure.

Au lieu d'un homme fossile, aurait-on eu enfin la chance d'en exhumer une trentaine d'un coup de filet?

Cette année même, 1869, autre découverte :

Dans le département de la Creuse, à deux lieues de Boussac, se trouve le coteau de Montebras, qui s'incline vers la petite Creuse. Au sommet du coteau, des mouvements de terrain figurant une suite de vastes entonnoirs ont été reconnus comme les vestiges de l'exploitation à ciel ouvert d'une mine, à une époque très reculée et impossible à préciser. Un savant ingénieur des mines, M. Moissenet, commença l'attaque du coteau de Montebras, en 1865. Les résultats ont réalisé les espérances, et la France est dotée d'une richesse minérale dont elle était dépourvue ; il s'agit de mines d'étain. Mais l'étain n'est pas ce qui nous occupe.

Voici que, après un fonçage assez peu profond, on met à découvert des silex taillés, des fragments de meules à main, de vieux bois de mines qui ne semblent pas avoir été dégrossis par le fer, toutes choses qui font constater la prodigieuse antiquité de ces mines. Elles remontent, en effet, à l'âge de pierre, et ont été exploitées au début de l'âge de bronze, pour fournir précisément le métal qui a donné son nom à l'époque.

Mais suivit une trouvaille bien autrement curieuse. Un mineur de la première heure, c'est-à-dire de cet âge de pierre, fut également exhumé, du milieu de blocs de roche verte entassés à plus de quatre mètres de profondeur. C'est une portion du crâne et de nombreux ossements du squelette d'un sujet adulte... Des racines de bruyères et celles d'un chêne avaient su se frayer un passage entre les assises des roches vertes, pour aller à cette profondeur extraire de ces débris humains les éléments de vie végétale que le sol aride ne leur offrait pas.

On s'occupe beaucoup de cette découverte, peut-être plus à Guéret qu'ailleurs ; mais on s'en occupe.

A-t-on enfin trouvé l'homme fossile? Espérons-le, car le squelette, d'après M. Moissenet, a séjourné sous ce banc de roche verte pendant des milliers d'années ; et il appartient à un homme de l'âge de pierre, les silex, etc., en font foi.

Voici maintenant, d'après M. Henry Berthoud, comment, l'an dernier, 1868, on découvrit une *cité palustre* ou paludéenne, en plein cœur de Bordeaux :

— Pendant les fouilles que nécessitèrent à Bordeaux les travaux d'un grand égout collecteur, le sol qu'on fouillait dans la rue des Trois-Conils mit à jour une grande quantité d'os sur lesquels on remarquait les cassures longitudinales, les entailles et les stries qui caractérisent les ossements recueillis dans certaines cavernes habitées par les premiers indigènes de la France. On y trouva également quelques crânes d'animaux qui se présentaient brisés de façon à démontrer qu'on en avait extrait la cervelle, un nombre relativement considérable de mâchoires inférieures de grands ruminants, privées de leurs incisives, mais qui conservaient leurs molaires, et sur toutes lesquelles, sans exception, l'apophyse coronoïde et le condyle étaient intentionnellement rasés au niveau du trou dentaire.

Bientôt vinrent s'ajouter à ces précieuses épaves deux andouillers de cerf sciés évidemment avec des outils en silex, et portant de nombreuses stries et des entailles. Plusieurs petits instruments de bois, dont l'extrémité avait été durcie au feu, gisaient près de là ; l'un d'eux offrait le caractère d'un vrai poinçon ; l'autre ressemblait à une spatule.

Les fouilles de la rue des Trois-Conils fournirent encore, devant la caserne municipale, un grattoir, un couteau et deux marteaux en silex. Sur le parcours de la tranchée ouverte entre la rue Vital-Charles et la rue des Facultés, on rencontre des poinçons et des polissoirs. La rue Rohan, atteinte par la tranchée, fournit des ossements identiques, de même couleur, de même cassure, ciselés des mêmes stries et des mêmes entailles, et trois poinçons, assez grossièrement façonnés, quoique bien déterminés.

Là, pour la première fois, on vit des instruments caractérisés par leur poli et par leur fini : des poinçons, des aiguilles, des polissoirs, des spatules, des pointes de flèches, des sifflets et des emmanchures d'outils faites d'os métatarsiens sciés au silex et polis sur la meule dormante. Ces emmanchures présentent cette particularité, que les cavités qui, à la base des canons, donnent passage au tendon, paraissent avoir été utilisées comme trou de suspension. L'état de conservation est si complet, que, sur quelques-unes, on aperçoit encore l'usure produite par le frottement des doigts.

Dans les boues rejetées de la fouille gisait un ciseau en silex blanc laiteux, taillé à grands éclats, mais aiguisé à son extrémité la plus large. Trois autres ciseaux plus petits avaient également un tranchant très fin et étaient simplement façonnés. Enfin, il y pullulait au milieu de tout cela une grande quantité d'écailles d'huîtres, ensevelies dans un lit de cendres. Ce lit de cendres, épais de cinquante centimètres, commençait vis-à-vis la grille du jardin de la Mairie, et se perdait en plongeant vis-à-vis la grille de l'Impasse, rue Rohan. Il s'étendait évidemment en largeur des deux côtés de cette rue, où sans doute s'élevaient les huttes des indigènes.

L'espèce de village que formaient ces huttes, cette *station*, comme l'appellent les archéologues, n'a pu être que palustre, comme le démontre la couche compacte de cendres. En effet, si elle se fût trouvée construite sur un lac, l'action de l'eau courante se serait opposée à la formation du lit de cendres.

La station occupait l'extrémité de la presqu'île formée d'un côté par le cours du Peugue et de l'autre par la Devèze, à laquelle se réunissait en amont le ruisseau de Canderon. La pointe de la presqu'île baignait dans le vaste estuaire formé par la réunion de ces trois ruisseaux, qui allaient tous ensemble déboucher dans la Garonne.

Ainsi, à une époque que l'on ne saurait déterminer, Bordeaux, cette seconde capitale de la France, consistait en un petit clos entouré de la fange d'un marais, sur lequel vivait une horde de sauvages demi-nus, sans autres vêtements que des peaux d'animaux tués à la chasse avec des lances armées de pointes de silex et des frondes de pierres à peine dégrossies. Ils se nourrissaient de chairs à demi grillées sur des charbons ardents, et brisaient les os des animaux dont ils parvenaient à s'emparer pour en manger la cervelle et la moelle crues. Là où règne aujourd'hui dans toute sa somptuosité une civilisation trop raffinée peut-être, régnaient une farouche barbarie, le droit du plus fort et probablement l'anthropophagie. En effet, beaucoup de savants disent que ces hommes prisaient fort la chair humaine. Les sacrifices humains des druides ne seraient même qu'un reste de cette sanglante habitude.

Heureusement les descendants de cette race préhistorique ne ressemblent pas à leurs ancêtres!

— Ah! m'empresserai-je de répondre aux paroles précédentes, voilà comment le péché a travesti l'homme!

Car, la Genèse à la main, gardons-nous bien de reléguer parmi les mythes et les chimères la tradition biblique de l'homme primitif, Adam, brillant de jeunesse et de beauté, errant dans les parterres ombreux et les bosquets ensoleillés du paradis terrestre, avec Eve, son innocente compagne, au milieu d'une cour familière d'animaux.

Mais si la science nous montre l'autre homme primitif, les fils d'Adam et d'Eve, sur des rivages glacés et parmi les sites ingrats d'une nature sauvage, sous la forme de je ne sais quel être abject, plus farouche que le Zélandais, plus immonde que le Papou et plus hideux que le Patagon, une brute en un mot, une brute luttant avec de simples esquilles de silex taillées en biseau, contre des animaux féroces auxquels il dispute sa misérable existence, c'est bien la rébellion de l'homme qui en est cause, et Dieu n'est plus avec lui!

Mais détournons les yeux de ce triste tableau, et du village palustre ou paludéen de Bordeaux, passons à la *ville antéhistorique*, à l'autre Pompéïa, grecque celle-là, que je vous ai annoncée.

L'ancienne Grèce était un des plus beaux pays du monde : ciel pur, doux climat, sol varrié. Ici, de vertes campagnes ; là, des forêts sombres; plus haut, les montagnes cachant dans la nue leurs cimes fièrement découpées et souvent frappées de la foudre. Pour peu qu'on gravisse monts ou collines, on ne manque pas de découvrir à l'horizon la mer qui miroite et brille entre des îles nombreuses. Où, si l'on vient du large, on la voit s'enfoncer capricieusement dans les terres et creuser une foule de ports et de golfes le long de ces charmants rivages, dont chaque promontoire portait un temple.

Si l'on mesure l'étendue de la Grèce au bruit qu'elle a fait dans le monde, c'est une immense région. En réalité, c'est le plus petit pays de l'Europe. Depuis quand, ce petit peuple, à qui l'espace manquait, a-t-il étendu sa renommée au-delà de son territoire? Nul ne sait, car il a commencé sa gloire avant les temps historiques.

Il est dans la destinée de cette Grèce, si féconde en grands hommes et en monuments merveilleux, de faire parler d'elle, même alors qu'elle n'est plus que ruines.

Au milieu des îles d'or qui capitonnent les eaux bleues de l'archipel grec, on distingue, parmi les Cyclades méridionales, l'antique *Théra*, aujourd'hui *Santorin*, qui a fait émerger du fond de la mer le terrain volcanique dont elle est composée. Sa côte occidentale est même un segment de la circonférence de l'ancien cratère, lequel ne comptait pas moins de seize kilomètres. Saint Irénée, dont le martyre eut lieu dans cette île, en 304, lui aurait valu ce nom de Santorin.

Thérésia et *Aspronisi* sont deux petites îles, acolytes de celle de Santorin, comme elle produits du même volcan, et, avec elle, formant une ceinture autour d'une baie circulaire. Mais Thérésia, ainsi que Santorin, compose un fer à cheval parce qu'elle est un autre segment de la circonférence du même cratère de volcan qui leur a donné origine.

Les rivages de Santorin et de Thérésia, du côté du volcan éteint, sont abrupts enaccessibles. Leur altitude verticale s'élève à quatre cents mètres, et il a fallu tailler péniblement des corniches étroites afin d'arriver à escalader cette haute muraille. Ces escarpements sont formés de bancs de lave horizontaux d'un noir foncé, de couches de scories rougeâtres, de nappes de cendres violacées, le tout recouvert d'une enveloppe de pierres-ponce d'une extrême blancheur.

Du côté de la pleine mer, les trois îles sont inclinées en pentes douces, semées de villages abrités par une végétation de la plus luxuriante verdure.

On exploite les couches de pierres-ponce, et c'est avec ces matériaux que l'on construit les maisons dans les trois îles.

A Thérésia notamment, on a ouvert de larges carrières en plein air, d'où l'on fait glisser les produits extraits dans des chalands qui attendent, sur l'eau, à la base des escarpements. Là, une barrière, formée de temps immémorial de files de blocs très prolongés, sert à garantir le rivage de la chute des pierres et arrête les éboulements.

Or, voici que, un jour, des savants en tournée, de simples curieux peut-être, en tout cas des observateurs attentifs, arrêtent leurs regards investigateurs sur cette sorte de parapet... Il leur vient aussitôt à l'esprit que cette manière de quai n'appartient pas le moins du monde à des assises de pierre placées là par la nature et le hasard, mais qu'il est l'œuvre de l'art... L'œuvre de l'art?... Mais à quelle époque alors?

That is the question... comme disent les Anglais.

De recherches en recherches on arrive à ceci :

Il a existé, là, une ville antique, une ville évidemment antéhistorique, puisqu'il n'est question d'elle ni dans les traditions locales ni dans les annales de l'histoire. Placée sur un sol éminemment volcanique, elle a été engloutie par une éruption également antéhistorique, dont les laves, les lapilli, les scories sont là pour l'attester, mais cette même éruption n'a fait que dissimuler aux regards, pendant bien longtemps, certes! — des temps antéhistoriques jusqu'à nos jours! — ce qui reste de la Pompéïa grecque, c'est-à-dire cette muraille de quai, et ce qui doit les accompagner.....

En conséquence, des fouilles sont entreprises... Un édifice est tout d'abord mis à découvert. C'est une maison des temps primitifs! Elle se compose de six pièces inégales, dont la plus vaste compte six mètres de long sur cinq de large, et dont la plus petite, carrée, mesure de deux à trois mètres. Une foule de dépendances sont en outre rendues à la lumière, et, par le mode de construction, dans lequel la pouzzolane volcanique n'entre pour rien, on acquiert la preuve que cette habitation est de beaucoup antérieure et à l'éruption du volcan et à l'histoire de la Grèce.

La maison a été bâtie sur la lave et avec de la lave. Donc, avant l'éruption volcanique des lapilli ou pouzzolane qui l'a engloutie ainsi que la ville à laquelle elle appartenait, il y avait eu une autre éruption lavique, qui doit remonter encore bien plus avant dans la nuit des temps. Cette maison avait des portes, des fenêtres, des toits. Evidemment, tout ce qui était bois s'est effondré, est tombé. Mais on en retrouve des restes agglutinés avec le tuf ponceux. Le bois employé était de l'olivier. On avait déjà certaines connaissances en architecture, quand on éleva cette demeure, car à l'entour s'étendent des galeries, des couloirs, s'ouvrent des cours, se dresse un mur d'enceinte. On a même rencontré des tronçons de colonne, sur la limite extrême de Thérésia.

L'éruption volcanique de lapilli ou pierres-ponce, ou pouzzolane, qui a fait disparaître cette cité antéhistorique et la demeure qui nous occupe, avait dû être instantanée, car cette maison, remise en lumière par les fouilles, était habitée... au moment même de la catastrophe.

En effet, la première chose que l'on trouva en pénétrant dans la grande pièce, fut un squelette d'homme...

Est-ce donc enfin l'homme fossile?

Puis, on exhuma de partout des vases en terre cuite, des vases en lave, et, dans les vases, des outils en silex, des semences, de la paille hachée, des ossements d'animaux.

Pas le moindre objet en fer, en bronze, en un métal quelconque! Pas la trace d'un clou dans les très nombreux morceaux de bois d'olivier ayant servi aux portes, aux fenêtres, à la toiture! Cette absence de métaux est significative.

C'est à l'âge de pierre que remonte la construction de ce bâtiment; les outils en silex le démontrent.

Il y a cependant un certain art dans la façon des vases en terre cuite qui ont passé par le tour.

Les plus ordinaires sont de grandes jarres jaunâtres, épaisses, pouvant contenir jusqu'à cent litres de liquide. Leur rebord est lourd; le cou de l'orifice est orné de petites dépressions dues à l'application d'un doigt, avant la cuisson.

Où l'art se produit davantage, c'est dans certaines poteries très fines, de couleur claire, ornées de bandes circulaires séparées par des traits verticaux. Un rouge plus ou moins foncé est la nuance dominante de ces récipients.

Nulle ressemblance du reste entre ces vases et ceux des différents peuples de l'antiquité dont regorgent nos musées.

Pourtant, en France, à Paris même, au Louvre, nous possédons deux débris de poterie d'une similitude parfaite avec l'un de ces vases de Thérésia. L'une de ces épaves nous est venue de Syrie. L'autre a été trouvée dans le voisinage d'Autun, et se trouve classée dans le musée de Saint-Germain-en-Laye, parce qu'on voit dans ce fragment une relique d'ustensile celtique.

Les plus rares de ces vases trouvés dans l'édifice antéhistorique de Thérésia, sont pétris avec une terre assez fine. Leur couleur est jaune clair. Ils sont couverts de figurines d'un genre complètement distinct de celui des vases précédents. Ce sont des points et des signes courbes, des guirlandes de feuillages, etc., le tout entremêlé avec un goût exquis et un véritable sentiment de l'art.

D'autres poteries : écuelles évasées, avec une petite anse près du bord; coupes minuscules peu profondes, sans appendices; augets en lave ayant servi à des animaux domestiques; vases massifs creusés d'une cavité rectangulaire, etc., ont été trouvés sur le sol de l'habitation, sauf les derniers objets, qui semblaient être placés en terre et à poste fixe.

Le squelette humain, exhumé de la salle principale, était en partie broyé par la chute du toit. Replié sur lui-même, sa tête allait rejoindre les pieds. Les jambes étaient étendues et croisées. On voit que l'infortuné, de taille moyenne, déjà vieux, car les dents de ses mâchoires sont usées par une longue trituration, a dû périr contre son attente.

Les ossements d'animaux appartiennent à trois ruminants, chèvres ou moutons.

Les semences étaient de la graine d'orge et d'ombellifères, c'est-à-dire anis et coriandre. Plusieurs des chambres renfermaient de grands amas d'orge.

A Santorin, autres découvertes, car lorsqu'on se met à chercher, on trouve. Donc, à Santorin, certaines fouilles ont fait rendre au jour des entonnoirs munis d'une anse; des petits couteaux et des grattoirs en obsidienne; mais toujours pas le moindre objet en métal.

Il faut signaler toutefois deux petits anneaux d'or. Ils sont même très remarquables. Mais ce qui les rend fort intéressants et curieux, c'est que ces anneaux ne sont pas en or fondu. Ce sont deux petites pépites d'or natif, trouvées sur le sol, comme cela arrivait jadis, que l'on a arrondies par le frottement, et qui tiennent lieu de pendants d'oreilles. Ces anneaux d'or n'infirment donc en rien ceci :

La cité antéhistorique de Thérésia appartient à l'âge de pierre, les silex le prouvent; à l'âge de pierre polie, l'obsidienne le démontrant, et alors la fonte des métaux n'était point connue.

Telle est la très récente découverte faite dans l'île de Thérésia, l'une des Cyclades de l'archipel grec...

CHAPITRE III.

Une descente dans les abîmes d'un volcan. — Les champs de feu, près du Vésuve. — Le lac bouillant. — La grotte du chien. — L'eau brûlante d'une rivière. — La Solfatare de Pouzzoles, miniature d'un volcan. — Les étuves de Néron. — Le golfe de Naples chauffé par le volcan souterrain. — L'île de Caprée. — La grotte d'azur. — Portici. — Herculanum. — Ascension du Vésuve. — Comment on descend dans le volcan. — Ce qu'on y voit. — Le Fosso-Grande. — Le grand cratère. — Les cratères latéraux. — Description. — Station dans les entrailles de la fournaise. — Une nuit au milieu du lac et des fleuves de feu. — Dîner chez Pluton. — Les volcans éteints de l'Auvergne. — Ascension du Puy-de-Dôme. — Les bouches de Chalucet. — Gorge de la Sioule. — Vision d'une île émergeant des abîmes de la mer, en 1831. — Péripéties du drame. — Magnificence du spectacle.

Après vous avoir révélé les mystères de cette cité antéhistorique, la Pompéïa fossile de la Grèce, rendue à la lumière depuis si peu de temps qu'elle n'est pas encore connue du monde des touristes, chers lecteurs, il me reste à tenir la promesse que je vous ai faite dans mon ouvrage sur *les Cieux, la Terre et les Eaux*, à savoir de vous raconter ma descente dans les entrailles d'un volcan.

Ce volcan, c'est le Vésuve, qui se trouve à la portée de tous les voyageurs, et que plus d'un d'entre vous, devenu explorateur à son tour, visitera certainement un jour.

On raconte que le philosophe d'Agrigente, en Sicile, Empédocle, voulant cacher sa mort et se faire passer pour un dieu, se précipita la tête la première dans le cratère de l'Etna. Mais alors le volcan, rejetant les sandales du vaniteux Sicilien, démasqua sa fraude orgueilleuse. Plus heureux que cet Empédocle, j'ai conservé mes bottines dans mon excursion volcanienne, et je suis sorti sain et sauf des viscères de la fournaise. Aussi, pauvre et simple mortel, et ne pouvant nullement me faire passer pour un dieu, je viens en toute humilité vous peindre les effrayantes beautés du phénomène dont il m'a été donné d'être le témoin.

Le Vésuve n'est pas seulement caché sous la montagne isolée, sur les bords du golfe de Naples, au sommet et sur les flancs de laquelle il ouvre ses cratères. Il est enfoui sous le golfe de Naples tout entier, et ses feux s'étendent même au-delà, car non-seulement il rend chaudes les eaux du golfe, mais en outre, sur les terrains du rivage de Pouzzoles, de l'antique cité de Cumes, et du golfe de Baïa, voisin du golfe de Naples, il exerce de telles violences et produit de tels phénomènes, que cette contrée se nomme *terre de feu,* campagnes ardentes, *campi phlegræi* ou champs phlégréens.

Aussi ne serez-vous pas étonnés que je vous signale divers points de cette partie des champs de feu, comme présentant des phénomènes particuliers.

Quand de Naples on se rend à Pouzzoles, par le tunnel du Pausilippe, on sort du souterrain en face de la petite vallée de Bagnuoli, ancien cratère de volcan. Devant vous s'élève la Solfatare, et en un clin d'œil on atteint le lac d'Agnano.

Le *lac d'Agnano* occupe lui-même un autre cratère de volcan, au niveau du sol, au pied de la montagne dite Solfatare, et on pourrait supposer que le feu souterrain échauffe les eaux du lac, car elles bouillonnent sans paix ni trêve. Mais placez la main sur la surface, l'eau est froide. C'est de l'hydrogène sulfuré qui, en traversant le liquide, produit ces bouillonnements incessants.

De ce lac à la *grotte du chien*, il n'y a qu'un pas. Figurez-vous une petite caverne haute de quatre pieds et profonde de sept à huit. Vous y arrivez à peine que vous êtes suivis d'un homme et d'un chien. L'homme tient une clef et vous regarde d'un air jubilant : il sait qu'il va puiser dans votre escarcelle. Le chien, lui, porte la queue basse et vous contemple d'un air piteux : il sait qu'il va mourir... Ne vous effrayez pas! je suis membre de la société protectrice des animaux... Sur un signe, l'homme ouvre la porte de la grotte et appelle le chien. Le chien se sauve, mais le roi de la création saisit son esclave et le jette dans la caverne. La pauvre victime du cruel bourreau tremble de tous ses membres. Mais soudain l'énergie de l'animal lui revient; il cherche à fuir, il bondit, on voit qu'il veut à tout prix éviter l'air méphitique que le sol exhale à la hauteur d'un pied à peu près. Vains efforts! Un tremblement convulsif s'empare du chien; il tombe sur le flanc, il râle.

C'est alors que j'interviens. La pauvre bête est rendue à l'air pur du dehors; il revient à la vie.

On m'offre aussitôt de faire mourir un chat, un lapin, une grenouille, un oiseau. Je refuse : seulement, je présente un cigare allumé à l'action du gaz, et il s'éteint sans retard. Un touriste veut décharger quelques coups de son revolver; la capsule ne prend pas feu. Je recueille ensuite dans la main de cet air de la grotte pris à fleur de terre, et je le respire. C'est une odeur suffocante qui m'arrive au cerveau. Amis, telle est la puissance de l'acide carbonique : il tuerait l'homme aussi bien que l'animal.

Second phénomène de la rive occidentale du lac Agnano. Voici le petit ruisseau des *Pisciarelli,* qui découle du pied de la Solfatare. Cette fois, c'est bien de l'eau bouillante; gardez-vous donc d'y plonger la main. Cette eau, fortement imprégnée de soufre et d'alun, fait cuire un œuf en deux minutes. Le rocher d'où l'eau transsude est brûlant.

Du Pisciarelli, nous gravissons la *Solfatare*.

C'est un cirque immense, aux rebords hardis, chargés de végétation, cratère gigantesque d'un volcan non éteint, mais dont on ne connaît qu'une éruption, celle de 1198.

Un sol blanc, saturé de soufre et d'alun, forme une voûte sur laquelle on marche et qui cache les profondeurs du volcan, mais d'où s'exhale une telle chaleur qu'il suffit d'y creuser un trou, de placer dans ce trou un vase quelconque et de mettre de l'eau dans le vase, pour en voir bouillir le contenu peu d'instants après. Pendant la nuit, cette terre ardente que l'on foule aux pieds projette des flammes bleuâtres. On sent que le sol est creux, car il fléchit sous les pas, tremble et résonne si l'on fait tomber une pierre sur sa surface.

J'ai dit que ce volcan est à demi éteint. En effet, usé sans doute par sa fougue première, il conserve néanmoins à l'extrémité orientale de l'immense cratère, une bouche en activité constante, d'où, avec des flammes bleues et violettes, jaillit une affreuse vapeur de soufre. La chaleur en est insoutenable et le sourd murmure formidable.

La Solfatare est certainement en relation souterraine avec le Vésuve, par-dessous le golfe de Naples.

Le Vésuve est-il en éruption? la Solfatare gronde et se fâche. Le Vésuve devient-il calme et paisible? la Solfatare se fait douce et honnête.

On ne peut s'approcher de la bouche de la Solfatare, en constante éruption minuscule, car la vapeur asphyxie, et noircit indignement l'or et l'argent que vous pouvez porter. Etonnez-vous donc, après cela, que les anciens aient placé leur *enfer* dans cette contrée. De nos jours, la Solfatare a reçu le nom de *Fucina Volcani*, la Fournaise de Vulcain.

En quittant la ville de Pouzzoles, pour aller visiter les ruines de Baïa, de l'autre côté du golfe de ce nom, qui forme un bras du golfe de Naples, on foule aux pieds un sol tellement brûlant, — et cependant le Vésuve est à une grande distance, de l'autre côté de ce dernier golfe, — que dans la courbe que décrivent les eaux de la mer, ces eaux sont bouillantes, et que dans des masses abruptes de pouzzolane du rivage, le bras de l'homme a creusé des chambres, avec portes et fenêtres, ce que l'on nomme étuves de Néron, *stufe di Nerone*.

Ces étuves, abandonnées depuis longtemps, se composent de deux salles longues, où l'on voit encore une douzaine de cavités qui, jadis, contenaient des baignoires, et des talus dégradés, sur lesquels reposaient autrefois des lits. Ces étuves de Néron ont été saccagées par les barbares, comme toutes choses en Italie. Aujourd'hui, l'eau ne vient plus aux baignoires; c'est aux baigneurs à courir après. Pour atteindre l'eau, il faut pénétrer dans un long corridor sinueux, ténébreux, étroit, excessivement étroit, donnant juste passage à un seul corps, pourvu qu'il ne soit pas le moindrement obèse, et l'air y est si rare, et le peu qu'il y en a est si chaud, que la sueur arrive incontinent à fleur de peau, vous couvre, ruisselle. Vous ne respirez plus; vous êtes asphyxié. Avec cela, d'innombrables chauves-souris, qui se trouvent à merveille de cette température, effrayées par votre présence, tourbillonnent autour de vous, se collent à votre visage, à votre cou, et se glissent jusque dans vos vêtements. Le tour de force, en cette occurrence, et je vous avoue en avoir fait l'essai, est d'aller par cet affreux couloir jusqu'à l'eau bouillante qui jaillit du sol, dans un abîme noir comme l'Érèbe, et d'y placer, d'y tremper un panier d'œufs, que vous tenez d'une main, tandis que de l'autre vous êtes muni d'une torche. Là, après une minute, vous rapportez les œufs cuits à point, si..... vous n'êtes pas cuit vous-même.

Croyez-vous maintenant que ce nom de terre de feu ait été mal appliqué à cette contrée, assise, comme vous le voyez, assise tout entière sur les cuves incandescentes d'un volcan souterrain? Non, assurément. Je vous en donne la preuve.

Actuellement, allons droit au Vésuve, car tout ce que je viens de vous dire ne sont que les bagatelles de la porte.

Comme je vous l'ai dit, le Vésuve est juste de l'autre côté du golfe de Naples. Traversons donc ce golfe, dont je vous peindrais bien volontiers les magnificences; mais l'espace qui m'est accordé ne le permet pas. Seulement, afin d'utiliser notre navigation, et, chemin faisant, abordons un instant à l'*île de Capri*, jadis la fameuse Caprée du terrible Tibère. Je ne veux pas vous faire parcourir les étonnantes ruines de cette île, qui vue de loin ressemble à une *chèvre*, ce qui lui a valu son nom, mais je vous montrerai la très célèbre grotte d'azur.

La *grotte d'azur!*

Il y a quelques années à peine, des touristes se baignaient à l'abri de rochers à pic de l'île de Capri, lorsque l'un d'eux, voyant le rocher percé à sa base et à fleur d'eau, s'avise de passer la tête par ce mystérieux orifice... Il recule bientôt, étonné, et appelle ses compagnons. Quel n'est pas leur étonnement, une fois leurs yeux familiarisés avec l'obscurité apparente du lieu, de se trouver dans une grotte longue de cent quatre-vingts pieds, large de vingt-cinq, haute de soixante-dix, et dont chaque objet, eau, air, parois, voûte, reliefs, tout est du plus beau bleu d'azur, tout est teint du plus charmant outremer. C'est le palais d'une ondine! Quelle divinité des mers réside donc dans ce séjour enchanté? La magnificence de ce phénomène les frappe d'admiration. La grotte d'azur est bientôt célébrée par toutes les bouches, et tous les amateurs du merveilleux accourent.

Entrons, je vous donne l'exemple. Ne vous effrayez pas si l'entrée de cette grotte semble une porte de l'enfer. Baissez la tête, plus bas, plus bas encore. Cet orifice est si incliné qu'il touche à la mer, et qu'il faut, comme vous voyez, une barque très plate, fort effilée, dans laquelle on doit en outre se coucher, ce qui produit une émotion assez originale, pour avoir accès dans la grotte. Mais qu'on est bien récompensé de sa peine!

La voûte s'élève; redressons-nous, et voyez :

Nous sommes dans un palais aux plus suaves nuances d'azur. Nous glissons sur des eaux du plus riche outremer. Les rochers, la voûte, nos vêtements, nos visages, tout est bleu. La caverne semble taillée, creusée dans un bloc de cobalt. C'est un prodige de nature. Mais un autre prodige, le voici :

Un des matelots du paquebot *la Comète*, qui deux fois par jour amène des touristes de Naples, va se jeter à l'eau. Regardez. Le digne marin plonge, replonge, nage, fait mille évolutions, et son corps, à lui, son corps n'est pas bleu; il est blanc, d'une blancheur éblouissante. On dirait d'une statue de marbre de Paros qui s'est animée. Chose plus bizarre encore, sa tête, lorsqu'elle sort de l'eau, n'est, elle, ni bleue ni blanche; elle est du noir de jais le plus beau.....

Je n'ajoute rien de plus sur cette vision fantasmatique; vous ne pourriez me croire. De cette furie, je vous donne l'explication que voici :

L'eau s'élève dans l'orifice de l'entrée presque jusqu'à sa petite voûte, de sorte que la lumière pénètre dans l'intérieur de la grotte par ce très étroit vestibule, mais *en traversant l'eau qui le remplit*. Or, la lumière blanche est composée de la réunion de sept rayons principaux diversement colorés. Elle se décompose et change de direction en pénétrant dans un milieu dense, et l'angle que font les rayons divers avec la direction primitive de la lumière, n'est pas le même. Les rayons bleus, étant les plus réfrangibles, arrivent donc *seuls* dans l'eau de la grotte, qui, par réflexion des parois, est nuancée alors tout entière de leur teinte.

— Sur ce, à l'aviron, batelier, et nage droit à Portici!

Portici est l'un des charmants villages les plus voisins du Vésuve. Or, c'est en face de *Portici*, l'un des faubourgs de Naples, de *Résina*, l'antique Herculanum, et du volcan lui-même, que je veux vous dire mon ascension sur la cime du Vésuve, puis ma descente dans le cratère.

Nous sommes assis là, dans notre barque, devant l'escarpement du rivage, et cet escarpement sombre n'est autre qu'un formidable courant de laves de l'éruption de 79 de Jésus-Christ. Après avoir englouti *Herculanum*, couché sous ces entassements de laves, la coulée est descendue jusqu'à cette partie du golfe où nous stationnons, et, figée soudain par l'eau de la mer, elle y a produit ces hautes parois noires, qui semblent un quai de l'enfer.

Permettez-moi de vous rappeler tout d'abord que le *Vésuve* s'élève à une altitude de mille vingt mètres. La profondeur de son cratère est de cent quinze, et la base circulaire de la montagne mesure quarante kilomètres.

On y distingue aujourd'hui deux sommets : le plus élevé, la *Somma*; le moins haut, l'*Ottojano*. Au pied de ce cône inférieur, où se montre une immense troncature, s'étend un espace vide circulaire, large de cinq cents mètres, qui a reçu le nom d'*Atrio del cavallo*. La pointe la plus élevée de la Somma a nom *palo*; celle du second cône s'appelle le *piano*.

Toutes les pentes du Vésuve, à partir de l'Atrio, sont cultivées, et leur fécondité est incomparable. Les vignobles y produisent le tant célèbre vin auquel on donne le précieux nom de *Lacryma-Christi* : une larme du Christ !

Dans les temps antéhistoriques, le Vésuve a éructé. Son antique couleur fuligineuse le démontrait. Mais sa première éruption historique est de 79 de Jésus-Christ. Ce fut cette éruption, comme vous le savez déjà, qui détruisit et engloutit Herculanum, Pompéia, Oplonte et Stabiès.

Nombre d'éruptions ont suivi cette première, depuis 79.

Cette silhouette du volcan, sur lequel rutile le plus beau ciel bleu et rayonne un soleil éblouissant, tandis que, dans tout le pourtour de la montagne, resplendissent de joyeuses façades de villas et les palais de Portici, de Résina, etc., aussi bien que ces villages mêmes assis entre la vie et la mort, vous laissent deviner la beauté des sites que nous allons explorer.

C'est en 1863 que j'exécute cette mémorable ascension du Vésuve.

Inutile de vous dire que je quitte Naples avec plusieurs officiers de la garnison. Quelques soldats nous précèdent avec des vivres. Nous équitons sur des poneys siciliens, noirs comme la nuit, les narines roses, le feu dans les yeux, les membres pleins de vigueur.

Un affreux orage nous retient à Résina, posée là sur les ruines souterraines de l'antique Herculanum. Mais dans cette contrée volcanique, un orage passe vite. En effet, la sérénité revient bientôt au firmament, et cheminant de nouveau sur les pentes de la montagne, nous voici dépassant d'abord une chapelle consacrée à *san Vito*, et nous nous dirigeons vers des ravins boisés, de l'aspect le plus pittoresque. Car n'oubliez pas que, nonobstant ses fureurs trop fréquentes, les flancs du Vésuve sont cultivés jusqu'à la base de la Somma, à un endroit que l'on nomme l'*Ermitage*, où l'on quitte d'ordinaire les chevaux.

Les rampes que nous gravissons sont décorées de maisons de plaisance, voire même d'une tourelle rouge, qui s'élance gracieusement d'épais massifs d'arbres verts. C'est l'*Observatoire* destiné à recevoir les savants en étude des phénomènes qui se produisent à chaque éruption du volcan.

Une chose nous frappe par-dessus toutes, c'est la fraîcheur, le délicieux épanouissement et l'exubérance de la végétation. Feu dessous, feu dessus, peut-il en être autrement?

En tournant vers la gauche, nous escaladons la coulée de lave de l'éruption de 1856. Elle occupe une largeur de plus de cent mètres. On la croirait éteinte, puisque nous sommes en 1863 ; point. Il s'en élève çà et là des vapeurs brûlantes qui démontrent que cette lave noire conserve encore une chaleur intense sous sa croûte légère.

De courants de lave en courants de lave, nous arrivons vers deux heures de l'après-midi au pied de l'Ottojano, et nous nous arrêtons sur le point de la Somma qui a nom l'Atrio del cavallo. A notre droite s'élève le grand cône, que surmonte son immense parasol de fumée.

Sur les pentes rapides de ce cône, à distance, nous voyons enfin les bouches rouges et fumantes de l'éruption actuelle, 1863. Notre curiosité redouble, et une nouvelle ardeur s'empare de nous.

Peu après, un nouveau sentier que nous adoptons, dans la direction des cratères, nous fait passer devant une grande villa blanche, charmante encore il y a quelques mois, maintenant enveloppée des crêpes funèbres d'une lave noire qui l'emprisonne jusqu'à la moitié de son rez-de-chaussée. Les matières volcaniques ont détruit les magnifiques jardins qui l'entouraient. On se demande comment il est des créatures assez indifférentes pour oser planter leur tente à la portée d'un aussi farouche et fantasque ennemi qu'un volcan? Mais je demeure bien autrement saisi d'étonnement quand nos guides nous apprennent qu'il y a une poudrière au village le plus voisin, à Torre dell' Annunziata... Une poudrière sur un volcan!

Nous continuons à gravir. En cent endroits divers apparaissent d'immenses coulées de laves, et à chaque pas se montrent d'effrayants ravins creusés par les feux du Vésuve. A la sortie de l'un d'eux dans lequel nous nous sommes engagés tout-à-coup, à notre droite, s'ouvre à nos pieds une effroyable déchirure du sol, dans laquelle arrive à flots et s'entasse, comme dans un gouffre aussi vaste qu'un lac, la lave de l'éruption actuelle.

Mais ce n'est là qu'un petit coin du tableau. Aussi notre caravane continue sa marche en silence. Puis, à un détour de mamelon de scories, un peu plus loin, subitement encore, ce n'est plus en regard d'un simple courant de lave que nous arrivons, mais bien d'un océan de lave rouge, incandescente, qui projette des ardeurs inimaginables, et dont les progrès, heureusement retardés par l'aplanissement du terrain, ont permis de lui donner une dérivation vers un large bassin d'anciennes déjections, que l'on nomme *Fosso-Grande*. Là, un magnifique spectacle nous est réservé : comblé par l'incessante accumulation de la lave en fusion, le Fosso-Grande déborde et produit une immense et admirable cascade de feu.

Comme il est quatre heures déjà, nos guides mesurent nos extases et comptent avec notre enthousiasme.

Il s'agit de gravir le cône avant la nuit, et d'atteindre le grand cratère du volcan. Aussi laissons-nous nos montures, que l'on conduit à l'Ermitage, et nous voici partant bravement à pied à l'assaut du géant, non sans céder à la tentation de reporter souvent les yeux sur l'incommensurable nappe de feu que nous quittons, vaste au moins comme le lac d'Enghien, que vous connaissez tous.

Le cône du *piano* et le second cône qui le surmonte, couronné du *palo*, tout de cendres et de scories, et rapide comme une pyramide, est à l'élévation totale du mont Vésuve comme 1 est à 3. C'est donc encore un tiers de notre voyage qui nous reste à faire pour en atteindre le but. Un de nos guides ouvre la marche; les autres, et nos matelots, nous assistent de leurs bras. D'abord, pendant quelque temps, nous foulons aux pieds une terre ferme ; mais se présente bientôt la région des cendres, région d'horreur, de désolation, d'épouvante et d'effroi. Toute trace de végétation a disparu. On ne voit plus que des scories, on n'est plus entouré que des détritus du volcan. Çà et là, des crevasses béantes menacent de vous engloutir : vainement l'œil cherche à en sonder les profondeurs ténébreuses. Ce sol étrange, presque perpendiculaire, composé de mille éléments divers, roule sans fin sous les pas du curieux : souvent les jambes pénètrent dans la croûte de cendres et vous enfoncez dans les scories jusqu'à mi-corps. Mais enfin, l'un aidant l'autre, tantôt riants et joyeux, tantôt haletants et épuisés, nous sommes assez ardents encore pour toucher aux larges lèvres du gouffre.

Quand nous sommes debout sur l'orifice du grand cratère, nos cœurs battent à lézarder nos poitrines. Quelle impression vive et saisissante!

Le cratère du Vésuve ne présente point à l'intérieur une sorte de paroi à pic permettant de plonger immédiatement le regard dans l'abîme. Non. Cette bouche volcanique ne montre d'abord qu'une immense circonférence, irrégulière dans son pourtour et dans sa hauteur. Elle compte plusieurs kilomètres de développement : ceci vous donne une idée de cette coupe. On ne voit donc que des pentes fuyantes de scories noires, fendillées, crevassées et béantes. De toutes les larges fissures s'échappe une fumée qui, réunie au-dessus du volcan, forme ce gigantesque parasol que vous savez. Afin de juger et de connaître la fournaise, il faut descendre lentement et avec précaution sur ces talus brûlants et enfumés, qui craquent sous votre poids et qui souvent cèdent sous votre pression. Le danger est grand, mais comme la curiosité est plus grande encore, on cède à son entraînement. C'est cette impulsion que je subis, ainsi que deux de mes compagnons. En conséquence, nos guides nous fixent des cordes autour du corps, et, pendant qu'ils en tiennent les extrémités, nous descendons pas à pas dans le gouffre, en nous appuyant sur de longs bâtons ferrés.

Vous dire, mes amis, les bruits mystérieux qui s'échappent de l'abîme, dont Dieu seul connaît les arcanes; vous parler des étranges murmures, des rumeurs souterraines, des crépitations violentes, des sourdes et lourdes détonations de ses trop fécondes entrailles, serait tout-à-fait impossible. Afin de vous faire comprendre l'immensité de cet océan de feux souterrains dont notre oreille perçoit l'effroyable bouillonnement, je vous rappellerai qu'il s'étend sous le golfe de Naples tout entier, dont les eaux sont brûlantes en plusieurs endroits, qu'il fait sentir sa puissante chaleur de l'autre côté du golfe, où les champs toujours en soulèvement portent le nom de Champs de Feu, où il a un second vomitoire qui s'appelle la Solfatare, et qu'il communique certainement, sous l'océan Atlantique, avec le mont Etna, en Sicile, et le mont Hécla, en Islande, deux autres volcans tout aussi terribles.

Donc ce que nous entendons, écoutez-le : On dirait comme une fermentation colossale d'éléments ennemis et confondus. Une inexprimable agitation ébranle le cône; un bouillonnement inimaginable mugit et gronde. L'oreille perçoit comme des sifflements effroyables; des chocs de masses qui se heurtent, des ébranlements et des cataractes qui roulent, tonnent, éclatent. Ce que nous voyons, le voici : Parmi les noires vapeurs qui montent, tourbillonnent dans l'abîme et enfin se dégagent lentement, on entrevoit de larges nappes de lueurs rougeâtres qui s'amoncèlent en cônes, crèvent dans la convulsion qui leur est imprimée, s'affaissent alors, se relèvent et retombent, s'éteignent et se rallument encore. Tourmente et soulèvement de matières ignées, brillant d'un éclat plus vif, puis qui s'apaisent, pour s'irriter encore; confusion inouïe de jets de feux et de flammes qui jaillissent; détonations éblouissantes qui beuglent et rugissent; travail gigantesque de lave en fusion qui monte de l'abîme et cherche à fuir de la vaste prison qui la captive... Aussi, à un moment donné, la chaleur devient telle sous nos pieds, notre sang martelle nos tempes avec une telle violence, nous nous trouvons pris d'un tel vertige, que, contrairement à ce fou d'Empédocle qui piqua volontairement une tête dans l'Etna, nous n'aspirons qu'au bienheureux moment de sortir de la gueule du Vésuve.

C'est avec bonheur que nous nous retrouvons à la lumière du jour : mais il touche à sa fin. Du sommet du cratère nous voyons le soleil qui se couche dans les vapeurs enflammées de la haute mer. En effet, le soir vient, et les cavités de la vaste bouche volcanique commencent à briller d'un éclat plus vif. Les lueurs de la lave, bleuâtres au grand jour, blanchissent et peu à peu rougissent : elles semblent devenir plus actives, à mesure que la nuit se fait, car il est sept heures. Les étangs de feu de la base du volcan, dans les teintes crépusculaires qui les enveloppent, resplendissent du plus beau rouge.

A quoi bon vous raconter notre descente rapide : cendres et pouzzolanes à mi-jambes; chutes plaisantes par derrière, moins risibles par devant. Toutefois notre gaîté n'est que factice, car nous sommes tous fort impressionnés du spectacle que nous quittons et de celui qui se déploie peu à peu sous nos yeux, à nos pieds.

Le dernier rayon de soleil déployant ses ailes d'or s'est envolé depuis longtemps. L'obscurité est complète quand nous dépassons l'Atrio del cavallo et la Somma. Mais quel embrasement devant nous! La réverbération de l'océan de feu fait danser nos ombres sur les parois des accidents de terrain. Plus nous nous rapprochons des larges nappes de coulées qui s'échappent des cratères inférieurs, plus nous entendons se tordre et siffler en dardant leur sève en jets de toutes couleurs les arbustes et les plantes que les fleuves de lave atteignent dans leur marche lente, mais inévitable. Enfin nous touchons au plus grand lac de feu, qui embrase l'air et lui donne au loin les teintes sinistres d'un incendie formidable.

Après un copieux et tapageur repas que nous prenons assis sur un coin de verdure, à la lueur du volcan, nos guides s'élancent, pardessus les laves brûlantes, sur de noirs îlots de laves anciennes, et nous engagent à les suivre. C'est le moment propice pour bien juger les effets de l'éruption. Ces îlots fléchissent sous nos pas; ils s'agitent et se balancent, car la lave nouvelle les a détachés de la lave ancienne. Une horrible chaleur nous étreint de toutes parts et nous monte à la tête : néanmoins nous avançons bravement. D'îlots en îlots nous pénétrons ainsi fort avant dans l'océan de feu et parmi les mille accidents curieux que présente sa marche vers les pentes de la montagne. La sueur ruisselle de nos fronts, nos pieds brûlent et nos bottines s'enflamment. Nous vidons une, deux et trois bouteilles du fameux Lacryma-Christi que produit un vignoble assis sur le volcan, et certes c'est à la prospérité de la France, de ma belle patrie, que je bois ce vin généreux. Après quoi nous allumons nos cigares au foyer sur lequel nous errons à l'aventure, et de rechef nous escaladons, nous franchissons, nous circulons de plus belle à travers le feu, nous enivrant des magiques aspects de ce spectacle unique au monde.

Partout des crépitements, des sifflements, et comme des sanglots humains, de véritables gémissements se font entendre. C'est la nouvelle lave qui s'insinue dans l'ancienne et la rallume; c'est le feu qui rugit, vagit, chante, crie, en étreignant la végétation qui pleure et se lamente. On dirait des feux d'artifice qui rasent le sol. Du milieu des crevasses des îlots que nous parcourons jaillissent des flammes violettes et des fumerons. De longs et sourds craquements agitent l'air; des détonations de mousqueterie répondent dans les cavités de la montagne. Puis, par moments, le calme et le silence reprennent le dessus : silence de la nuit, silence mystérieux, solennel, effrayant !

C'est une mise en scène d'une fantasmagorie grandiose que rien au monde ne saurait reproduire ; aussi je m'arrête, ne sachant plus quelles expressions employer pour vous peindre cette féerie, chers lecteurs.

Pour compléter cette vision merveilleuse, nous entrevoyons dans le lointain, ainsi que des spectres errants sur les rives du Styx et du Phlégéton, les noires silhouettes s'estompant sur des vagues de feu de touristes qui, moins hardis que nous, suivent de leurs regards notre aventureuse expédition. Plus près de nous, dans la brume rouge, à travers les exhalaisons ardentes qui se dégagent des brasiers, nous entrevoyons, allant et venant, des curieux vêtus de costumes étranges : dames encapuchonnées, debout sur les bords du lac de feu ; jeunes amazones galopant sur des poneys ; vieilles douairières sortant à demi leurs têtes effarées de chaises à porteurs, qui se promènent lentement parmi ces splendeurs infernales.

Nous passons de nouveau près du vallon vers lequel on a dirigé, comme dans le lit desséché d'un fleuve, le courant de lave qui s'échappe du lac, sous forme d'une large rivière de feu, s'y déverse, s'y accumule, et compose le Fosso-Grande, dont je vous ai parlé. Mais, comme le Fosso-Grande est rempli à cette heure, la lave en déborde par nappes immenses, semblables à des cataractes silencieuses...

Quand enfin, saturés d'impressions, épuisés de voir et d'admirer, épuisés de fatigue, rôtis, n'en pouvant plus, nous portons les yeux sur le côté opposé du volcan, une autre vision, unique au monde, nous y fait trouver un contraste frappant. La lune se lève, limpide et pure, sur les hauteurs de Castellamare, et teint le golfe de ses longues et mobiles traînées d'argent. En même temps, Naples resplendit sous les brillants reflets du gaz de ses quais, des constellations de ses phares et des vives lumières des lanternes de ses môles.

J'ai dit. Maintenant, adieu au Vésuve !

Il existe sur la surface de notre globe un grand nombre de cratères de volcans, cratères parfaitement conservés, autour desquels se trouvent accumulées des coulées de lave accompagnées de tous les autres produits volcaniques, mais qui n'ont produit aucune éruption depuis les temps historiques. C'est ce que l'on appelle les *volcans éteints*.

Notre Auvergne, le Vivarais, etc., en possèdent un grand nombre, tous placés sur la chaîne du Puy-de-Dôme. Là, comme les volcans des Andes, ces cratères sont alignés et forment des volcans de série, tandis que les volcans éteints sont réunis par groupes et composent des volcans centraux, tels que ceux de l'Islande, des Açores, des Canaries, etc.

J'ai fait l'ascension du *Puy-de-Dôme*; en voici le détail :

La chaîne des montagnes de Dôme, longue de huit lieues, est composée de plus de soixante monts ou *puys* différents. Ils ont tous été volcanisés, aussi portent-ils un caractère particulier.

Le grand puy, placé au centre de la chaîne, la surpasse tous et semble un géant au milieu de ses fils. Ce qui contribue à lui donner cet air de fraternité, c'est le petit puy, qui s'élevant à côté du grand, est attaché à sa base. Malgré sa pente escarpée, le grand puy est à peu près partout couvert de gazon. Le pic a la forme d'un dé à coudre. C'est dire qu'il est difficile à gravir. On en fait l'ascension par deux voies différentes. Ce puy est parfaitement isolé. Quoiqu'il ne soit qu'un rocher brûlé, cependant les pluies et les vapeurs dont il est imprégné sans cesse, lui donnent une rare fécondité. Aussi ses flancs sont-ils chargés de troupeaux qui tondent de près ses pelouses verdoyantes.

Arrivé à la cime du pic, on jouit d'une des plus belles vues qui soient en France. Ainsi, de mille quatre cent soixante-cinq mètres au-dessus du niveau de la mer, le voyageur croit voir, ainsi que les dieux de l'Olympe, l'univers à ses pieds, car rien ne borne son regard. Il a sous les yeux les soixante puys avec leurs anciens cratères, leurs ravins, leurs courants de lave, et leurs lits de pouzzolane noire et rouge.

Plus loin, c'est la Limagne, la Limagne entière avec ses villes, ses villages et ses monticules sans nombre.

Mais ce qui occupe le touriste, c'est moins le spectacle de la nature que l'étude du vieux volcan. Voici ce qu'il observe : A ses pieds, à droite, à gauche, dans un parfait alignement, il peut compter aussi loin que sa vue peut s'étendre soixante cônes différents qu'il domine à une grande hauteur et soixante cratères de volcans, encore profonds, creusés en entonnoirs, remplis de scories, entourés de débris de bombes volcaniques et de bombes entières, et enfin, se dirigeant vers Clermont, qui occupe le premier plan de la plaine, une longue coulée de laves aussi pure, aussi fraîche que si le volcan l'avait vomie depuis un mois à peine.

Je ne puis m'étendre longuement sur la curiosité que peut offrir ce phénomène d'un volcan éteint, qui a cependant brûlé, et dont l'histoire ne dit mot. Je préfère vous entretenir d'une autre curiosité qui a nom *Bouches de Chalucet*, et qui se trouve très voisine du Puy-de-Dôme.

Chalucet est un hameau situé à une lieue de Pont-Gibaud et composé de six ou sept masures couvertes en paille. On descend de ces misérables tanières vers un vallon que traverse la petite rivière nommée la Sioule. Presque aussitôt, l'oreille est frappée d'un bruit sourd et lointain dont on ne peut deviner la cause, mais que peu à peu l'on reconnaît pour être celui d'une eau courante. Peu considérable en lui-même, mais grossi et renvoyé au loin par les échos du vallon, il ressemble, entendu à distance, au mugissement des vagues de la mer. Ce n'est pourtant que le murmure de la Sioule qui, descendue des monts Dore, coule en cet endroit sur des laves et gronde entre les montagnes dont elle est obligée de suivre les sinuosités. Dans la saison des pluies et à la fonte des neiges, ce torrent s'élève très haut, ainsi qu'on peut le voir par les roches qu'il a atteintes et rongées. Dans les sécheresses, au contraire, à peine son lit a-t-il quelques pouces d'eau. Mais alors l'espace qu'il abandonne se couvre d'une pelouse verte, et c'est sur ce frais gazon qu'il faut descendre pour considérer..... un ancien volcan.

Oui, un volcan, mais un volcan éteint, et néanmoins fort curieux.

Il consiste en un massif de laves qui, quoique adossé contre une montagne et placé vers sa base, est assez considérable cependant pour paraître, du lieu où l'on est, la surmonter et en former la cime.

La face extérieure présente plusieurs bouches horizontales, dont quatre entre autres, offrent l'aspect d'antres et de cavernes qui ont servi autrefois de couloir aux matières fluides et enflammées. Or, ces matières composent sept coulées qui, maintenant séparées les unes des autres par des lits de fougères, s'élèvent perpendiculairement sur le penchant de la montagne. Les plus considérables des sept sont les deux coulées extérieures. Elles partent chacune d'une des extrémités du massif volcanique, s'en éloignent, en décrivant une courbe, et forment ainsi une enceinte qui enferme les autres coulées, et au massif lui-même deux sortes d'ailes en avant-corps, et enfin, dans une pente très rapide, vont se jeter dans ce lit de la Sioule, où jadis elles furent arrêtées par une montagne de granit qui se dresse de l'autre côté de la rivière.

Au grand effet de ce spectacle s'en joint un autre, celui des bouches elles-mêmes, dont les unes, comme si elles venaient de s'éteindre, ont le noir foncé du charbon, tandis que les autres, rouges et ardentes comme le feu, paraissent encore embrasées.

Le volcan paraît encore ce qu'il fut autrefois. La situation horizontale de ses cratères l'a laissé intact. On dirait qu'il ne lui manque plus que des flammes, et on regrette presque de n'être pas arrivé quelques jours plus tôt pour le voir brûler. Si jamais aspect affreux peut donner idée d'une entrée des enfers, c'est assurément celui du volcan de Chalucet.

Après avoir considéré le volcan du bord de la rivière, il faut gravir la montagne pour le voir de près : ce n'est pas sans un certain danger, mais enfin on en vient à bout.

C'était par un des jours les plus chauds de l'année, et vers deux heures de l'après-midi, que je fis l'escalade de ce volcan. Il est bon de vous dire qu'une des propriétés des laves est de s'échauffer promptement au soleil. Soit que cette vertu d'absorber les rayons de cet astre tienne à leur nature ou à leur couleur, il est certain qu'en peu de temps elles deviennent brûlantes, et peut-être est-ce à cette cause qu'il faut attribuer ces chaleurs suffocantes qui, tous les ans, font mourir plusieurs personnes dans ces pays. La lave de Chalucet, échauffée depuis le matin par un soleil étincelant, brûlait si fort qu'à grand'peine pouvais-je y porter la main. Pour me bien persuader que cette chaleur n'était point celle du volcan lui-même, il me fallait presque un effort de raison.

L'illusion sembla augmenter encore lorsque je pénétrai dans la caverne, et que, touchant ces orifices béants par lesquels avait ruisselé la fournaise, je vis l'un d'eux montrer le noir luisant d'une matière qui vient de s'éteindre, et un autre, avec le rouge ardent d'une matière qui brûle encore. Ce dernier orifice, tourné au midi, avait été embrasé par le soleil. L'air y était rare, et je faillis être suffoqué. Aussi j'en sortis en hâte.

Afin de respirer et de reprendre mes sens, je descendis dans la bouche volcanique inférieure, qui, plus profonde que les trois autres et tournée à l'est, ainsi que le volcan, me promettait au moins de la fraîcheur et de l'ombre. Comme elle n'était pas assez élevée pour que je pusse me tenir debout, je cherchai à m'asseoir, et, en reprenant haleine, j'en examinai les détails.

C'est une sorte de grotte, arrondie en cintre et dont la voûte nourrit un lichen blanc et quantité de capillaires. Ces végétations, alimentées par les vapeurs qu'attire et que condense la fraîcheur du lieu, étaient très vertes encore, quoique depuis quinze jours il n'eût pas plu. Cette bouche se termine par une ouverture étroite, qui forma probablement jadis un des couloirs de la lave. Aujourd'hui encore, sa partie inférieure est couverte d'une pouzzolane rouge, dont le lit s'étend jusqu'à l'entrée de la grotte.

Je ne veux pas terminer cet entretien sur les volcans, sans vous mettre sous les yeux un des spectacles les plus étranges de la nature.

Il s'agit de l'*émergescence d'une île du sein des eaux de la mer*, l'*île Ferdinanda*, île résultant de l'explosion d'un volcan sous-marin. C'est de nos jours que ce phénomène a lieu ; il en est d'autant plus curieux.

En 1831, le 28 juin, la petite ville de Siacca, sur la côte septentrionale de la Sicile, ressentait de légères secousses de tremblement de terre. Il n'y avait rien de bien étonnant, attendu que l'Italie, la Sicile et la mer qui les entoure sont assises sur un volcan dont la présence est révélée par la chaleur qu'il communique aux eaux, par la formation de terrains ignés sur toutes les côtes du voisinage, et surtout par les nombreux vomitoires de ses feux souterrains, à savoir l'Etna, le Vésuve et les cratères en ignition des îles Lipari, etc. Mais ces trépidations volcaniques continuant du 28 juin au 2 juillet, tous les esprits devinrent inquiets et attentifs.

Le même jour 28 juin, un navigateur anglais, sir Pulteney Malcolm, qui ne vit rien encore, ressentit toutefois de fortes commotions sous-marines, et il s'enquit si son bâtiment n'avait pas touché quelque récif inconnu.

Alors, le 8 juillet, un brigantin sicilien, *il Gustavo*, capitaine Jean Corrao, se trouvait au large, à six milles de Siacca, lorsque soudain officiers et matelots virent s'élancer de la mer, à une hauteur de cent pieds, une colonne d'eau dont l'ascension était accompagnée d'un épouvantable fracas, semblable au bruit du tonnerre. Ce premier élancement d'eau dura dix minutes, après quoi il s'affaissa, mais pour se renouveler de quart d'heure en quart d'heure. En même temps, un nuage épais se prit à planer au-dessus de ce point de la mer, alors fort grosse.

On remarqua aussi que les eaux de la mer prenaient une teinte chocolat, qu'elle se couvrait d'écume roussâtre, et que nombre de poissons arrivaient morts à la surface.

Le 10 juillet, même spectacle, avec cette différence qu'un jet de vapeur épaisse avait succédé à l'éjaculation d'eau, que la colonne de vapeur atteignait six cents pieds d'élévation et qu'elle avait une circonférence énorme.

C'était évidemment une éruption volcanique, provenant du volcan Etna-Vésuve, qui soulevait le lit de la mer et dressait le cône de son cratère au sein des eaux.

Cependant, on ne se doutait pas encore du phénomène, en Sicile, car un brouillard dense couvrait l'horizon. Mais le 12 du même mois, une forte odeur d'acide sulfurique se répandant au loin, du littoral on vint à la mer, et alors on vit flotter des scories noires très poreuses, poussées par le vent et composant des couches considérables de déjections. La circulation des barques n'était plus possible le long des côtes.

Le lendemain, le brouillard étant tombé, de Siacca on put voir enfin, non plus une colonne d'eau, mais une incommensurable gerbe de fumée qui, à la tombée de la nuit, devint lumineuse.

Enfin, le 18 juillet, le capitaine du *Gustavo*, au lever du soleil, aperçut débordant de la surface des vagues une île surélevée de quatre à cinq mètres, et, au centre, un cratère en ignition, dont les déjections s'amoncelaient sans fin, élargissant le périmètre de l'île, et couvrant la mer de matières sans nom, tandis que les eaux bouillonnaient à l'entour, dans le bassin circulaire de la nouvelle île, car la mer communiquait avec le cratère par une large échancrure.

Enfin, le même jour, l'amiral anglais Hotham, curieux de connaître ce phénomène, envoya un petit brick qui estima, vers le soir, la hauteur de l'île à vingt-quatre mètres, et sa circonférence à mille quatre cents, ce qui démontrait la rapidité avec laquelle se formait l'île volcanique.

Cependant l'éruption continuait, et le bruit de cet étrange phénomène se répandant dans le monde entier, plusieurs savants arrivèrent pour en jouir et l'étudier. Je vous citerai seulement le capitaine Swinburne et M. Hoffmann, un géologue dont s'honorait alors la Prusse, et qui s'occupait spécialement de tout ce qui touche aux volcans. Grande fut la peine de notre géologue pour déterminer les gens de mer de Sciacca à consentir à le mener sur la scène du prodige. Ce ne fut que l'or à la main qu'il décida quelques-uns d'entre eux à le porter près de l'île volcanique, et encore fallut-il qu'il fît son testament, avant de s'éloigner du rivage, et qu'il leur léguât, en cas de mort, des sommes importantes au profit de leurs familles.

Enfin on partit, et les barques furent plus longtemps qu'on ne l'aurait pensé à gagner le lieu du phénomène, car on vogua toute la nuit du 24 juillet. Au point du jour, les barques s'arrêtèrent à un quart de lieue de l'îlot; il n'était pas possible d'approcher plus près, les scories embrasées, des lapilli, mille déjections formant une pluie qui n'était pas sans danger.

Le spectacle était d'une magnificence sans égale.

Le crépuscule permettait à la gerbe de vapeurs et à celle d'eau qui surgissaient du cirque volcanique de se teinter de nuances lumineuses du plus bel effet. La première s'élançait vers le firmament à la hauteur de deux cents mètres, et formait à son sommet un panache, ou plutôt un immense plumeau, un plumeau gigantesque, reproduisant à merveille cette élégante et gracieuse figure du pin-parasol, si connue en Italie, et que tout le monde connaît depuis que le naturaliste Pline s'en est servi pour donner l'idée de la colonne de fumée qui s'élève du Vésuve, quand il est en éruption. Mais ce qu'il y avait de plus curieux, c'était de voir s'agiter, comme ces mille atomes qui tourbillonnent dans un jet de lumière pénétrant furtivement dans une chambre obscure, des masses de cendres, des pierres, des scories et toutes sortes de déjections volcaniques, qui enfin retombaient dans les vagues ou sur les crêtes du cratère. La moindre pierre, projetée avec vigueur par le volcan, montait à une grande élévation, puis retombait : mais, dans ces deux mouvements elle était suivie d'une traînée de sable noir, qui, formant chevelure, lui donnait l'aspect d'une colonne infernale.

A ses côtés, au second plan de cette colonne rougeâtre et transparente, se dressait, montant vers l'éther avec une violence inouïe, mais menaçante et sombre, se détachant sur le fond bleu du ciel, une épaisse colonne de fumée noire, et dans ses flancs s'enflammaient soudain des figures bizarres, des étoiles de feu, des gerbes de fusées couleur de flammes.

Toutes ces pierres et scories, vomies par le volcan, s'entrechoquaient dans l'air et imitaient le bruit d'une rafale, le tapage que produit une forte averse d'orage ou le cliquetis de la grêle. En même temps, sans rejeter des flammes, le cratère s'illuminait d'éclairs, d'étincelles, de jets lumineux fantastiques, et cette vision sublime avait pour accompagnement l'orchestre d'un roulement de tonnerre dont les éclats affectaient tous les tons.

Pendant huit à dix minutes c'était de la part du bruit et du feu une scène indescriptible; puis tout-à-coup le calme renaissait, et des nuages de vapeurs, d'un blanc de neige, dominaient seuls le cratère.

Après avoir contemplé longtemps ces scènes pleines d'horreur et cependant de beauté, M. Hoffmann, de curieux redevint savant, et il étudia ce phénomène. Il estime que le cratère était alors de deux cents mètres de rayon, sa hauteur de quinze à vingt-huit mètres, et sa circonférence de trois quarts de mille. Du reste, ses contours s'agrandissaient, sous ses yeux, des laves qui prenaient constamment place sur ses bords. D'énormes ballons de vapeur d'eau se dégageaient de la bouche du volcan avec une véhémence extrême, mais sans bruit, et c'était ce mélange de vapeurs d'eau et des déjections qui composaient la magnifique colonne lumineuse dont je vous ai parlé.

Disons aussi que les eaux rendues brûlantes par les matières incandescentes qui retombaient sans cesse dans la mer, bouillonnaient et enveloppaient la nouvelle île d'un immense nuage de vapeurs blanchâtres.

Ainsi, les déjections du volcan avaient comblé la profondeur d'eau de cent cinquante à deux cents mètres, que la Méditerranée présente sur ce point, et leurs produits accumulés, dépassant le niveau de la mer, formait une île s'élevant d'une certaine hauteur au-dessus des eaux.

Appelée d'abord *Sciacca*, du nom de la ville côtière, puis *Nérita*, parce qu'on crut un instant qu'elle faisait saillie sur un banc de ce nom, puis *Julia*, parce que le mois de juillet l'avait vu s'épanouir, puis encore *Corrao*, du nom du capitaine qui la vit le premier, puis aussi du nom de *Graham*, un Anglais qui fit, avant tout autre, une descente sur ses laves; elle fut enfin baptisée du nom d'*île Ferdinanda*, en l'honneur du roi de Naples, alors régnant.

J'en rougis pour les Anglais, parmi lesquels j'ai tant vécu : mais ces fils de l'aride et envahissante Albion n'eurent-ils pas la prétention de s'emparer de cette île à peine sortie du sein de la mer? L'Europe entière en haussa les épaules, et les Siciliens s'en effrayèrent. Heureusement, pour mettre tout le monde d'accord, l'île Ferdinanda songea bientôt à plier bagage, et à disparaître tout exprès pour échapper à la domination anglaise. Les Siciliens ne manquèrent pas de le dire.

En effet, le 4 août, alors qu'elle avait plus de soixante mètres d'élévation et de cinq à six kilomètres de tour, comme on venait toujours contempler le phénomène, à savoir, de nuit, le firmament obscurci des plus épaisses ténèbres et sillonné de lueurs électriques, et, de jour, le soleil revêtant des couleurs blafardes de sinistre présage, et l'énorme colonne de vapeurs qui sortait toujours de l'île, on remarqua que les laves, les basaltes, les déjections volcaniques en un mot, que nulle matière ne reliait, ébranlées par le ressac continuel des vagues, s'ébranlaient peu à peu, et qu'elles ne pourraient tenir longtemps contre le choc violent des lames.

Puis, le 12 août, les éruptions ayant cessé complètement, la circonférence de l'île et son altitude décrurent sensiblement. Le 25 du même mois, elle n'avait plus que quatre kilomètres de tour, et le 3 septembre, il était réduit à un seul.

Enfin, octobre touchait à peine à sa fin, qu'il ne restait plus de l'île Ferdinanda qu'une éminence de scories et de sables; et plus rien du tout, six mois après.

Bref, en 1832, le capitaine Swinburn, que nous avons vu figurer au commencement de cette apparition d'île et qui revint visiter l'emplacement qu'elle avait occupé, n'y trouva qu'un haut-fond. Puis, quelques années plus tard, toute cette montagne sous-marine de deux cents quarante mètres d'élévation, composée de scories entassées, avait été balayée par la mer......

Mais, écoutez bien ceci : Voilà que les journaux nous annoncent, en ce moment même, que l'île Ferdinanda, que l'on croyait à jamais effacée du catalogue des îles, satisfaite d'avoir jadis joué un mauvais tour aux Anglais qui croient devoir faire subir leur joug à toute terre jusqu'alors ignorée et à toute région fraîchement apparue, remontait à fleur d'eau. Après plus de trente années d'intervalle, ce même phénomène de la formation d'une île volcanique paraît sur le point de se produire, et le bassin de la mer s'est déjà soulevé jusqu'à parvenir à la surface des eaux. Il y a de quoi surprendre les savants, et mettre les Anglais en émoi. Aussi, un bâtiment venu d'Angleterre, et sur lequel se trouvent plusieurs personnages d'un mérite hors ligne, stationne aux environs de la réapparition de l'île Ferdinanda, afin d'assister à toutes les phases de l'événement qui se prépare. Qui vivra, verra...

CHAPITRE IV.

Voyage dans les plaines de l'air. — L'aviation appliquée à l'étude des reliefs du globe. — L'aérostat de l'Anglais Wood. — Départ du ballon. — Panorama du plus beau pays du monde. — Aventures d'aéronautes. — Comment se conduit le ballon. — Spectacle qu'il donne. — Premiers aspects de l'Himalaya. — Les sommets du Gaurisankar. — Les pointes du Kinchinginga. — Les crêtes du Dsawala-Ghiri. — Vue du géant des montagnes. — Effets de l'air sur l'homme et les animaux. — Séjour dans les hautes sphères du globe. — Descente et retour. — Le Mont-Blanc mis en parallèle avec l'Himalaya. — Physionomie du Mont-Blanc. — Perspectives de la vallée de Chamouni. — Aiguilles-Vertes. — Rocher-Rouge. — Grands et Petits-Mulets. — Dôme du Goûter. — Croix de Flégères. — Le Courtil. — Le Montanvert. — Première ascension du Mont-Blanc faite par une Française. — Expériences de de Saussure. — Aventures de deux Anglais. — Le drame du 18 août 1820. — Le mal des montagnes. — Avalanches de la Jung-Frau. — Tragédies.

Après vous avoir fait descendre dans les profondeurs des volcans, chers lecteurs, c'est bien le moins que je vous convie maintenant à un voyage dans les hauteurs de l'air.

L'aviation étant désormais un moyen de locomotion acquis par la science, prenons place dans un aérostat, et essayons notre essor vers les prairies bleues du firmament.

N'avons-nous pas à étudier la splendeur des montagnes, les reliefs des glaciers, les horreurs des précipices, les chutes des avalanches, ces autres magnificences de la nature?

De notre ballon, nous pourrons saluer et admirer le géant de notre hémisphère, le colossal Mont-Blanc ; puis, de même saluer et admirer le géant de l'autre hémisphère, le colossal Himalaya, près duquel le

Mont-Blanc, tout roi de nos montagnes européennes qu'il soit, relativement au roi des montagnes asiatiques, est tout au plus dans la proportion de 1 à 10 !

Cette fois, ce n'est plus ma parole que vous allez entendre, mais celle de mon ami, le capitaine de frégate Varnier, qui est un peu devenu votre ami aussi, n'est-ce pas?

Voici ce qu'il me racontait souvent avec un certain plaisir de réminiscence, car ce voyage aérien l'avait charmé :

— En 1856, alors que je devais faire un séjour assez long à Calcutta, dans les Indes, pendant que l'on radoubait ma frégate, je fus mis en relation avec un jeune Anglais, sir James Wood, venu dans la patrie des perles et des diamants par ennui, et qui cherchait à guérir son spleen par une excursion aérostatique au-dessus de l'Himalaya. Ardent et excentrique, comme le sont tous les fils de la blanche Albion, mon touriste désirait trouver un amateur déjà versé dans la pratique de l'aérostation, avec lequel, dans un énorme et solide ballon que cet Anglais, riche des dons de la fortune, avait fait faire tout exprès à Londres, et qu'il avait appelé le *Curieux*. Je consentis à devenir le Dédale de sir James Wood, puisqu'il désirait être mon Icare.

Notre esquif aérien était pourvu de l'arsenal propre aux aéronautes : ancres, baromètres, anémomètres, thermomètres, hygromètres, boussoles, montres marines, parachutes, livres, cabans, couvertures, etc.

Lorsque j'arrivai chez mon Anglais, au jour et à l'heure dits, je ne le trouvai pas seul. Il était entouré d'une quantité de pauvres animaux, chien, chat, lapins, pigeons, etc., auxquels il voulait faire partager les dangers de notre navigation dans le fluide de l'air, et dont il prétendait se servir pour des expériences.

Sir James Wood m'attendait. Il était jubilant et me serra les mains avec affection. C'était un homme à tête grave, digne, austère même. L'œil était franc, prompt à s'enflammer sous l'empire d'une émotion vive, mais un peu terne au repos, et légèrement dépoli par le travail de la pensée. Le nez, oh ! le nez était puissant, et même disproportionné. On voyait qu'il avait eu l'envie d'être aquilin, mais après avoir fait ce qui était nécessaire pour y parvenir, il s'était aplati à l'extrémité, et avait pris sur la lèvre supérieure une place considérable.

Les vivres étaient déjà casés dans leur soute. Nous entrâmes donc aussitôt et résolument dans la nacelle, et le ballon, gonflé depuis le matin et retenu par cent Hindous aux torses noirs émergeant de leurs blancs caleçons de madapolam, s'élança dans les airs.

Le ciel était magnifique. Un brillant soleil dorait de ses rayons brûlants l'aérostat, qui semblait un globe de bronze. Le vent, des plus favorables, devait nous porter rapidement vers les hautes régions de l'Himalaya, en traversant les admirables contrées de l'Hindoustan, sans contredit le paradis de la terre, au point de vue des splendeurs de la nature.

Nous étions déjà à près de deux mille mètres d'altitude et je m'extasiais devant les magnificences qui se développaient à nos regards, lorsqu'il prit fantaisie à mon original compagnon de me raconter des histoires qui me donnèrent le frisson.

— Vers la fin de l'été dernier, me dit-il, une ascension en ballon eut lieu à Adrien, dans le Michigan, à l'occasion d'une fête. L'aérostat était parfaitement construit et de grandes dimensions, car, après son gonflement, il atteignait à la hauteur d'une maison de trois étages. Vers neuf heures du matin, deux personnes, les très honorables MM. Bannester et Turton, prirent place dans la nacelle, calmes tout comme nous tout-à-l'heure, et, le signal donné : Lâchez tout ! s'élevèrent dans l'espace avec la rapidité d'une fusée. Ils avaient atteint une hauteur prodigieuse, lorsqu'ils entendirent un craquement qui les effraya. Ce bruit provenait du crochet en fer qui retient la nacelle au filet. M. Bannester regarda, devint pâle, et signala à son ami que la nacelle allait se détacher du ballon. En effet, un dernier craquement eut lieu, et la nacelle, se séparant de l'aérostat, tomba dans le vide... Par bonheur, nos aviateurs s'étaient élancés à temps après les cordages du filet. Ils s'en emparèrent et y demeurèrent cramponnés avec l'énergie du désespoir. Mais d'autre part, allégé de son fardeau, le ballon s'élança impétueusement vers le firmament... Qu'allaient devenir ces infortunés?... Après s'être recommandés à Dieu, l'un d'eux s'accrochant des pieds et des mains aux mailles de filet dont il faisait ainsi des échelons, atteignit à grand'peine la soie de l'aérostat, qu'il lacéra de son couteau. Par bonheur, le gaz se dégagea peu à peu par ces ouvertures. Bientôt le ballon cessa de monter. Du reste les aéronautes étaient arrivés aux limites de l'air, et tout était devenu noir, d'un noir horrible, au-dessus de leurs têtes. Mais non-seulement l'aérostat ne monta plus, il opéra bientôt un mouvement de descente, et, en effet, après trois grandes heures d'agonie, alors que les deux Américains, épuisés, les mains cruellement coupées par le filet, n'avaient plus la force de se soutenir à la puissance du poignet, leur ballon vint se placer majestueusement à terre, sur les bords du lac Erié.....

Quand sir Wood cessa de parler, je plongeai sur lui un regard scrutateur. Je commençais à avoir peur de cet homme. Le spleen, dont il était atteint, allait-il donc lui donner l'idée d'en finir avec la vie d'une manière excentrique, par exemple en piquant une tête dans le vide, ou en m'entraînant dans sa chute, après avoir préparé la rupture des agrès de notre nacelle? N'était-ce pas pour me préparer au sort qu'il me réservait qu'il venait de me raconter son étrange et funèbre histoire? Cependant, je lui trouvai le visage paterne à ce point que, fort heureusement, je me rassurai peu à peu.

D'ailleurs notre appareil manœuvrait à ravir et planait dans l'espace avec la majesté des sphères de l'empyrée. Et puis le spectacle qui se présentait à nous était tellement incomparable, que bientôt je fus à de tout autres idées.

L'Inde ou plutôt l'*Hindoustan*, au-dessus duquel nous passions, est l'aïeul du genre humain, le berceau des roses, le point de départ des peuples. Quelle formidable nature, et combien l'homme y semble un pauvre enfant égaré sur le sein de sa mère, un atome perdu dans l'immensité. En effet, cette merveilleuse contrée donne trois moissons par an. Là, une pluie d'orage fait d'une prairie une mer, et d'un désert une prairie. Là, le roseau est un arbre de cent pieds de haut, et le mûrier un géant de chaque souche duquel s'élance une forêt couvrant de son ombre humide des reptiles de vingt coudées, des hordes de tigres, des troupeaux de lions. Dans l'Inde, tous les fleuves coulent pour désaltérer les monstres de la création : caïmans, hippopotames, éléphants, rhinocéros, etc. Dans l'Inde, la peste dévore par millions les hommes que la nature crée par millions, parce que son climat possède une puissance de production qui ne peut être égalée que par sa force de destruction.

Voici donc qu'un immense horizon se développe, et se succèdent d'indescriptibles paysages, des sites majestueux, de sauvages perspectives. Ce sont les larges bouches du Gange se tordant au soleil comme de gigantesques serpents; des pagodes innombrables capitonnant de leurs blancs et hardis frontons et de leurs étranges colonnes la verdure des bois sacrés qui les entourent; les villes de Golconde, de Bombay, de Surate, de Bénarès, de Pondichéry, de Chandernagor, avec leurs minarets, les coupoles de leurs mosquées, leurs tours et leurs môles; le golfe de Bengale qui resplendit au loin des feux du jour, en un mot l'immense et splendide oasis qui a nom l'Hindoustan, l'Eden de ce bas monde, et le bijou du globe.

Cependant notre aérostat s'élève avec une rapidité toujours croissante; nous mesurons bientôt cinq mille mètres.

Passe le luxuriant Indus; passe le Bramapouthra; passent le délicieux Iraouaddy, ombragé de hauts arbres sur une partie de son cours, puis le Godaveri, la Nerboudda.

Mais ce qui fixe le plus notre attention, c'est l'admirable vallée de *Kachemyr*, dont la coupole d'or de l'observatoire tourne sur un pivot; Kachemyr, jadis *Sirinagor*, c'est-à-dire la *Ville du bonheur*; Kachemyr arrosée par le charmant cours d'eau du Djelem, bordé de bocages et de prairies en fleurs, et dont toutes les maisons en terrasses superposées semblent un jardin féerique qui s'élève dans les airs, et par l'éclat de ses feuillages et de ses bosquets parfumés efface le souvenir de l'antique Babylone, tout en le rappelant.

Apparaît bientôt la longue et formidable chaîne du géant des montagnes, le grandiose *Himalaya*, dont les contreforts se cramponnent sur le sol à d'énormes distances, comme pour assurer la solidité du monstrueux colosse dont ils représentent les pieds. Ce qui nous charme et nous épouvante tout à la fois, ce sont les pics, les pitons, les aiguilles, les crêtes, les dômes, les assises incommensurables, les inimaginables entassements de cette chaîne; et puis ses immenses et dangereux glaciers; ses cimes couvertes de neiges éternelles; les fleuves qui s'échappent de ses flancs rocheux, en bouillonnant dès leur origine; et ces énormes rochers eux-mêmes, servant de vasques colossales pour recevoir leurs eaux et les porter, de cataractes en cataractes, jusque dans les vallées que le doigt de Dieu leur a montrées.

Des sublimes hauteurs de l'air que nous occupons au-dessus des menaçantes aspérités de l'Himalaya, nous jouissons de l'un des plus étranges panoramas qu'il soit donné à l'homme de contempler.

D'abord, comme sur les mers, il nous devient facile de reconnaître la rotondité de la terre, car, à notre nadir, qui est le *Gaurisankar* ou *Everest*, la crête la plus élevée de l'Himalaya et du monde entier, on voit notre sphère s'affaissant peu à peu dans son vaste pourtour, et produisant une déclivité douce et gracieuse qui va s'abaissant vers les horizons les plus lointains.

Mais ensuite, sur toute l'immensité de l'espace culminant que nous dominons, s'étagent des masses imposantes de glaciers que l'on peut bien proclamer les plus admirables, comme aussi les plus effrayants. Ils apparaissent ouvrant leurs précipices béants, leurs abîmes sombres; ils sont ravinés dans le sens de leur descente par de larges et profondes crevasses, que leur transparence sous les rayons du soleil rend bleuâtres comme la turquoise. Des figures fantasmatiques de roches grises percent ici et là le linceul de neige qui s'étend sur ces masses effrayantes. S'entr'ouvrent partout les ténébreux orifices de mystérieux barathres. Tout à côté, des ombres projetées par des granits noirs élancés, offrent l'image de pyramides renversées, de cônes tronqués, d'aiguilles brisées, d'obélisques rompus, de vieilles tours aux encorbellements rebondis, dont les teintes sombres s'estompent vigoureusement sur la blancheur des neiges. Et puis, tout un chaos monstrueux, mille scènes indéfinissables d'horripilante désolation, de ruines sinistres, de glauques visions, succèdent aux aspects plus riants de l'étrange physionomie de ces montagnes sans rivales. Ce sont des entassements titaniques de rochers foudroyés; de cyclopéennes échancrures de rampes pourfendues par le tonnerre ; des éboulements aux formes sauvages ; des déchirures de mamelons entassés, superposés par le hasard des chutes ; en un mot, des escarpements tellement vertigineux que, à les voir, on éprouve un frisson d'épouvante...

Au Gaurisankar succèdent le *Kimchinginga* ou *Dapsang*, et, à celui-ci, le *Dswala-Ghiri*, frères du premier.

Figurez-vous de même les ballonnements les plus étrangement boursoufflés, grimaçants, fendillés, d'un véritable océan pétrifié, aux aspérités les plus aiguës, aux noirs effondrements, aux intumescences gigantesques dignes des haussements d'épaules du farouche Titan Briarée.

De cet inimaginable tohu-bohu de montagnes grimpant sur les flancs les unes des autres, que l'esprit se refuse à concevoir, s'élève un bruit d'eaux dont le murmure est adouci par la raréfaction de l'air, mais qui cependant arrive à nos oreilles tel que le sourd roulement de flots déferlant contre les falaises aux heures de leur colère, ou du tangage d'un navire en perdition.

C'est le Gange, c'est le Sind ou Indus, c'est l'Iraouaddy, c'est le Brahmapoutre, presque aussi considérable que le Gange, qui s'échappent en grondant des cavités ténébreuses de ce géant des montagnes, haut de vingt-six mille huit cent soixante-douze pieds ! Quels riches cours d'eau dans cette Inde si favorisée par une nature généreuse ! C'est là, dans cet Himalaya sublime, sous la voûte mystérieuse de roches pélasgiques et d'épaisses forêts aussi anciennes que le monde, couronnées à leurs sommets soit de massifs glaciers, soit de cratère, de volcans, que ces fleuves admirables prennent leur source. Ils se fraient un lit par d'innombrables vallées pour aller après un cours prolongé se jeter dans le sein de la mer. Les sites les plus sauvages, les perspectives les plus étranges, cascatelles, cascades et cataractes accompagnent leur marche de leurs pittoresques fantaisies, et ils roulent eux-mêmes dans leurs flots l'or et l'argent, les diamants et les pierres précieuses.

Mais, après la plus ravissante contemplation et la plus suave et longue extase en face de ces magnificences uniques au monde, car on ne les trouve que dans l'Inde, nous sommes bientôt contraints de nous éloigner, grâce à un vent d'ouest dont notre aérostat subit petit à petit le courant.

Il était temps, du reste. A peine pouvions-nous respirer, tant l'air manquait à nos poitrines. Nous étions saisis en même temps d'un froid excessif ; et enfin, à ce froid avait succédé une sorte d'engourdissement. Vint même un instant où, voulant passer ma main sur mes joues pour y rappeler quelque chaleur, il me sembla que mon visage avait pris un développement inaccoutumé... Je regardai mes mains :

elles étaient enflées de même, tuméfiées; la peau en était tendue à outrance. Aussitôt je pris un miroir de poche... Horreur! j'avais le nez gros comme un concombre; mes joues, mes yeux, étaient bouffis, gonflés, horribles. Et puis le sang suintait par mes narines et mes oreilles. Je souffrais d'un commencement d'asphyxie...

Il en était de même de sir James Wood, que je ne pus regarder sans éclater de rire. En effet, nonobstant son flegme imperturbable, quand il s'examina lui-même, un fou rire le prit. Mon Anglais se trouvait porteur d'un nez si bizarre, si monstrueux, si richement enluminé, qu'il lui devint impossible de l'enfermer dans ses deux grosses mains britanniques, dont il voulait faire un étui pour le garantir de la froideur.

Après avoir dépassé les plus hautes crêtes de l'Himalaya, notre ballon, chassé par des brises plus douces, descendit petit à petit vers des régions inférieures où l'air plus tiède nous permit de respirer à l'aise. Il cheminait cependant encore à une certaine altitude, et rapidement même, car nous voyions passer au-dessous de nous les plus fantastiques intumescences de l'hémisphère asiatique. C'étaient tour à tour les chaînes de l'Altaï, des Monts-Célestes, des montagnes du Brouillard, du Kouën-Lune et des deux Gattes, vastes rameaux semblant se diriger tous, tels qu'une interminable caravane ponctuée de bosses de chameaux et de dromadaires, vers un centre commun, l'Himalaya. Cimes bleues, cimes neigeuses, cimes volcaniques parfois, cimes chargées d'une opulente végétation, ces chaînes formaient dans tous les sens une admirable et splendide mosaïque de croupes, de dentelures, de pitons, de roches entassées, irisées des nuances les plus chaudes et teintes ici et là de violet, de cobalt, de ponceau, etc.

Bref, ne pouvant vous raconter les péripéties de notre voyage aérien, après vingt-cinq heures d'aviation parfaitement heureuse, nous descendîmes dans le voisinage de Lassa, au Thibet.

Peut-être désirez-vous savoir ce qui advint, au point de vue de l'influence atmosphérique, aux différents animaux que nous avions emportés avec nous? D'abord le chien se garda bien d'aboyer. Le pauvre animal semblait trop préoccupé de sa position insolite. En général, les quadrupèdes les plus difficiles à dompter sont vaincus lorsqu'ils sont ainsi arrachés au sol de la terre. Nous eûmes grand'peine à l'empêcher de s'élancer dans le vide : le saut eût été par trop périlleux. Quant au chat, sa petite poitrine délicate ne lui permit pas de manquer d'air pendant un assez long temps, et il tomba asphyxié. De leur côté, les pigeons paraissant fort désireux de faire usage de leurs ailes, je les utilisai pour expérimenter la densité de l'air. Ils furent donc lancés dans le vide, où ils descendirent avec une effrayante rapidité, sans que leurs ailes leur fussent d'aucun secours. Mais alors, ayant atteint une région plus basse, l'air plus solide les reçut, et je pus les apercevoir bientôt planant sur les hauteurs de pics auxquels ils empruntèrent un abri provisoire.

Tel est le récit de notre ami Varnier.

Après lui, chers lecteurs, je vous dirai que si le fier Himalaya est la merveille des montagnes, dans l'opulente Asie et au milieu des beautés incomparables de l'Hindoustan, en Europe, dans notre France, le géant des Alpes, le Mont-Blanc, a bien aussi sa grandeur et mérite quelque peu de notre admiration.

Donc, veuillez jeter les yeux, actuellement, sur le croquis que je vais essayer de vous faire du *Mont-Blanc*, et connaître ainsi, par la puissance des contrastes, ces deux grands phénomènes des deux hémisphères de notre planète terre.

Voici dans quelles circonstances m'apparut le Mont-Blanc :

A la même époque que mon vaillant capitaine visitait en ballon les monts sourcilleux de l'Asie et ses glaciers formidables, dont les crevasses lui semblaient être de sinistres bouches de l'enfer, moi, à pied, l'*alpenstock* à la main, je parcourais les Alpes et j'arrivais, par la Forclaz, en face de notre roi des montagnes.

Ce géant n'est plus qu'un nain à côté de l'Himalaya.

Les huit mille huit cent quarante mètres d'altitude de celui-ci forment neuf kilomètres d'élévation, tandis que celui-là ne compte que quatre mille huit cent dix mètres, c'est-à-dire un peu plus de quatre kilomètres.

Toutefois, une montagne élevée de quatre kilomètres, c'est déjà une assez jolie taille et une noble prestance !

Donc, en quittant Martiny, après avoir gravi les interminables rampes de la Forclaz, j'avais constamment foulé aux pieds des landes d'une riche végétation. Des nuances innombrables de mousses et de plantes microscopiques s'abritaient sous des tiges de bruyères. Je trouvais ici et là de petites fougères, du vert le plus tendre, qui émaillaient des gazons écarlates plus brillants que le plumage de l'oiseau des tropiques. Enfin il se rencontrait d'espace en espace quelques oasis exquises où des graminées de tous les tons s'étalaient sur des talus et qu'arrosait l'eau limpide et murmurante de nombreuses petites cascatelles. Du centre de ces landes formant comme une île au milieu des aspérités rocheuses des montagnes, en se retournant vers la vallée du Rhône et de Martiny, l'œil plongeait dans une perspective où toutes les zones étaient représentées, depuis le vert émeraude des vallées jusqu'aux lignes d'argent des cimes neigeuses rutilant sur l'azur du ciel. Enfin, après avoir franchi les hauteurs du col de Balme, tout-à-coup, à mes pieds, mais à une immense profondeur et en miniature, comme si je l'eusse regardée avec le gros bout d'une lunette d'approche, se développa à mes pieds la longue et splendide vallée de Chamouni.

Je fus saisi comme d'un vertige et je fus ébloui... J'avais devant moi l'un des plus beaux spectacles du monde, un paysage dont aucune description ne saurait rendre la magnificence, une agglomération de merveilles telles qu'aucun pinceau ne saurait donner l'idée de leurs beautés.

La *vallée de Chamouni* s'étendait à perte de vue, mais étroite, et capitonnée ici et là des gracieux villages du Tour, de l'Argentière, des Favraus, des Pèlerins, de Chamouni, des Bossons, etc., avec leurs clochers aigus ou leurs tourelles rondes. Les larges rubans ondoyants de l'Arve et de l'Arveyron la sillonnaient. Mais ce qui attirait et fixait immédiatement le regard, c'était le colossal Mont-Blanc, doré par le rayonnement du soleil à son déclin, reposant gravement sur sa base formidable et montant lourdement sa large coupole blanche vers les cieux. Puis, tout autour de la vallée qu'elles enveloppaient comme un gigantesque cirque elliptique, c'était tout un royal cortége de glaciers en cascades, dont la blancheur formait le plus vif contraste avec la teinte noire, grise, rouge et violette de roches granitiques et la verdure des sapins qui encaissaient les glaciers sur chacun de leurs bords. Ces roches élancées affectaient toutes les formes les plus bizarres, campanile brodé de toutes les fantaisies de la sculpture, clochetons aux bossages fantastiques, aiguilles aériennes, cônes capricieux, enfléchures fines et délicates, pyramides, môles, pour lesquels le talent de l'artiste semblait avoir épuisé les prodiges de son ciseau. Et ces étonnantes magnificences, plateaux poudrés de neige blanche ici, là de neiges rouges, ces élancements des rochers vers l'éther, avaient nom *Flégère*, *Buet*, *Brévent*, *Montanvert*, *Aiguilles-Vertes*, *Rocher-Rouge*, *Pierre-Ronde*, *Grandes-Joralles*, *Blaitières*, *Tacul*, *Le Moine*, *Dôme du Goûter*, *Petits-Mulets*, *Grands-Mulets*, *Aiguilles du Dru*, de *Léchaud*, de *Charmox*, etc. Parfois, un pic plus élevé, que couronnaient quelques rares épicéas, ajoutait à la richesse des lignes en s'estompant en noir sur le bleu du firmament. De la hauteur que j'occupais, immobile comme la statue de l'admiration, j'essayais de sonder les croupes de ces montagnes boréales, et j'entrevoyais dans de mystérieux bassins de larges nappes d'argent bruni qui dormaient ensevelies dans leurs manteaux de neige. C'étaient des lacs brumeux, entourés de calme et de silence. On voyait poindre, en plus de vingt endroits, sur leur surface polie, des îlots en pierre noire d'une physionomie sinistre. Ailleurs des cascades et des tourbillons de poudre de diamants scintillaient dans de vagues horizons. Enfin le bruit perpétuel d'eaux s'échappant des glaciers, formait l'accompagnement de cette scène. J'ajoute que comme le soleil se coucha bientôt, à la pointe d'un lac qui sembla s'embraser, chaque relief de ce grandiose panorama projeta sur les neiges des ombres vigoureusement accentuées. Au contraire, des crêtes, des glaciers et des cimes neigeuses jaillissent de feux de diamants et des aigrettes luciolantes. Alors, ombres et lumières furent en lutte pendant quelques instants, avec des effets délicieux, mais rapides, de tons, de nuances et de fantaisies indéfinissables...

On esquisse difficilement un pareil tableau. Ce que je puis dire, c'est que je fus sur le point de tomber à genoux pour adorer autrement que dans mon cœur le créateur de tant de prodiges de la nature. Oui, certes! la majesté de l'Himalaya est grande, mais la splendeur de la mise en scène et de l'escorte magique du Mont-Blanc est à nulle autre pareille.

Le lendemain, au point du jour, j'étais posé en observateur sur le plateau très élevé de Flégères. Alors que l'astre du jour sortait de son tabernacle d'or, à mes pieds se dessinait un véritable océan de montagnes que rendaient prestigieuses les énormes dimensions de leurs vagues de glaces et de granits. Au loin se montraient les blancheurs d'incommensurables nappes de neige, sublimes, majestueuses, drapées de vapeurs ardentes, sur lesquelles s'estompaient capricieusement quelques mornes chauves, mais découpés en vives arêtes. Les neiges étincelaient; les mornes, amoindris par l'espace, rutilaient de mille teintes atténuées, les unes éteignant leurs pourpres, les autres attendrissant leurs verts, toutes prêtant au firmament de légères nuances de rose et de bleu d'une exquise délicatesse. Enfin, la vallée, dans le bas-fond du panorama, se mouchetait ici et là de villages, de chalets, de cottages, encadrés dans les blanches vapeurs du matin.

Quant au Mont-Blanc, son front colossal se plongeait dans l'éther d'un bleu nacré, plein de suaves dégradations. Un seul petit nuage flottait juste au-dessus du point culminant de sa calotte, comme le nimbe d'or derrière la tête chauve d'un saint qu'il glorifie, nuage rose d'abord, puis bientôt du pourpre le plus vif, liséré d'argent et courbé en forme d'arc.

Sur les parties escarpées de ce tableau, comme une légère guirlande s'élevait une fumée d'un blanc très prononcé. Cette vapeur folâtre quittait d'abord avec lenteur l'escarpement des montagnes; puis elle se roulait soudain, et en s'évanouissant bientôt, elle jetait une sorte de lumière blanche. C'était tout simplement de la neige emportée par des tourbillons de vents qui se combattaient.

La vallée de Chamouni était demeurée complètement inconnue jusqu'en 1741. Saint François de Sales, après une visite dans cette contrée, et puis deux Anglais, Pocock et Wyndham, révélèrent les beautés cachées de ces lieux jusqu'alors inconnus.

Alors, Marie Paradis, une femme de Chamouni, fut le premier

être humain qui osa porter le pied sur le sommet du Mont-Blanc vierge encore, et après elle, une Française, mademoiselle d'Angeville, escalada le géant. Mais dans son enthousiasme, la folâtre jeune fille eut la puérile fantaisie de se faire élever aussi haut que possible par les hommes qui l'accompagnaient, afin de pouvoir se vanter d'être montée plus haut qu'aucune autre personne de l'Europe.

Puis, après quelques nouvelles ascensions opérées par des Anglais et des Français, il y eut un jour où un vieillard de Chamouni, Jacques Balmat, âgé de soixante-dix ans, prétendit gravir le Mont-Blanc à son tour. Mais, hélas! le pied lui manqua dans un endroit périlleux, et il disparut à tout jamais dans les crevasses : jamais on ne retrouva son cadavre.

Je passe sous silence l'ascension du savant de Genève, M. de Saussure, qui ne voulut aller au Mont-Blanc que pour y faire des expériences barométriques et autres dont le monde devait s'applaudir.

Je ne vous dirai rien non plus d'autres ascensions plus ou moins intéressantes, ni des drames lugubres dont ce terrible Mont-Blanc fut le théâtre. Il vous suffira de connaître les quelques faits que voici :

Le jour même que j'étais en extase sur le plateau de Flégères, mon télescope à l'œil, je découvris quelques voyageurs, marchant à la queue du loup, qui entreprenaient de gravir le Mont-Blanc. Je sus bientôt que c'était M. Lougmann et son fils, deux Anglais fort désireux de voir de près la terrible montagne. Quelques guides, selon la règle, les accompagnaient pour porter leurs vivres, des cordages, une tente et les objets indispensables pour une pareille expédition. Partis de la veille par le Montanvert, le village des Favraus, et le hameau des Pèlerins, ils avaient traversé une forêt de pins, monté par des pâturages escarpés, longé le glacier des Bossons, dont ils étaient séparés seulement par un long couloir ou crevasse où s'entassent les neiges des avalanches, et, passant aux Pierres-Pointues, à la Pierre de l'Echelle, bloc de granit de quinze mètres de haut qui forme une caverne sous laquelle on cache l'échelle qui sert souvent dans le voyage, et où un coup de pistolet éveille un écho très remarquable, ils avaient cheminé longtemps sur des blocs inclinés en divers sens, bordés d'affreuses crevasses, et après avoir dépassé l'Aiguille du midi, ils étaient allés coucher aux Grands-Mulets.

Les *Grands-Mulets* sont deux roches aiguës, en forme de pyramides, qui percent les neiges du Mont-Blanc, au-dessous de sa calotte.

Ils quittaient cet abri, avec leur monde, lorsque je les découvris, et ils commençaient à marcher par une vaste rampe de neige légèrement ondulée et sous laquelle s'étendent en tout sens d'immenses crevasses, lorsque M. Longmann fils disparut soudain... Qu'était-il devenu ? Les guides se mirent à sa recherche et ne tardèrent pas à découvrir l'infortuné jeune homme, qui avait glissé rapidement dans une affreuse crevasse. On prit aussitôt des mesures pour lui porter secours. Un des guides se passa une corde sous les bras et fut descendu au fond de la crevasse, où il parvint à saisir M. Longmann par son habit : puis on retira la corde avec précaution. Inutile de dire que le pauvre père et les autres guides étaient dans une anxiété mortelle. Mais jugez de ce que dut éprouver le malheureux père... lorsque le guide reparut seul à la surface du gouffre ! ses mains, trop faibles pour un aussi lourd fardeau, avaient lâché prise à moitié chemin, et le jeune Longmann était retombé à une profondeur plus grande encore que la première fois... On eut recours alors à un autre moyen. On attacha une courroie à l'extrémité de la corde, et l'appareil fut lancé au patient pour qu'il le fixât autour de son corps. Hélas! il ne put en venir à bout, ses mains étaient trop engourdies par le froid. Il fallut donc revenir au premier moyen. Un autre guide très robuste fut descendu dans l'abîme. Alors, cette fois, à l'inexprimable joie de tous les assistants, le fils Longmann fut ramené sain et sauf et n'ayant reçu que quelques contusions dans son horrible chute.....

Voici maintenant un autre drame bien plus terrible et dont la date remonte au 18 août 1820.

Un Français, le docteur Hamel, deux Anglais, MM. Dornford et Henderson, et douze guides qui les escortaient, allèrent aussi coucher aux Grands-Mulets, où ils campèrent sous une tente adossée aux rochers. Ils eurent beaucoup à souffrir pendant la nuit d'une tempête affreuse. Le lendemain, la neige remplaça la pluie, et il semblait de toute rigueur que les voyageurs ne continuassent pas leur ascension. Néanmoins, pendant que trois guides retournaient à Chamouni pour en rapporter des vivres, le reste de la caravane se mit en route, alors que le bleu du ciel reparut un moment. Alors, nonobstant les avis des guides, on s'avança à travers les neiges fraîches, et, le long de redoutables précipices, on gravit le dôme du Goûter. C'était M. Hamel qui avait entraîné les Anglais, et les guides auguraient mal de cette périlleuse obstination. L'un d'eux, Auguste Tiraz, pleura même et embrassa ses camarades en annonçant sa fin prochaine. En effet, on mettait à peine le pied sur ce que l'on nomme la calotte du Mont-Blanc, au-dessus d'une épouvantable crevasse, en s'avançant en file, ce qui coupait trop la neige, lorsque cette neige, toute nouvelle et sans adhérence encore avec les neiges anciennes, glissa sur celles-ci, et tout-à-coup les infortunés touristes et leurs guides furent entraînés vers l'abîme béant avec une avalanche qui se forma sur un rayon de près de quatre-vingt mètres de largeur. Un horrible cri de détresse fut poussé simultanément... Aussitôt, trois guides disparurent dans la crevasse et s'engouffrèrent sous des neiges ruisselant en cataracte d'une hauteur de mille mètres. Auguste Tiraz était précisément le premier, lui qui, peu de minutes auparavant pleurait sa propre mort! Pierre Balmat et Pierre Carrier le suivaient dans cette chute affreuse... En même temps, deux autres guides, et notamment leur chef, Marie Coutet, avaient l'heureuse chance d'être poussés par la bruyante avalanche avec une telle impétuosité qu'ils passaient par-dessus le sillon du précipice, large de trente mètres pourtant, et allaient rouler sur le bord opposé. Quant aux trois étrangers, la main de Dieu les retenait sur la lèvre du gouffre, après une chute de trois cents mètres... Il s'agissait alors de sauver les trois misérables victimes englouties. Alors, pendant que les Anglais se montraient fous de désespoir, et que le docteur Hamel se frappait la poitrine de regret, les guides survivants usèrent de tous les moyens pour retrouver leurs camarades. Hélas! ce fut peine inutile! Les infortunés étaient enfouis sous une couce de neige impossible à sonder : l'avalanche tout entière recouvrait leurs cadavres.....

Quarante et un ans après, en août 1861, un petit-fils de cet Auguste Tiraz, l'une des victimes, Joseph Tiraz, passant au pied du glacier des Bossons, trouva sous un glaçon deux crânes d'hommes dénudés, une main adhérente au bras, et des lambeaux de chairs sanguinolentes. Puis, le 1er juillet 1863, un pied humain et un tibia décharné furent encore retrouvés dans une crevasse du même glacier. Ces tristes reliques, quelques fragments d'un sac de cuir, des manches de vêtements et une boussole, celle du docteur Hamel, que portait Auguste Tiraz lors du fatal événement, enlevèrent jusqu'au moindre doute à l'endroit de l'infortunée victime à laquelle appartenaient ces restes. C'était Auguste Tiraz, dont le petit-fils retrouvait ainsi les lugubres dépouilles.

Enfin, l'année suivante, 1864, le 20 juin, le guide Frédéric Balmat aperçut, à l'orifice d'une crevasse du glacier des Bossons, flotter le bout d'une cravate de soie noire. Il s'approcha et vit que cette cravate était encore nouée au cou d'un cadavre... Ces derniers débris, complétant à peu de chose près les restes mortels des victimes de la catastrophe de 1820, furent alors transportés à Chamouni et respectueusement accompagnés au cimetière par toute la population du village accourue avec empressement, et douloureusement impressionnée.

Tels sont les dangers des plus simples excursions dans les glaciers. Et cependant, comment résister aux charmes de ces curieux phénomènes de notre terre?

La vue d'un glacier est le plus admirable spectacle, en effet. On voit des glaçons gigantesques qui, se dressant entre les roches de granit, les surpassent de leurs enflèchures hardies. Bleuâtres de ton, elles sont rendues transparentes par les mille fissures qui les découpent, les brodent, les ajourent. Ainsi, quand je parcourus l'un des glaciers du Montanvert, que l'on appelle *le Courtil,* et jusqu'où s'aventurent bien peu d'excursionnistes, j'y trouvai des jeux et des fantaisies de nature bien dignes d'être décrits. Ici et là, ce sont des arborescences d'une éblouissante blancheur, aussi bien que leurs branches et leurs feuillages. Ces derniers sont figurés par quantité de petits flocons de neige cramponnés et suspendus les uns aux autres, comme des guirlandes de petites roses blanches. Plus loin, ce sont d'élégantes et sveltes colonnades, décorées des caprices artistiques les plus variés ; des chapiteaux qui semblent l'œuvre d'un Phidias ; des arcs de triomphe d'une architecture fantastique dressant un front altier, tel que jadis l'admirable Parthénon. Et puis des figurines sans nombre ; et puis de bizarres arabesques variées à l'infini. Ailleurs, on se trouve en présence de galeries sinueuses qui se déroulent tels que les anneaux d'un serpent, en étalant les splendeurs d'un caravansérail asiatique. Partout des frontons, des façades, des péristyles d'édifices ouvrant au soleil leurs vitraux d'or, scintillant ainsi que des topazes, des rubis et des saphirs. En face de ces merveilles, je ne me croyais plus sur terre, mais, la tête hallucinée, les yeux ravis, je m'attendais à voir apparaître des légions d'anges, des séraphins repliant leurs ailes, le glaive flamboyant à la main, et entonnant leurs sublimes concerts, pour me recevoir à la porte d'un Eden inconnu.....

Le *Montanvert,* que je vous nommais tout-à-l'heure, est une montagne aux pentes douces, toute couverte de bois et de pâturages. Elle est assise au pied des aiguilles de Charmoz. Mais son revers opposé plonge immédiatement sur une large vallée de glaces, de huit lieues de longueur, dont la partie qui aboutit à Chamouni porte le nom de *Glacier des Bois* ou de *Mer de Glace.* L'aspect de cette inimaginable plaine de glaçons mobiles et toujours en mouvement, ressemble à un océan enfermé entre de hautes falaises et dont les vagues tourmentées se seraient soudainement figées sous l'action d'un froid irrésistible.

Quel magnifique panorama ! De toutes parts, à l'entour, du sein des glaces, se dressent et déchirent le ciel de leurs pointes élancées l'*Aiguille du Dru,* merveilleux obélisque de pur granit ; les pics aigus du *Moine* et de *Léchaud,* remarquables par leurs teintes rosées et les élégantes dentelures de leurs sommets ; les pointes de *Blaitières,* pyramides colossales, et mille autres flèches, clochetons, élancements de roches, éructations de basalte, entassements de porphyre, sortis avec effort des abîmes de la terre, sous l'agissement formidable des fournaises volcaniques qui ont produit les soulèvements du Mont-Blanc, et de toutes les éminences gigantesques de la chaîne des Alpes.

Or, le Montanvert, au milieu de cet océan de glaces et de ces hérissements d'aiguilles de roches, de pyramides de trachyte, et de fantaisies charmantes de porphyre et de granit, compose une plate-forme de trois cents pieds à sa base, recouverte de terre végétale, et abritée par l'immense amphithéâtre de montagnes qui l'entourent. Au cœur de l'été, ses pelouses se couvrent d'un gazon odorant d'une rare fraîcheur, émaillé de bouquets de rhododendrons et de la plus ravissante variété de brillantes fleurs des Alpes. Aussi c'est une île enchantée au milieu des glaces; c'est une oasis au sein du désert des neiges; c'est le parterre du palais féerique de roches et de glaçons de S. M. le Mont-Blanc.

Quelquefois, la plus étonnante surprise est réservée au touriste ou à l'artisan chargé d'un travail dans ces agglomérations de glaces. C'est ainsi que, en 1863, dans le glacier inférieur du Grindelwald, des ouvriers, chargés d'enlever successivement des couches de glaçons pour les expédier à Paris, où on les destinait aux voluptés des amateurs de sorbets, etc., arrivèrent à une sorte de galerie basse, qui s'ouvrait dans le massif. Ils y pénétrèrent aussitôt, et se trouvèrent dans une grotte naturelle formée au sein de la glace, longue de cinquante mètres, large de vingt-cinq, et haute de vingt. Vous dire l'admiration, l'extase de ces braves gens, serait impossible. Tout ce que l'imagination peut rêver de plus magnifique en décoration et de plus merveilleux en caprices admirables, se présentait à leurs regards. Eclairée par des torches, cette grotte devint rutilante; puis, illuminée par des feux de Bengale, et les lueurs se reflétant au loin sous les voûtes et dans les parois de cristal, la magie de ces aspects féeriques fut telle, que la plume ne peut ni les raconter ni les peindre.

Une des dernières ascensions scientifiques tentées sur le Mont-Blanc, fut celle du docteur Wilhelm Pitscher, de Berlin. Ce savant voulait y étudier la vie microscopique des plantes sur les hauteurs : plantes phanérogames et cryptogames, ainsi que les infusoires, qui, souvent, rendent la neige rouge, toutes choses dont je vous ai entretenus, chers lecteurs, dans *les Cieux, la Terre et les Eaux*.

Ce fut aux Grands-Mulets que le docteur planta sa tente pour y passer près d'un mois. Un mois dans ces neiges ! Cependant, croira-t-on qu'il n'eut pas autant à souffrir, ainsi que ses quatre compagnons, du froid que de la soif, parfaitement à l'abri sous cette tente imperméable de toile anglaise, profondément enfoncée dans la glace et destinée à les protéger, pendant la nuit, contre les tourbillons de neige qui s'élèvent souvent dans ces régions avec une violence inouïe, et font dire aux habitants de Chamouni : — Aujourd'hui, le Mont-Blanc fume sa pipe !... Ils résistèrent difficilement à l'atmosphère extrêmement sèche au milieu de laquelle ils s'étaient condamnés à vivre. Quoiqu'ils ne prissent pas beaucoup d'exercice, ils ne pouvaient parvenir à étancher cette soif, ne désiraient que des liquides et ressentaient une étrange répugnance pour toute nourriture. C'est ce que l'on nomme le mal des montagnes... Afin de se préserver de la réverbération du soleil sur la neige, ils avaient imaginé une sorte de masque dont ils se couvraient la face. Néanmoins ils devinrent méconnaissables, tant leurs traits se boursoufflèrent. On eût pu les prendre pour des Papous ou des Samoyèdes...

Avant de quitter les glaciers du Mont-Blanc, je devrais vous dire que, depuis longtemps, les savants soupçonnaient que, à la fin de la période quaternaire, époque ou les glaciers des Alpes et des Pyrénées sont descendus dans les vallées, il se trouvait aussi des glaciers dans les Vosges et le Jura.

Mais on a en outre la preuve de traces glaciaires dans l'Auvergne et le Vivarais, la chaîne des Cévennes, et notamment le massif de la Lozère, massif granitique.

En effet, en aval du village de Palhères, on trouve des blocs erratiques qui donnent la certitude de l'existence de glaciers considérables, en plein cœur de notre France.

Une avalanche, une avalanche de la Jung-Frau, avant de terminer ce qui a trait aux neiges et aux glaces.

La Jung-Frau, mot qui veut dire vierge ou jeune fille, est cette charmante montagne, aux neiges immaculées, dont l'éblouissante blancheur attire les yeux du touriste, dans la vallée de Lauterbrunnen, près de Interlaken. Je lui portais ma carte de visite, par un soleil brûlant, lorsque mon guide me dit que du ciel trop ardent il augurait une avalanche, et que cette avalanche serait formidable.

Je pris place, en conséquence, sur le revers d'une éminence voisine.

Vers midi, tout-à-coup, un bruit sourd, effrayant, assez semblable à une pesante charge de cavalerie, se fait entendre, venant de la blanche montagne. Je vois alors un large fleuve d'argent, entouré d'une nuée de neige excessivement fine, subtile, qui roule, ruisselle et se précipite des flancs de la Jung-Frau. Cette cataracte augmente bientôt de gradins en gradins, d'assises en assises; elle s'accroît encore avec un tel grondement de foudre, que les échos les plus éloignés reproduisent son inexprimable fureur. Rien ne peut rendre la fulgurante rapidité de cette immense chute de neige. L'avalanche parcourt ainsi plusieurs milliers de pieds, en causant dans l'air un ébranlement d'une telle véhémence, que, dans la vallée, tout-à-coup, plusieurs maisons s'écroulent, des hommes et des bestiaux sont couchés sur le sol, enfouis sous plusieurs mètres de neige, et, pour mon compte, je suis convaincu que l'éboulement de la montagne va certainement se faire. Il n'en est rien; mais le redoutable phénomène s'étend à des lieues entières, et dans sa course furibonde, il balaie tout sur son passage :

villages, chalets, roches, grands arbres, bêtes et gens..... C'est à en frémir d'épouvante.

Dans la même contrée, c'était en 1857, près de la grotte de Nessenbalm, je remarquai, non sans effroi, d'affreuses crevasses sillonnant une mer de glace. Je sus alors que, dans cet endroit même, en 1821, un ministre de Vevey, M. Mouron, pour s'être trop penché sur ces horripilantes fissures, avait perdu pied, et le malheureux touriste était tombé dans le gouffre. Après d'inutiles efforts pour essayer de le sauver, son guide avait dû l'abandonner. D'ailleurs le ministre n'était plus qu'un cadavre !

Mais alors une sinistre rumeur circula dans la contrée. On se dit, tout bas d'abord, puis tout haut, que le guide avait poussé M. Mouron dans l'abîme, afin de le dépouiller de sa montre et de sa bourse.

Aussitôt la corporation des guides s'émut, et l'on décida que l'un d'eux, désigné par le sort, descendrait au péril de sa vie dans le précipice, et en rapporterait le défunt. Le sort tomba sur l'un des montagnards les plus robustes. Les paysans du voisinage se rendirent alors, avec les guides, sur le glacier théâtre de l'événement. Burguenen, c'était le nom du montagnard chargé de l'exploration, se fit attacher une corde autour du corps; il se mit une lanterne au cou, car l'abîme était des plus noirs, et prenant une sonnette d'une main et son alpenstok de l'autre, afin de repousser le tranchant des glaçons, il se laissa descendre petit à petit dans le gouffre.

Deux fois, sur le point d'être asphyxié par le manque d'air, Burguenen fit entendre la sonnette d'alarme. Enfin, une dernière fois, après un long temps de silence et de recherches, le montagnard reparut, sortant des ténèbres, et rapportant le corps mutilé, mais très reconnaissable, du ministre de l'Evangile.

Oh! bonheur... Le cadavre portait encore et la bourse et la montre de la misérable victime !...

Aussi dit-on généralement, en Suisse :

— Honnête comme un guide !

CHAPITRE V.

Transformations du globe. — Origine des montagnes. — Montagnes primitives et secondaires. — Chutes de montagnes. — Eboulement des Diablerets. — Engloutissement de la vallée de Goldau. — Drame lugubre. — La ruine de Coumélie. — Le chaos de Gavarnie. — Disposition des montagnes à s'affaisser. — Singularités de certaines montagnes. — Mont-Lupata. — Montagne de la Table. — Le globe de Pradelles. — La roche tremblante de la Roquette. — Le fronton de palais et la nacelle de Masclaux. — Le rocher mouvant d'Uchon. — Le Ray-Pic de l'Ardèche. — Peter-Bott de l'île Maurice. — La chaussée des géants. — La pierre pertuise du Jura. — Le Mont-Troué de la Corse. — Le Thorgat, en Norwége. — Les mitres d'évêque du Kilimandjaro. — Les Monts-Rocheux. — Curiosités des montagnes de l'Amérique. — Ce que l'on voit sur le plateau désert d'une montagne du Pérou.

Donc, il est avéré maintenant que notre planète terre a éprouvé des grandes révolutions. Il y a eu, à diverses époques, d'immenses inondations, des déluges, des soulèvements et des affaissements des couches terrestres. D'un côté, de vastes contrées, couvertes de plantes et d'animaux, ont disparu englouties par l'Océan. De l'autre, des îles, de nouvelles terres, ont surgi du sein des eaux. Le règne organique s'y est peu à peu développé. D'innombrables multitudes d'êtres animés les ont habitées pour disparaître à leur tour, pendant une autre période de ruine et de renouvellement.

Mais ces révolutions, effets continus d'une cause générale et permanente, s'effectuent avec une extrême lenteur. L'homme ne s'en apercevrait même pas, peut-être, s'il n'y avait pas de temps en temps des tremblements de terre, et si l'Océan, par la brusque irruption dans des terrains bas, où les côtes se sont affaissées, ne produisait des inondations partielles. A la vérité, on voit quelquefois, après un tremblement de terre, une montagne se former rapidement, une petite contrée où se trouvaient des villages, des vergers, des jardins, se changer en lac, dans un espace de quelques heures. Grâce à Dieu! ces phénomènes sont rares et ne se produisent que sur quelques points isolés. Il n'y a plus, à proprement parler, de cataclysme général. Ce mot *cataclysme*, qui exprime l'idée d'un grand bouleversement, brusque et terrible, ne peut être employé avec justesse que dans le cas où, considérant l'ensemble des changements effectués à la surface et dans le sein du globe, durant un grand nombre de siècles, on suppose qu'ils se sont produits, sinon tout d'un coup, du moins dans une courte période.

Les révolutions de notre spère qui ont eu ces résultats, sont précisément les mêmes que celles que nous voyons de nos jours s'accomplir sans interruption, mais avec une extrême lenteur.

C'est donc ainsi que se sont formées les *montagnes*, par exemple, successivement et par chaînes.

Comme les terrains dont elles sont formées, les montagnes sont divisées par les géologues en montagnes primitives, secondaires, tertiaires, de transition, etc. Mais, jusqu'à présent, les savants n'étaient pas d'accord sur la formation de ces montagnes, et deux systèmes étaient en présence.

Le système des vulcaniens, qui les faisaient naître de soulèvements produits par les feux souterrains du globe.

Et le système des neptuniens, qui les expliquaient par les dépôts formés au fond des eaux.

Ce dernier n'est plus soutenable. M. Elie de Beaumont en a fait justice, en réunissant en corps de doctrine tous les renseignements que l'on possède sur les chaînes de montagnes. Il a formé de ces chaînes un certain nombre de systèmes, et a même eu le talent de déterminer l'époque de la formation de ces divers systèmes.

Seulement, il admet que la surface de la terre a été souvent modifiée par les eaux des déluges partiels et du diluvium universel.

Cette théorie est maintenant mise hors de doute.

Il est évident que ces soulèvements de montagnes n'ont pu se produire sans créer, par le fait même de la surélévation du sol, des exhaussements de roches jusqu'alors enfouies sous la terre dont elles sont les ossements, comme je vous l'ai dit fréquemment. Ils ont amené dès-lors des entrecroisements de gigantesques lames de granit; des entassements de basaltes et de trachytes, par suite des violentes éruptions de ces matières. Les porphyres, du sein de notre sphère, sont passés à sa surface, et alors, non-seulement il a surgi de la superficie de notre globe d'immenses chaînes de montagnes, mais aussi des montagnes isolées, comme le Mont-Blanc, le Mont-Horeb, etc. En outre, ces montagnes ont été couronnées, hérissées de pics, de pitons, d'aiguilles, de pyramides, de ballons, etc. Leurs versants, eux aussi, ont été capitonnés de blocs erratiques, de chaos, d'éboulements, de ces superpositions des rochers de leurs cimes. Et puis, des escarpements formidables ont résulté de ces chutes, de ces ruines des flancs des montagnes. Enfin, des vallées ont été creusées, serpentant à l'entour de la base de ces mêmes montagnes, des lacs ont été assis dans les affaissements du sol, les unes et les autres arrosés, entretenus, alimentés par les eaux vives sortant des glaciers ou des sources s'échappant des canaux naturels remontant jusqu'à leurs sommets sourcilleux. En dernier lieu, par le fait de l'entrecroisement des grès, des calcaires, des granits, etc., des voûtes colossales surplombant de gigantesques excavations, ces mêmes soulèvements ont engendré des grottes, des cavernes, d'incommensurables souterrains, et d'autres lacs cachés dans les profondeurs de quelques-uns de ces abîmes.

Ce sont ces divers phénomènes, ces jeux grandioses d'une nature originale, inépuisable en caprices comme en richesses fécondes, qui vont nous occuper, et dont je vais essayer de vous peindre les sauvages beautés.

Disons d'abord que les géographes ne donnent le nom de *mont* ou *montagne* qu'aux élévations de terrain considérables, à celles qui ont au moins trois ou quatre cents mètres.

Au-dessous, on les appelle *collines*, *monticules*, *éminences*, *buttes*, etc.

Mont se dit de préférence d'une montagne isolée.

Montagne, d'un ensemble, d'une chaîne de grandes élévations.

Dans toute montagne, on distingue la *base*, le *pied*, les *flancs*, qui prennent le nom d'*escarpements* quand ils sont presque verticaux; la *cime*, dite aussi la *crête*, le *faîte*. La cime prend le nom de *plateau*, si elle se termine par une vaste surface plane; d'*aiguille*, *corne*, *dent*, *piton*, *pic*, *puy*, si elle est pointue; enfin de *dôme* ou *ballon*, si elle est arrondie.

Une réunion de montagnes s'étendant en longueur forme une *chaîne*. Plusieurs chaînes rattachées l'une à l'autre, composent un *groupe;* plusieurs groupes constituent un système.

Des chaînes se détachent des rameaux; et des rameaux, des contreforts.

Les flancs d'une chaîne se nomment *versants*.

Ligne de faîte est le nom de la crête qui sépare les eaux des versants.

Ces détails ont leur importance, parce qu'ils aident à mieux saisir les descriptions qui vont suivre. Mais avant de les placer sous vos yeux, chers lecteurs, permettez-moi de vous signaler les points culminants des principales chaînes de montagnes du globe.

Ce sont d'abord les trois pics du gigantesque Himalaya, dans l'Asie, le colosse du monde :

L'Everest, qui compte d'altitude	8837 mètres;
Le Kimchinginga,	8588 —
Le Dawalaghiri,	8177 —

Dans l'Amérique du sud, viennent ensuite les pics suivants des Monts-Rocheux appelés aussi Cordillères des Andes, et dont le Nevado de Serrata mesure 6488 mètres;

Le Chimboraço,	6530 —
Le Coyambé,	5954 —
Le Popocatepelt,	5400 —

En Europe, le roi des montagnes, l'immaculé Mont-Blanc, s'élève à 4810 mètres ;
Le Mont-Rose à 4636 —
La Jung-Frau à 4180 —

En Italie, en Espagne, en Grèce et en France, voici la proportion des montagnes les plus élevées :

Le Mont-Néthou atteint, 3404 mètres ;
La Maladetta, 3312 —
L'Etna, 3237 —
Le Monte-Vellino, 2393 —
Le Mont-Athos, 2066 —
Le Mont-Ventoux, 1900 —
Le Mont-Dore, 1886 —
Le Cantal, 1857 —
Le Puy-de-Dôme, 1465 —
Le Ballon des Vosges, 1429 —
Le Vésuve, 1198 —
L'Hékla, en Islande, 1013 —

Nous avons tout motif de croire que la structure des régions montagneuses, dans toutes les planètes, a beaucoup d'analogie avec celle des montagnes de notre terre.

Parmi ces montagnes, il en est auxquelles on donne le titre de *primitives*, parce que rien de ce qui les constitue ne paraît avoir changé de place depuis l'origine.

D'autres sont évidemment *secondaires*, c'est-à-dire de formation plus récente, et par conséquent résultant de tressaillements volcaniques.

Quelques-unes des montagnes secondaires sont beaucoup plus élevées que les montagnes primitives. Mais si, à celles-ci, on restituait ce qui provient de leurs cimes tombées; si, par exemple, on reportait, sur le centre granitique de la chaîne des Vosges, tout ce qui s'en est précipité dans le bassin de la Moselle, dans le bassin de la Saône, les plaines de l'Alsace et la partie inférieure de cette chaîne, on composerait une masse si volumineuse et d'une telle altitude, que le Mont-Blanc ne serait plus qu'une humble colline en comparaison de ce colosse.

Tout fait donc présumer que les montagnes primitives donnèrent autrefois à notre planète terre une forme assez semblable à celle de Vénus, et qu'elle fut même encore plus hérissée de montagnes d'une hauteur prodigieuse.

Ainsi, les éboulements très considérables, entassés au pied de ces montagnes, primitivement gigantesques, sont aujourd'hui des montagnes secondaires.

Depuis longtemps cet abaissement, cette destruction des montagnes se ralentit graduellement, car les plus hautes cimes sont tombées. Leurs débris furent plus divisés, puis entraînés fort au loin. Alors les plaines se formèrent. Pourtant, ce mouvement de ruine n'a pas cessé absolument. Les montagnes tendent encore à s'abaisser par des écroulements lents et successifs, qui exhaussent peu à peu le sol des vallées, et fournissent aux eaux courantes la matière de nouveaux attérissements.

Le phénomène de pareils éboulements a eu lieu de notre temps, et assez sous nos yeux pour que je puisse vous en présenter le tableau.

En Suisse, de Bex à Sion, par la route des *Diablerets* et du col de Cheville, le trajet offre un puissant intérêt, tant au point de vue de ses *chutes de montagnes*, qu'à cause de la magnificence de ses sites. Le sentier descend dans une vallée qui est à peu près remplie des débris des Diablerets, nom que les montagnards donnent à ces montagnes dangereuses, dont ils regardent les gorges comme des vestibules de l'enfer. Les Diablerets sont composés de calcaire, et les couches de cette roche sont profondément inclinées. Les lits inférieurs, étant mous et argileux, se détachent aisément, et produisent alors des écroulements considérables des masses supérieures.

Le siècle dernier fut témoin de deux catastrophes de cette sorte, l'une en 1714, et l'autre en 1749.

Dans la première, quinze personnes perdirent la vie, et cent têtes de bétail furent ensevelies vivantes, sous les murailles de cinquante-cinq chalets engloutis par l'avalanche de roches.

Quelques jours auparavant, des bruits souterrains s'étaient fait entendre au sein de la montagne, comme un avertissement. Aussitôt bon nombre de paysans de s'enfuir avec leurs troupeaux. Mais beaucoup d'autres restèrent et furent victimes du phénomène.

Un habitant du village d'Avers, dans le Valais, qui avait fait la sourde oreille en entendant les craquements de la montagne, disparut dans la tourmente. Ses parents le supposèrent perdu; sa femme se crut veuve, et des enfants passèrent pour orphelins. Mais voici que, trois mois après l'événement, la veille de Noël, notre montagnard rentre dans le village, pâle, hagard, à peine vêtu, semblable à un spectre. On lui ferme au nez la porte de sa maison, et tout le monde court près du curé, pour le prier de conjurer le revenant. Ce n'est pas sans peine que l'infortuné parvient à persuader à ses anciens amis qu'il est réellement vivant. Voici maintenant l'explication du fait. Le brave paysan s'était trouvé englouti avec son chalet. Il devait infailliblement périr : mais deux massifs de roches, formant un angle, garantirent son abri, qui ne fut pas écrasé. Alors le pauvre captif se nourrit pendant de longs jours d'une provision de fromages, mise en réserve pour l'hiver, et il but l'eau d'un courant qui s'était frayé un passage au milieu du chaos. Après de vains efforts pour se dégager, le Valaisan parvint enfin à sortir de son affreux cachot, en rampant sous les rochers. Enfin, dans ces ténèbres, il aperçut un rayon de lumière..... Il était sauvé !...

Au moment de la chute des Diablerets, le canton d'alentour ressentit un choc semblable à celui que produit un tremblement de terre. Un épais nuage de poussière s'éleva dans l'air, et des masses de rochers furent lancées à une distance de neuf kilomètres. Le courant d'air, résultat de la chute, renversa des arbres séculaires qui avaient résisté aux avalanches.

Les habitants d'un des villages voisins retirèrent de cette catastrophe un singulier avantage : ils jouissent de l'été plutôt maintenant qu'avant ce terrible événement.

Notez que la chaîne des Diablerets s'élève à neuf mille huit cent soixante-deux pieds au-dessus du niveau de la mer. Déjà trois de ses pics se sont écroulés, et les deux qui restent menacent de suivre tôt ou tard les autres. La montagne est presque partout déchirée, et à peine s'écoule-t-il une heure sans qu'on entende un léger bruit. Les débris accumulés de la montagne couvrent une étendue de douze kilomètres. J'ai visité cet affreux chaos, et rien ne parle tristement aux yeux comme le spectacle qu'il offre.

Je passe actuellement à un phénomène du même genre, mais bien autrement fameux.

Je veux parler de *l'engloutissement de la vallée de Goldau*, par le fait de la *chute du Rossberg*.

Le *Rossberg* ou *Rufiberg* est une montagne de quatre mille neuf cent soixante-huit pieds d'altitude, qui fait face au Righi et sert de limites au canton de Schwytz. Sa partie supérieure est formée d'un pudding composé de diverses roches cimentées ensemble. Ce pudding se fend aisément, et si les eaux du ciel pénètrent dans ses crevasses, elles dissolvent les lits d'argile sur lequel il repose et en détachent facilement d'énormes blocs.

Or, en 1806, pendant l'été, la pluie tomba presque constamment. Elle redoubla de violence surtout le 1 et le 2 septembre. Aussi on remarqua de nouvelles crevasses sur le flanc de la montagne qui, semblable à un toit, incline son plateau depuis le lac de Zug jusqu'à celui de Lowertz. De sourds craquements se firent entendre, des pierres furent séparées violemment du sol, et des fragments de roches glissèrent de la montagne.

A deux heures de l'après-midi, le 2 septembre, un énorme rocher tomba dans la vallée de Goldau, en soulevant un immense nuage de poussière noire. Vers la partie inférieure de la montagne, le terrain parut pressé par la couche supérieure, et, comme on y enfonça un pieu, le pieu s'agita de lui-même sans interruption. Effrayé par ces signes étranges, un habitant du pays qui voyait se remplir au fur et à mesure qu'il la vidait une fosse qu'il creusait dans son jardin, prit la fuite. Alors on signala une crevasse déjà fort large qui s'agrandissait encore, et on annonça que toutes les sources cessaient de couler. En même temps, les arbres s'agitèrent et les oiseaux effrayés prirent leur vol en poussant des cris lugubres. Mais alors tout le plateau du Rossberg, s'ébranlant, commença à glisser dans la vallée, mais avec une extrême lenteur. Ce fut un sauve-qui-peut général. Un jeune gars qui courait à toutes jambes arriva près d'un vieillard qui fumait tranquillement sa pipe, assis sur un banc, et lui dit de s'éloigner au plus vite. Le vieux paysan regarda la chute qui commençait :

— Eh! j'ai encore le temps de charger une autre pipe! dit-il.

Le gars courait toujours; trois fois il fut renversé dans sa course et trois fois il se releva. Quand il se retourna pour regarder derrière lui, il vit la maison de l'imprudent vieillard que la montagne écrasait, et qu'elle ensevelissait sous ses débris.

En effet, quatre cents mètres de largeur et trente-deux d'épaisseur, formant la couche de pudding, jaillissaient, rapidement alors, en une cataracte effrayante du sommet de la montagne. C'était une épouvantable avalanche de torrents de boue, de lits de roches, d'amas de pierres. Or, ce cataclysme imprévu, formidable, entraînait les arbres, engloutissait les hommes, les femmes, les enfants, le bétail, effondrait les chalets, enfouissait les maisons, et accélérait sa marche avec une fureur indescriptible. Au bruit de cet engloutissement de toute une vallée, se joignaient les clameurs des victimes, les cris d'effroi de ceux qui cherchaient à fuir, les appels des parents et des amis. La scène devint telle qu'aucune expression ne saurait la rendre.

Quatre villages, Goldau, Bœthen, Ober et Unter, six églises, cent vingt maisons, deux cents chalets ou étables, quatre cent cinquante-sept habitants, deux cent vingt-cinq têtes de bétail, cent onze arpents de terrain étaient ensevelis, dans l'espace de cinq minutes, cinq minutes! sous les ruines du Rossberg... La vallée de Goldau était comblée; le lac de Lowertz était rempli et ses eaux chassées avec une telle véhémence que, passant par-dessus une petite île, située au milieu du lac et haute de vingt mètres, l'énorme vague envahit le rivage opposé, renversant les maisons, les faisant reculer avec leurs hôtes jusqu'à une très grande distance, et à son retour vers le lit qu'elle quittait, entraînant d'autres habitations dans le gouffre. La cloche de l'église de Goldau, détachée de son appui et arrachée à sa tour, fut transportée par le choc jusqu'à une demi-lieue plus loin.

Qui pourrait redire les drames dont cette vallée de désolation fut le théâtre ?

J'ai gravi un énorme bloc du pudding tombé du Rossberg, et qui occupe le centre de la vallée convertie en un funèbre dortoir. De ce point élevé j'ai pu me représenter la triste scène du 2 septembre 1806, et les larmes me vinrent aux yeux. Tant d'êtres gisaient sous les décombres que je foulais aux pieds, arrêtés court dans la vie par une mort cruelle et imprévue ! Cette riche et pittoresque vallée de Goldau n'offre plus que l'image du désordre et de la ruine : c'est un spectacle désolant !...

Combien d'autres éboulements de montagnes ont eu lieu et se répètent encore sur bien des points de notre globe !

Il est dans les Pyrénées, non loin du cirque de Gavarnie, une haute montagne qui a nom *Coumélie*. Elle porte jusqu'au ciel ses assises de rochers. Or, cariée dans sa substance granitique, ébranlée par je ne sais quelle cause puissante, un jour elle cède tout-à-coup, s'écroule, descend avec furie dans la vallée, comble un gave qui l'arrose, ébranle le sol et amoncelle ses incommensurables débris dans un si étrange désordre, dans un encombrement titanique si grandiose, que cet amalgame devient une curiosité bizarre dans la contrée et prend le nom de *Chaos*, qu'il mérite assurément. Rochers gigantesques épars, ou entassés les uns sur les autres en produisant des ponts assis sur leurs arches, des dômes hissés sur des pilastres, des forteresses exhaussées sur des pilotis ; portiques, prisons, cachots ténébreux, équilibres de granits inimaginables, mille effets de l'artifice sauvage du hasard, tel est le Chaos. Beaucoup de ces masses effrayantes ont de dix mille à cent mille pieds cubes, sont amoncelées, superposées, suspendues, dans les positions les plus excentriques, et menacent constamment depuis des siècles le voyageur qui passe et s'éloigne en toute hâte. Dans la contrée, le Chaos porte le nom de Peyrada, ou entassement de la chute de roches.

Il y a donc sur toute la surface de la terre une tendance au nivellement ; mais combien de siècles s'écouleront avant que ce résultat définitif soit obtenu. Quoique lente, la marche de toutes choses vers leur fin s'opère cependant. Voyez : l'Etna commence à vieillir ; ses éruptions ne parviennent plus jusqu'à son sommet, et tout semble annoncer comme prochain le temps où il sera mis au nombre des volcans éteints.

Je ne vais pas vous tracer ici le réseau de toutes les chaînes de montagnes qui sillonnent notre globe, mes amis.

Je ne vous décrirai pas le *Mont-Lupata*, l'épine dorsale du monde, qui prenant son point de départ au sud de l'Arabie, va se souder aux *aiguilles du cap* de Bonne-Espérance et à la fameuse *montagne de la*

Table, qui affecte d'une si étrange manière la forme d'un gigantesque autel, juste au-dessus de la ville du Cap.

Je ne vous ferai pas le plan des plus hautes montagnes de notre planète, formant comme un vaste cirque renfermant dans son enceinte le grand océan Equinoxial et se composant, en Asie, de la chaîne de l'Himalaya, dans l'Amérique du long cordon des Cordilières des Andes, et en Afrique de l'interminable falaise des Monts-Lupata, qui toutes suivent les contours de cet océan et plongent dans ses eaux les racines de leurs bases.

Tout ce qui touche à la position et à la gradation des montagnes appartient à la géographie, qui se charge de vous en instruire.

Je me bornerai à mettre sous vos yeux ce que peut offrir de singulier, de vraiment curieux, chacune des montagnes de ces différentes parties du monde.

Généralement, plus les montagnes ont d'altitude, plus leurs sommités offrent à l'œil d'irrégularités, de formes bizarres, de pics, de pitons, de pyramides, d'aiguilles, de pennes, de puys, de brèches, de ports, de dents, de trompes, de ballons, de cônes, d'enflèchures, d'édifices, de môles, de tourelles, de donjons, en un mot de dentelures en crêtes de coq, en scies, en bosses de dromadaires, etc. Ces étranges effets des roches sont le résultat des érosions produites par la dent active des éléments qui les attirent et leur donnent ces apparences plus ou moins fantastiques.

Ensuite le soulèvement des montagnes étant souvent le fait d'éruptions internes causées par les tressaillements volcaniques et les convulsions de la portion incandescente du globe, ce soulèvement montre toujours un des flancs de la montagne escarpé, coupé à pic, tandis que l'autre côté présente une pente douce, bien ménagée, qui révèle son éloignement du centre de l'intumescence. Ainsi les Alpes et les Pyrénées descendent gracieusement vers la France en rampes graduées et de facile accès, tandis que en Italie et en Espagne, elles présentent de formidables escarpements. Il en est de même du Liban, formant une série de plateaux faciles à gravir vers l'Asie, tandis qu'il compose une muraille rocheuse en face de la Méditerranée.

Nous devons naturellement parler des curiosités que les montagnes de notre France peuvent offrir, avant de passer à celles des autres contrées.

Auprès de *Pradelles*, dans la Haute-Loire, il est une éminence isolée, entièrement composée d'une lave dure et sonore. Le basalte qui la compose montre au sommet une crête hérissée d'énormes poutres grossièrement équarries, qui presque toutes menacent le ciel, tandis que d'autres, fort saillantes et de grandeur inégale ou se dirigent vers l'horizon ou affectent les poses les plus bizarres. Toutefois, l'ensemble est disposé de l'est à l'ouest. On voit en outre quantité de boules, d'une pâte fort dure, de la plus grande pureté, et d'une grosseur variable. Mais on admire surtout un énorme *globe* de quatre pieds de circonférence, encastré entre les poutres de basalte et assis de manière qu'il n'est pas possible de douter qu'il n'ait été formé dans l'endroit même, car il est attaché à la masse totale. Cette masse, parfaitement sphérique, est d'autant plus intéressante que l'action des éléments en a détaché une partie, ce qui la rend plus curieuse encore, puisque l'on peut voir sa contexture intérieure.

Des boules semblables sont disséminées dans tous les courants de lave de cette contrée, que le feu semble avoir choisie jadis pour siége de son empire. Un courant de lave qui, du cratère de Masclaux a descendu vers la Loire, a formé une autre merveille, celle d'un temple naturel.

A quelque distance de *Gaudet* et de la *montagne de Masclaux*, sur une crête de la rive orientale de la Loire, l'œil du touriste rencontre des constructions bizarres, qui semblent sortir de la main de l'homme et qui sont cependant l'œuvre de la nature. Ainsi on voit d'abord une tour ronde, couverte d'un cône qui semble en être le toit. Ensuite se présente une façade avec un fronton magnifique et apparaît un péristyle qui s'enfonce à perte de vue dans l'intérieur d'un édifice qui est orné d'un grand nombre de colonnes. La façade ne compte pas moins de cent quatre-vingts pieds de haut sur trente de large. On remarque aussi une énorme *nacelle* dressée presque perpendiculairement sur une de ces pointes : elle est en pierre, mais tout y est si naturel que c'est à crier au prodige. C'est un courant de lave qui a formé ce prodige.

A une lieue de Castres, sur la route d'Alby à Carcassonne, on signale un rocher, placé dans un lieu appelé la Roquette, à cause des rochers qui y sont entassés, inclinés dans tous les sens, et qui a nom le *Rocher-Tremblant*. Cette roche étrange ressemble assez à un œuf aplati. Il est voisin du sommet et du penchant d'une montagne, et repose sur le bord d'un rocher beaucoup plus gros et incliné d'environ six pouces. Quoique formant une masse de trois cent soixante pieds cubes, la circonférence du Rocher-Tremblant est seulement de vingt-six pieds. J'ai dit qu'il repose sur le bord d'un énorme rocher, mais il ne s'y appuie que sur le petit bout et n'a d'autre point qui le touche qu'une qu'une simple ligne qui va du levant au couchant. Aussi se meut-il visiblement lorsqu'un bras vigoureux pèse sur lui du midi au nord. Alors il commence à se balancer, et une main d'enfant suffit ensuite pour lui conserver ses vibrations.

Ce n'est pas le seul phénomène de ce genre qu'on trouve en France, car près d'Uchon, dans le département de Saône-et-Loire, on voit également un *rocher mouvant*, planté dans la partie la plus rapide de la montagne. Il a vingt-huit pieds de tour et sept de hauteur. Le sommet en est plat, et dans sa circonférence il présente six faces inégales. La base, de figure ovale, est fixée sur une pierre unie par un pivot d'une forme si particulière que la moindre impulsion, les efforts même d'un enfant, suffisent pour le mettre en mouvement.

Quelquefois, certains agents atmosphériques, agissant sur les granits, les altèrent, et s'il se trouve dans la masse attaquée quelque nœud ou *ganglion* plus résistant, il se forme en boule, avec une étonnante aptitude, spontanément, et, peu à peu, s'isolant de manière à ne plus reposer sur le sol que par un point unique, ce granit, ou ce grès, car le grès a aussi cette faculté, devient une *roche tremblante*, que la main d'un enfant peut agiter et mettre en mouvement. Généralement la croyance populaire en fait l'œuvre du diable, et à quelles légendes, à quels mythes populaires, ces roches ne donnent-elles pas naissance? Cependant, sachez-le bien, mes amis, cette exfoliation des granits et des grès, etc., tient uniquement au climat. Ainsi, les magiques aiguilles qui hérissent les abords du Mont-Blanc, le pic du Midi dans les Pyrénées, les Diablerets en Suisse, et *tutti quanti*, sont amoindries constamment par la rigueur des hivers. Tel granit résiste dans les pays brûlants, comme en Egypte, par exemple, qui s'exfolie en France, sous une température plus humide.

Le hasard en a donné la preuve :

Un sphinx, demeuré intact pendant 3000 ans sous le soleil inexorable de Thèbes, puis apporté à Paris, fut abandonné et oublié, pendant quelques années, sur un mur d'échiffre du Louvre; quand on voulut l'employer, on le trouva dévoré, rongé, érodé par le climat des bassins de la Seine.

Parmi les rivières qui viennent grossir le Rhône, l'Ardèche tient le premier rang. Elle est formée par trente-six ruisseaux qui se réunissent dans les bas-fonds du Vivarais. Un grand nombre de ces ruisseaux, en se précipitant de cascade en cascade des pics supérieurs des montagnes, offrent de tous côtés des vues pittoresques. Mais elles cèdent toutes en beauté à celle que présente l'Ardèche à l'endroit où ses eaux descendent d'une pente presque perpendiculaire, dans le voisinage d'une cascade qui se jette du haut d'une roche basaltique, appelée le *Ray-Pic*, et élevée de vingt toises au-dessus du bassin creusé par la chute. Il est facile de faire le tour de ce bassin et de passer entre la roche et l'énorme colonne d'eau qui s'engouffre avec fracas dans ce précipice. Pendant le froid de l'hiver, l'eau de ce bassin gèle, et on voit même la colonne d'eau former un cône de glace qui s'élève, à mesure que le froid sévit, jusque vers le point d'où l'eau se précipite.

Mais ce qui fait la merveille de l'Ardèche, c'est le site le plus curieux produit par la déchirure de deux montagnes à pic, entre les parois de laquelle s'échappe en bouillonnant la rivière mise à l'étroit. Sur l'escarpement de cette déchirure, dame nature a jeté, comme pont, un bloc de rochers qui produit alors la voûte la plus hardie qui existe au monde, car sa largeur d'une pile à l'autre n'est pas moindre de cent soixante-trois pieds.

Combien de curiosités de nature j'ai vues et admirées dans les contrées où m'ont porté mes explorations!

Dans l'*île de France*, par exemple, — vous savez que c'est l'île Maurice actuellement! — il est une chaîne de rochers disposés en pitons et en cône du plus bel effet : mais l'un de ces pitons, haut de plus de cent mètres, se couronne encore d'une pierre énorme taillée en pomme de pin et posée en surplomb. On nomme cette pierre originale *Peter Bott*, du nom d'un Anglais qui se tua en escaladant ce rocher.

On appelle généralement *Chaussée des Géants*, des dépôts de basalte, provenant d'éruptions volcaniques : on en trouve sur bien des points, n Irlande, et en Sicile : mais le produit le plus remarquable en cette matière, c'est l'île cyclopéenne composée, en forme de labyrinthe, de quinze à seize étages de tubes de basalte pressés, compactes, et du plus original effet.

Notre Jura possède un rocher percé de la façon la plus bizarre et que l'on appelle *Pierre pertuise*; Biaritz a des roches marines au travers desquelles la mer, en déferlant sur la côte, projette des vagues qui se jouent dans les guipures du rocher et retombent en cascatelles charmantes du côté opposé à celui où la mer les a lancées; Naples a son magnifique *tunnel antique du Pausilippe*, dont le soleil, à son solstice, perce d'outre en outre l'immense voie souterraine. Enfin, un de nos départements, la Corse, montre avec orgueil le *Mont-Troué*, qui s'élève à une hauteur de deux mille trois cent quinze mètres. Quelquefois, alors que le soleil a disparu derrière la montagne, il fait jaillir son rayonnement le plus vif par trois assez larges ouvertures taillées dans la partie inférieure du sommet. Cette apparition des feux du soleil déjà voilé par le rideau de rochers aigus qui s'élancent vers les cieux, charme vivement le regard.

Mais la plus belle décoration de montagne mise à jour par la nature est celle d'une masse granitique colossale qui s'appelle le *Thorgat*, appartient à la Norvège, et offre sur plusieurs faces l'aspect d'un arc de triomphe. Le soleil, à son coucher, y produit les plus beaux effets de lumière.

Dans le golfe de Siam, comme sur les côtes de la Nouvelle-Zélande, j'ai vu d'immenses rochers posés en contreforts contre les parois du rivage, ayant leurs pieds dans la mer, et permettant aux plus grands navires de passer sous les arches grandioses qu'ils produisent en se raccordant avec les montagnes dont ils sont le soutien.

Il vous semblera peut-être étrange que le pays brûlant de l'Afrique ait aussi ses montagnes aux cimes neigeuses? Cela est pourtant, et sous l'Equateur, qui plus est. Ces cimes neigeuses appartiennent à la chaîne des Monts-Lupata et s'appellent le *Kilimandjaro* et le *Kénia*, auxquels on attribue une hauteur de cinq à six mille mètres. Comme une mitre d'évêque, ces cimes se terminent en pointes et descendent en langues blanches.

Il est encore quelque chose de plus curieux dans les Monts-Hombores, voisins de Tombouctou : c'est une chaîne de montagnes rocheuses de l'aspect le plus magique. De chaque cône de rochers à large base carrée et en pente surgit un édifice d'une telle physionomie que, à l'heure du crépuscule, c'est à croire que l'on entre dans une *ville moyen-âge*, avec ses donjons, ses môles, ses tours, ses poivrières, ses citadelles, ses clochers, ses remparts, ses courtines, ses redoutes, etc. Pour peu que la lune vienne à se lever sur cette prodigieuse fantasmagorie, on ne saurait exprimer la magnificence d'une telle œuvre de la capricieuse nature.

Que d'étranges beautés, que de sauvages grandeurs n'aurais-je pas à vous faire admirer si je vous mettais sous les yeux les mille endroits où la nature s'est montrée le plus étonnant architecte, en ouvrant à des profondeurs incalculables, dans les entrailles des rochers, de merveilleux ravins dans lesquels s'engouffrent à travers des effets d'ombres et de lumières, fleuves, rivières, torrents! Ce n'est pas tant ces engouffrements des eaux dans des gorges effrayantes et pourfendues comme par le cimeterre d'un géant que l'on admire encore, que les broderies des roches au sommet de ces escarpements : tuyaux d'orgue, enfléchures, tours à encorbellement, fûts de colonnes, gerbes de pilastres, épanouissements de pierre de toutes formes, de toutes grandeurs, de toutes nuances.....

J'arrive aux majestueuses et imposantes physionomies des grandes montagnes, et je m'adresse de préférence à celles du Nouveau-Monde.

Ce qui distingue surtout le nouveau continent de l'ancien, c'est l'aspect particulier de sa surface, qui est encore moins remarquable par l'élévation prodigieuse de ses montagnes que par les contrastes singuliers que présentent leurs bases, que rien ne semble lier aux pays de l'intérieur, tantôt s'abaissant au-dessous du niveau des contrées voisines, tantôt se terminant en côtes escarpées, offrant ici la fertilité la plus grande, et plus loin l'aridité du désert.

Tandis que l'Amérique du nord, en exceptant le Mexique et Guatemala, présente l'aspect d'une riante plaine entourée des deux côtés par des chaînes de montagnes, les Monts-Alléghany ou Apalaches à l'est, et les montagnes Rocheuses, — *Rocky-Mountains*, — à l'ouest, l'Amérique méridionale, au contraire, forme un grand triangle sillonné en tout sens par de hautes chaînes de montagnes, dont les pics innombrables se perdent dans les nuages. La principale est celle qui parcourt le continent dans toute sa longueur, sous les noms de montagnes Rocheuses, au nord, de Cordilières du Mexique et de l'Amérique centrale, au milieu, et de Cordilières des Andes, au sud. Le sol s'élève insensiblement depuis la côte de l'océan Atlantique jusqu'à cette longue chaîne qui forme la côte ouest sur l'océan Pacifique, et qui, semblable à un mur énorme, s'y termine en rochers escarpés. A peine les Cordilières sont-elles interrompues par le plateau fertile de Llano del Pullal, élevé de huit mille sept cents pieds au-dessus du niveau de la mer. Partout ailleurs c'est une suite non interrompue de pics et de sommets toujours couverts de neige au milieu desquelles le feu souterrain qu'elles recèlent se fraie un passage. Cette neige y est éternelle, quoique sous la zone torride. Humboldt y fixe à quatorze mille sept cent soixante-douze la limite de ces neiges.

Les points les plus curieux à visiter sont le *Chimborazo*, qui appartient aux Andes de Quito, et compte six mille cinq cent trente mètres d'altitude. Il ressemble à un dôme légèrement surélevé, vu de loin ; vu de près, l'ascension du pic qui le termine offre de telles difficultés, qu'on ne peut atteindre son sommet. En 1802, M. de Humboldt essaya de le gravir, et M. Boussingault, un savant français, fit la même tentative : l'un et l'autre échouèrent. Mais toutefois ils sont montés assez haut pour pouvoir nous représenter comme grandiose, infini, le panorama qui se présente aux regards. Partout, aussi loin que l'œil peut porter, c'est une succession sans limites de cimes neigeuses qui se succèdent et, comme un océan, déroulent leurs ondulations innombrables jusque dans les profondeurs de l'horizon. De cet observatoire unique, on peut voir des orages éclater à la moitié de la hauteur de ces montagnes, c'est-à-dire au-dessous de soi, et on reconnaît de même les nuages chargés d'électricité qui s'arrêtent autour des pics et des pitons. Souvent le jour y est subitement converti en crépuscule par le fait de brouillards qui en un clin d'œil voilent la longue ligne circulaire de l'horizon.

Après le Chimborazo, viennent le *Descabezado*, avec ses six mille quatre cent trente mètres d'élévation ;

L'*Illimani*, dans les Andes de Bolivie, haut de six mille quatre cent cinquante-cinq mètres ;

Le *Sorata*, le *Parinacota*, et beaucoup d'autres encore.

Mais ce qui frappe davantage dans cette longue succession des *Cordilières des Andes* dont les Amériques sont hérissées le long de la côte occidentale, à trente lieues à peine du rivage, ce sont les innombrables volcans ignivomes qui servent de vomitoires aux fournaises terrestres.

Le sol des Andes, dans l'Amérique du sud, est tellement volcanique, que à la base de ces montagnes, la terre est partout crevassée par les irruptions des feux intérieurs qu'elle recouvre. On y rencontre des plaines brûlantes qui exhalent le soufre, et des collines d'où s'échappent des nuages de fumée. Vers le midi, surtout dans les contrées arrosées par la Plata, de vastes solitudes sont couvertes de couches de sel et de salpêtre. Aussi, après les pluies, le sol est chargé d'efflorescences blanchâtres, et les eaux contractent une saveur saline bien prononcée. C'est un magnifique spectacle que celui des vingt-six principaux volcans qui s'élancent des crêtes aiguës de cette chaîne.

Le *Cotopaxi*, entre tous, attire les regards. Semblable à un cône parfaitement régulier et hissé sur une éminence admirablement arrondie, ce terrible volcan projette ses colonnes de feu à une hauteur de cinq mille mètres. Il est telle de ses éruptions qui dure trois et quatre ans, et engloutit d'incommensurables espaces sous ses vagues de lave incandescente.

A son tour, le *Pichincha*, véritable groupe de montagnes lui-même, pourvu de quatre sommets, dont celui du sud est le véritable cratère, se livre à de telles turbulences que souvent la ville de Quito sa voisine devient sa victime. Pendant la visite que lui rendit M. de Humboldt, à une hauteur de quatre mille six cent soixante-cinq mètres le naturaliste compta dix-huit secousses de tremblement de terre en trente minutes. Il put observer les horribles bouillonnements de la lave dans les noirs abîmes du cratère nommé le Ruas : ce savant faillit même périr dans le gouffre qui s'éboula quelque peu sous la pression de ses pieds.

J'en passe, et des plus fameux, afin de vous signaler quelques autres volcans, le *Popocatepelt*, haut de trois mille mètres, assez près de Mexico, le *Colima*, à une altitude de quatre mille, et le *Jorullo*, sorti de terre, d'une vaste plaine, en 1759, et formant aujourd'hui un cône entouré d'ondulations innombrables, de quelques mètres seulement, qui, eux aussi, volcans en miniature, rejettent sans fin des gaz et de la fumée, car les volcans des Andes, au lieu de vomir de la lave et de la pierre-ponce, comme les volcans d'Europe, généralement ne rejettent que de l'hydrogène sulfuré, du carbonate d'alumine et quelquefois des masses considérables de poissons, ce qui démontre bien leur communication avec la mer. Parfois aussi, avec des laves, les cratères des pics volcaniques des Andes sillonnent leurs flancs de torrents de soufre liquide, ou d'un limon semblable à du charbon détrempé.

Une chaîne de montagnes secondaire se détache des Andes vers le golfe d'Arica, au Pérou, et serpente à travers le Brésil jusqu'au cap Saint-Roch, qui s'avance dans l'Atlantique. Ces montagnes, appelées *Chiquitos*, séparent les deux grands bassins où coulent, au nord, la rivière des Amazones et ses affluents, au sud, la Plata et toutes les eaux qui s'y rendent. Ce dernier bassin, composé de plaines immenses, les pampas, est formé d'interminables prairies où les herbages acquièrent une hauteur considérable, tandis que l'autre, celui du Maragnon ou des Amazones, est couvert de forêts impénétrables.

Au nord, s'élance, solitaire, le *pic de Guyana*, tandis que, dans l'ouest, la montagne de *Mey* recèle dans des vallées ignorées les sources de l'Orénoque. A l'est, sont les monts *Tamucaraques*, et enfin, vers l'isthme de Panama, le long de la mer des Caraïbes, sont les montagnes de *Caracas*, où s'élève le mont *Sylla*, de deux mille six cent quarante-deux mètres d'élévation.

Les plateaux de l'Amérique méridionale sont beaucoup moins importants que ceux du continent septentrional de l'Amérique. Les plus étendus ont à peine quarante lieues de circonférence, et leur élévation est entre deux mille six cents et deux mille huit cents mètres. De profondes vallées les séparent, et ils offrent un sol aride, couvert de quelques palmiers chétifs, et souvent dépourvu d'eau.

Parmi les plaines basses, la plus considérable est celle des *Llanos*, qui s'étend des montagnes riveraines de Caracas jusqu'au delta que forment les quarante-neuf bouches de l'Orénoque, et de là aux forêts de la Guyane. Pendant la saison des pluies, cette plaine, qui a plus de vingt mille lieues carrées, offre le tableau d'une immense prairie à demi submergée et couverte d'une magnifique végétation. Mais lorsque les chaleurs arrivent, la verdure disparaît. La terre, rapidement desséchée, se fend, et le moindre souffle élève des nuées de poussière qui obscurcissent l'horizon. Le boa, le crocodile même et le serpent amrou, épouvantés, cédant à cette dévorante chaleur, demeurent immobiles dans leur limon desséché, ou restent étendus sur la grève. Comme le reste de la nature, ils semblent frappés de mort, jusqu'au moment où les nuages amoncelés viennent verser des flots de pluie bienfaisante sur cette terre de désolation.

Avant de quitter les montagnes et les plateaux de l'Amérique, je dois vous prier de prêter l'oreille au récit qui va suivre de mon ami, le cosmopolite Varnier.

— En descendant des montagnes Rocheuses, un jour, pour donner à manger à nos chevaux, me racontait-il tout récemment, nous trouvâmes un grand espace où se voyaient des *pétrifications* fort étranges. C'étaient des troncs de pins et d'arbres à coton qui avaient été transformés, sur place, en jaspe et en agate, par des infiltrations de silice, et qui conservaient admirablement les moindres formes de leur texture ligneuse.

Nous vîmes également une terrasse, où les troncs d'une forêt tout entière sont métamorphosés en pierre.

Un autre fait curieux, quoique d'une nature différente :

Il y a dix ans maintenant, je poussais une reconnaissance jusque dans le *désert d'Atacama,* au Pérou, alors que la brume du soir était tombée déjà, et faisait confondre les objets. Tout-à-coup, je me vois en face d'hommes et de femmes, d'enfants et de vieillards, en tel nombre que je ne puis les compter. Ils étaient tous rangés en cercle et comme absorbés dans une muette contemplation.

Je m'arrêtai court, et me retournant avec prudence, je me hâtai d'aller à la rencontre de ceux de mes gens qui me suivaient, pour leur recommander le silence le plus absolu.

La région transandéenne du Pérou est couverte de vastes forêts généralement hantées par quelques tribus indiennes qui redoutent le contact de l'homme civilisé, et accueillent par une volée de flèches empoisonnées les intrus qui envahissent leurs carbets. Ces aborigènes des vallées des Andes orientales sont les plus sauvages, les plus misérables et les plus indomptables de l'Amérique du sud. Ils parcourent, à l'état de nudité, les épaisses forêts du Nouveau-Monde, dont ils connaissent, seuls, les sentiers, et ils ont pour armes des arcs et des flèches. Ils se nourrissent de singes, de perroquets, de poisson et de bananes, dont ces bois abondent. On n'en sait pas long sur ces peuplades connues sous le nom de Chunchos. On suppose qu'elles sont répandues sur une vaste surface à l'intérieur de l'empire du Brésil, et on les accuse de cannibalisme. Mais nonobstant leur amour de la chair humaine, on prête aux Chunchos une singularité dont il n'y a pas d'exemples dans les autres tribus, car on affirme qu'ils ne mangent point de femmes, non point par humanité ou par quelque délicatesse galante, mais uniquement à cause de leur ferme conviction que la femme est un être impur, créé pour le tourment de l'homme, et dont il faut s'abstenir, parce que sa chair est venimeuse au plus haut degré.

Je savais tout cela, et à la vue de ces sauvages, hommes, femmes et enfants, assis et rangés en cercle, et comme absorbés dans une vague contemplation, autant que la brume du soir me permettait d'en juger, j'hésitais à m'avancer plus loin, et je craignais de tomber dans un gros des terribles Chunchos dont je viens de parler, ou parmi des tribus d'Antes et Cascibas, qui ne valent guère mieux. Il n'y aurait eu à espérer pour nous alors ni quartier ni merci : nous eussions été tués incontinent et on eût fait de nous un excellent repas. Peut-être se livraient-ils à un conseil de guerre ou à quelque rit de leur superstition.

Je m'avançai donc seul, avec prudence, pas à pas, le rifle en avant et le doigt sur la détente, afin de les effrayer au besoin, car l'explosion d'une arme à feu terrifie ces sauvages... Plus je m'approchais, plus j'étais étonné de l'étonnante immobilité de tout ce monde : ils étaient plus de six cents, je pus enfin les compter...

Quelle ne fut pas ma surprise... lorsque, arrivé tout près du demi-cercle formé par ces sauvages prétendus, je reconnus que je me trouvais dans un *cimetière péruvien* remontant à la plus haute antiquité.

Tous ces six cents hommes, femmes et enfants, n'étaient autre chose que des momies, des corps desséchés, c'est vrai, mais dans un parfait état de conservation. Leurs yeux même occupaient encore les orbites, les dents les alvéoles, et les cheveux le cuir chevelu. Le type péruvien était admirablement empreint sur ces *facies*: l'attitude des corps rappelait la pose facile de gens accroupis. On eût dit que, d'un moment à l'autre, tout ce monde allait se lever et revivre.....

Mais point. Ils étaient là depuis des siècles déjà!...

Chacun d'eux avait près de soi une jarre de maïs et un vase à cuire.

Voici l'explication de ce phénomène : Quand il règne dans une atmosphère surchargée de particules salines une sécheresse extrême, il se produit un résultat curieux qu'on a observé sur quelques-uns des plateaux les plus élevés du Pérou. Les vents vifs et secs embaument les corps que l'on expose à leur souffle. Donc, mes vénérables Péruviens et Péruviennes, connaissant cette propriété siccative de l'air, s'endormaient jadis du dernier sommeil dans leur cimetière aérien et parmi les cadavres des leurs, qui les y attendaient livrés au repos de la mort. Tel est le mot de l'énigme.

— Ainsi parle mon bon capitaine Varnier, que l'on ne se lasse pas d'entendre. Mais je réclame, à mon tour, votre attention, chers lecteurs, car je désire vous faire pénétrer, avec moi, dans les plis de l'épiderme de notre sphère, pour en visiter les grottes, les spelunges, les cavernes, les antres et les puits.

CHAPITRE VI.

Grottes et cavernes. — Antres et spelunges. — Stalactites et stalagmites. — Ce que l'on nomme dolomies. — Histoire de certaines cavernes. — Ce qu'y voyait la mythologie. — Grotte de Fingal. — Nomenclature des grottes et cavernes. — La trouvaille d'un berger. — Grotte des Demoiselles. — Description de la chaîne des Cévennes. — Descente dans le Vestibule. — Salle du Manteau-Royal. — Salle de la Vierge. — Pas du Diable. — Passage du Serpent. — Pas du Chameau. — Le saut du Chat. — La Rotonde. — Penne de Lhiéris. — Le caveau de la tour Saint-Michel. — Où l'on voit les effondrements des côtes de Bretagne. — Un cimetière sous-marin. — Ce que l'on trouve dans les grèves de Naqueville. — Comme quoi la Seine a changé son lit. — Eboulements du sol remplacés par des lacs.

Comme chacun le sait, on donne le nom d'*antres, grottes, cavernes,* et dans les Pyrénées *spelunges,* du mot latin *spelunca,* à de grandes cavités souterraines naturelles, que l'on trouve dans les montagnes. Rares dans les rochers schisteux, tels que les gneiss, les micaschistes, elles se trouvent fréquemment, au contraire, dans les gypses et les montagnes calcaires.

On en attribue l'origine, soit à l'action érosive des torrents souterrains, soit à des sources chargées d'acide carbonique, qui seraient parvenues à dissoudre des roches calcaires, soit enfin, et plus probablement, à des soulèvements de la surface du globe qui auraient laissé vides ces trouées faites à son écorce minérale.

Les grottes ou cavernes, quoique la dénomination de grottes s'applique plus spécialement à des cavités moins étendues que les cavernes, les grottes ou cavernes sont, en général, formées de plusieurs salles irrégulières communiquant entre elles par d'étroits couloirs, et parfois par de tels étranglements à voûte surbaissée, qu'il faut ramper pour pénétrer de l'une dans l'autre. Leurs galeries s'étendent dans toutes les directions, tantôt plongeant verticalement comme des puits, tantôt courant parallèlement à la surface du sol. Quelquefois ces galeries se croisent et se mêlent de manière à former des labyrinthes dans lesquels on ne s'engage pas sans danger. Quelquefois aussi leurs salles, inégalement étagées les unes au-dessus des autres, ne sont accessibles qu'à l'aide de longues échelles.

Ces excavations souterraines ont ordinairement une ou plusieurs entrées, mais il arrive aussi qu'elles sont sans communication aucune avec l'atmosphère, et ne sont révélées que par les travaux d'exploitation des mines ou des carrières.

Il en est qu'on a parcourues l'espace de plusieurs lieues sans atteindre leur extrémité. Dans celles-ci, de vastes réservoirs d'eau, des lacs souterrains, arrêtent les pas de l'explorateur. Dans celles-là, des fleuves viennent s'engouffrer pour reparaître plus loin, phénomène assez commun en Grèce, où les cavités portent le nom de *Katavothra*. Ailleurs, des rivières jaillissent toutes formées d'une caverne, telle, entre autres, la Sorgue, que je vous ai montrée jaillissant de la *fontaine de Vaucluse*.

Les parois des cavernes sont ordinairement inégales, raboteuses, percées d'excavations plus ou moins profondes, plus ou moins tortueuses. Cette irrégularité de formes, cette aspérité de parois, distinguent les cavités naturelles des excavations faites de main d'homme.

On ne voit pas toujours à nu la roche dans laquelle les cavernes ont été formées, car elles sont souvent plus ou moins remplies de deux sortes de matières. Dans les cavités qui ne sont pas très élevées au-dessus du niveau des mers, la partie inférieure que l'on foule aux pieds est presque toujours recouverte d'un dépôt terreux entièrement meuble, mêlé de débris de roches, de cailloux roulés, d'argile rougeâtre, et d'ossements. De plus, lorsque la roche est calcaire, et c'est le cas le plus fréquent, les parois sont tapissées d'une croûte cristalline, produite par des eaux chargées de matière calcaire, et qui, glissant sur la surface de la roche, lui ont abandonné les parties solides tenues en suspension.

Ces dépôts, qu'on nomme stalactites ou stalagmites, séculairement amoncelés, ont quelquefois recouvert complètement le terrain meuble à ossements, et donné naissance soit à des pyramides suspendues par leur base à la voûte, — sont alors des *stalactites*, — soit émergeant du sol, — et alors ce sont des *stalagmites*, — soit enfin produit des colonnes s'élevant du terrain à la voûte, et par là même stalactites et stalagmites.

J'ai dit que les cavernes ne se trouvent pas également dans toutes les espèces de roches qui constituent l'enveloppe de notre planète terre. Il en existe, mais en petit nombre, dans les roches cristallisées, dans les grès, dans les gypses.

Elles sont plus particulières aux roches calcaires de la période secondaire, appelées *dolomies*, c'est-à-dire aux roches composées de carbonate de chaux et de magnésie, roches se rencontrant dans toutes sortes de terrains, en masses non stratifiées, en couches, en bancs puissants, et même quelquefois en filons, offrant tout généralement un aspect cristallin et une texture lamellaire ou grenue. C'est qu'aussi ces calcaires et ces dolomies se prêtent à la formation des cavernes, puisqu'elles sont les plus cassantes et les plus fendillées de toutes les roches.

Il y a également des cavernes dans les matières volcaniques, et il s'en forme de nouvelles tous les jours. Seulement, ces cavernes volcaniques diffèrent essentiellement des autres, et par l'aspect, et par l'origine, puisqu'elles sont produites, soit par la résistance d'un roc autour et au-dessus duquel s'amoncellent les laves, soit par le développement du gaz dans l'intérieur des déjections volcaniques liquides.

Pendant longtemps, les cavernes ont été des asiles pour les hommes vivant à l'état sauvage.

En France, qui est pourvue de nombreuses cavernes, pendant les guerres, depuis celles du druidisme sous l'empereur Claude, jusqu'à celles du XVIe et du XVIIe siècles, les cavernes ont abrité les populations poursuivies.

C'est dans une caverne qui domine les sources de la Marne que se cachèrent, pendant neuf ans, le Gaulois Sabinus et sa dévouée Eponine, mis ensuite à mort, dans le Colysée de Rome, par l'empereur Vespasien.

Les cavernes, dont l'entrée pouvait être dissimulée sous un fragment de rocher ou derrière des broussailles, ont parfois servi à des bandes de brigands.

Les difficultés que présentent l'abord et le parcours de la plupart des cavernes, l'aspect fantastique des stalactites et des stalagmites, le vif éclat dont resplendissent les dépôts cristallins à la lueur des flambeaux, ont toujours frappé l'imagination des visiteurs. Aussi, dans les temps où la magie était en honneur, on fit des cavernes le théâtre des enchantements.

La mythologie du moyen-âge y voyait des palais de cristal élevés par le caprice des ondins. Les anciennes ballades et les poésies des peuples du Nord, entre autres les *Nibelungen*, y placent des trésors sous la garde de pygmées.

Quelquefois enfin les cavernes étaient des lieux terribles, séjours d'êtres malfaisants. On conçoit, en effet, que la sinistre obscurité de ces souterrains, que l'on ne peut guère parcourir qu'à l'aide de torches fumeuses, la fraîcheur humide de l'air, le sourd murmure des eaux jaillissant ou s'engouffrant dans des abîmes inconnus, le bruissement des vents qui y circulent par d'étroits et tortueux passages, ont pu inspirer l'effroi, et faire regarder par les anciens quelques cavernes comme des portes de l'enfer.

Les grottes les plus fameuses sont, dans l'Archipel grec, Antiparos, dont les stalactites émerveillent le voyageur;

Celles de Fingal, en Ecosse, célébrées par les vers du ténébreux Ossian;

D'Adelsberg, dans la Carniole;
De Moffetta, dans la Pouille, en Italie;
Puis, en France :
Les grottes d'Arcy, dans l'Yonne;
De Caumon, près de Rouen;
Et les spelunges de Campan et de Lourdes, dans les Pyrénées, où, dit-on, la Vierge se montra miraculeusement depuis peu.

Parmi les cavernes les plus remarquables de notre France, je citerai :
La Sainte-Baume, dans le Var;
La Grande-Baume, dans le Doubs;
La Balme, dans l'Ain;
Notre-Dame de la Balme, dans l'Isère;
Les caves de Sassenage, également dans l'Isère;
La Baume de Varigoule, dans Vaucluse;
La *Boûma de las Fadas* ou la grotte des Demoiselles, dans l'Hérault;
Le Trou-Granville, dans la Dordogne;
Les cavernes de Solzac, dans l'Aveyron;
Le souterrain d'Albert, dans la Somme;
Les caves à Margot, en Mayenne;
Les grottes de Royat, dans le Puy-de-Dôme;
De Saint-Dominique, dans le Tarn, célèbres par la beauté des eaux qui en découlent;
Et enfin de Sansan, dans le Gers; de Fouvent et d'Echenoz, dans la Haute-Saône, fort riches en ossements fossiles.

Presque toutes les grottes et cavernes ont été découvertes comme, tout récemment, cette année même 1869, on a découvert la *caverne de Sare*, dont je vais dire quelques mots :

Depuis quelque temps, les bergers de Sare, qui gardent leurs troupeaux sur la montagne d'Atchurria, dans les Pyrénées espagnoles, constataient la disparition d'un grand nombre de têtes de leur bétail. Or, un de ces pâtres, un jour de juillet dernier, voit un mouton s'engager au plus épais d'un massif de broussailles et n'en pas sortir. Il se hâte de suivre ses traces afin de l'observer, et quel n'est pas son étonnement en reconnaissant que le buisson cache l'entrée d'une caverne d'une immense profondeur.

Emerveillé, le pâtre court au village et raconte ce qu'il a vu. Personne ne veut le croire. On ne peut supposer qu'une excavation d'une pareille étendue soit restée jusqu'alors ignorée de tous dans le pays. Toutefois, quelques curieux moins incrédules, le maire en tête, prient le berger de les conduire vers la caverne. On se munit de lumières, et voici les explorateurs qui s'engagent dans les broussailles et arrivent péniblement à l'entrée de la mystérieuse spelunge.

Dès que la flamme brille sous les voûtes de la caverne, un spectacle magique éblouit tous les regards. De la voûte fort élevée retombent gracieusement d'innombrables stalactites, festons, guirlandes, pendentifs de toutes sortes. On est dans l'extase. Au contraire des stalactites, de merveilleuses stalagmites hérissent le sol du souterrain, allant rejoindre sous toutes formes les retombées de voûte. Pyramides, stiles, faisceaux de colonnettes, colonnes aux couleurs diverses, dont les mille saillies scintillent à la lueur des torches, donnent à cette vaste enceinte l'aspect d'un palais des *Mille et une Nuits*.

Enthousiasmés, nos visiteurs avancent, avancent encore, parcourent tout un kilomètre, allant de surprise en surprise. Mais épuisés d'admiration, ils songent à la retraite...

Il va sans dire que cette grotte merveilleuse va être explorée, étudiée, et qu'on en attend des magnificences.

Ne pouvant vous faire la description de toutes les grottes et cavernes de notre globe, et d'ailleurs ces grottes et cavernes se ressemblant plus ou moins, vous peindre l'une d'elles, c'est vous les faire connaître toutes. Or, je choisis l'une des plus remarquables, la *grotte des Demoiselles*, près de Montpellier, car elle est le spécimen le plus intéressant des étranges caprices de dame nature.

La belle chaîne des Cévennes traverse la France de l'est au sud-sud-ouest, et commençant à l'angle formé par la Côte-d'Or et le Morvan, elle vient se confondre avec les Pyrénées, non loin du pic du Canigou. Elle sillonne de ses dentelures bleuâtres et de ses paysages fantaisistes les vastes provinces de Bourgogne, du Lyonnais et du Languedoc. Longue d'environ cent vingt lieues, cette chaîne donne naissance à de très nombreuses rivières. Les points les plus élevés du système cébennique, qui tient le milieu entre les Alpes et les Pyrénées, sont le Mézen, la Lozère et la Gerbier, groupés en face des rameaux d'Auvergne d'un côté, et du Dauphiné de l'autre. Une partie de ces crêtes sont constamment couvertes de neige.

Le granit ou granite semble dominer dans la constitution de ces montagnes. On voit même, dans la commune de Mandagour, au-dessus du hameau de la Curée, un espace du sol occupé par plusieurs roches entièrement hors de terre, et qui présentent des figures très bizarres de vingt et trente pieds d'altitude. Or, ces pierres sont du granit.

Dans le Vivarais, qui longe cette chaîne, ainsi que je vous l'ai déjà dit, on trouve aussi de nombreux volcans éteints, admirablement conservés. Près de sources de la Loire, au mont Gerbier, le sol est recouvert d'une couche très épaisse de matières volcaniques.

Le Mézen, l'un de ces anciens volcans, porte son cratère à une hauteur de deux mille mètres. Les déjections qui composent le cône qui le couronne sont du basalte grès.

On signale encore des vestiges de volcans entre Alais, Anduze, Lodève et Bédérian.

De la présence de tous ces volcans dans la chaîne cébennique, et sur les puys de l'Auvergne, comme aussi sur presque tous les points du globe, il est facile de conclure que notre planète terre a certainement brûlé jadis, qu'elle a été un soleil, et que, à cette heure, elle s'éteint peu à peu dans sa partie centrale, noyau qui cependant conserve encore une certaine intensité d'incandescence.

Peu de contrées renferment une aussi grande quantité de filons métallifères. Aussi l'histoire nous apprend que les Romains tiraient de l'or des Cévennes. On rencontre souvent des vestiges de leurs anciennes exploitations.

Dans le XIIe siècle, les mines d'argent du bourg de l'Argentière étaient en pleine activité. Aussi la cupidité des seigneurs se disputait leurs produits, et, à ce sujet, il y eut de terribles luttes.

La Cèse et l'Hérault charrient toujours des parcelles d'or, surtout à la fonte des neiges de leurs montagnes. Vous pouvez croire que leurs eaux comptent alors de nombreux orpailleurs à l'affût des richesses qu'elles véhiculent; le fait est qu'ils tirent grand profit de cette chasse à l'or.

En outre, des Cévennes on extrait la calamine, l'antimoine, le manganèse, le marbre, le granit, le porphyre, l'ocre brun et rouge, l'ardoise, etc. Combien de trésors le créateur des mondes a mis ainsi à la disposition de l'homme !

Toutefois, ce que les assises cébenniques offrent de plus curieux, ce sont les grottes et les cavernes. Alais, Anjeu, près de Saint-Laurent; Mondardier, Bréau, près du Vigan; Bramédion, dans le voisinage de Canrieu; et Saint-Bauzille-en-Putois, dans l'Hérault, en présentent de magnifiques spécimens.

Vous savez maintenant qu'il sort de terre, en maints endroits de notre sphère, et plus en France qu'ailleurs peut-être, des sources saturées d'acide carbonique et pourvues de la propriété de dissoudre la chaux qu'elles peuvent rencontrer dans leur parcours. Ainsi mélangées, ces eaux véhiculent un sel qui a nom *carbonate de chaux*. Alors, en s'infiltrant à travers des couches de roches, ces mêmes eaux trouvent quelquefois le vide, c'est-à-dire des cavernes, à la voûte desquelles, suspendues pendant plus ou moins de temps, elles s'évaporent et laissent à leur place les molécules du calcaire dont elles sont chargées. A la longue, et molécule à molécule, le dépôt du calcaire augmente petit à petit et finit par former un cône très aigu qui compose les pendentifs que je vous ai déjà signalés sous le nom de *stalactites*. Les gouttes d'eau qui tombent sur le sol produisent de même des cônes à large base qui s'appellent *stalagmites*.

S'il arrive que stalactites et stalagmites se rejoignent et se soudent, elles forment alors des aiguilles, des fuseaux, des obélisques, des colonnettes, d'ordinaire plus grêles à la partie de la soudure. D'autres fois, en glissant le long des parois des souterrains, ces eaux déposent des concrétions fantaisistes, qui figurent des écharpes de dentelles, des lignes architecturales, des paysages à plusieurs plans, et des décorations fantastiques des plus curieuses. Parfois encore, ces cristallisations simulent de merveilleuses statues, des images colossales, d'étranges bas-reliefs ou des simulacres drapés à la façon de blancs fantômes. Vus sous les rayons de torches et à la lueur de flambeaux, ces caprices de la nature rendent certaines grottes éblouissantes, d'un effet magique. Avec ces concrétions, transparentes et laiteuses, souvent mouchetées de gris et veinées de jaune, nos artistes français font de charmants objets d'art. On appelle ces matières *albâtre calcaire*. Je ne doute pas que vous ayez eu quelquefois l'occasion de remarquer des coupes, des pendules, voire même des statuettes exécutées avec ce produit.

Donc, une année, en 1861, je crois, j'errais à l'aventure dans les Cévennes, cherchant à oublier les douleurs de la vie en face des grands spectacles de la nature, et je me trouvais à Ganges, non loin de Montpellier, lorsque j'avisai toute une caravane d'étudiants en vacances, et notamment des jeunes filles qui demandaient à leur précepteur de les conduire à la *Boûma de las Fadas*, dont, la veille, à la table d'hôte, on leur avait fait des récits enthousiastes. Le digne précepteur arguait de son ignorance de la topographie pour éviter de faire l'excursion sollicitée. J'eus l'audace de m'avancer sous les beaux arbres où la bande joyeuse avait établi son caravansérail, et goûtait sur l'herbe, et j'offris mes services, d'autant plus volontiers que, libre comme l'air, je me promettais à moi-même une diversion à mes travaux d'études et d'explorations, en passant quelques heures avec cette brillante et gracieuse jeunesse. J'eus l'avantage de plaire à M. le précepteur, et je fus reçu dans la société d'une voix unanime.

Il fut décidé que l'excursion aurait lieu le lendemain.

On était à la fin d'août. Comme la course était longue, notre belle caravane se mit en route alors qu'il faisait nuit encore, mais une nuit splendide, lumineuse et calme. Les rayons de la lune, qui s'inclinait sur l'horizon, ne laissaient perdre aucun détail du chemin le plus pittoresque qui montait peu à peu vers les montagnes. D'ailleurs l'aurore fit bientôt étinceler à l'orient son bandeau d'argent et annonça l'approche du soleil. En effet, l'astre du jour se levait alors que nos curieux enfants des plaines du Bordelais s'extasiaient devant l'aspect grandiose que présente toujours l'entrée d'une région accidentée.

Le fait est que l'apparition de paysages auxquels le regard n'est pas habitué double les sensations que l'on éprouve. La transformation successive des accidents du sol, les renflements du terrain et les croupes qui se succèdent comme des vagues figées, se superposent et s'élancent enfin vers les cieux ; tout ravit d'aise, tout surexcite l'imagination et porte aux rêveries, en face des profondeurs mystérieuses de vallons vaporeux et des divers plans que voilent à demi des bois et des bocages, animés de blancs troupeaux, peuplés de mille oiseaux babillards et chargés de nuances plus ou moins riantes à l'œil. Ainsi en était-il pour nos jeunes touristes qui ne tarissaient pas de cris d'admiration, devant les magnificences du lever du soleil et des effets d'ombre et de lumière dont se teignaient les paysages. Ils contemplaient surtout avec une naïve extase le pic de Saint-Loup, qui leur apparaissait au plus haut des cieux, tantôt comme un titan couché sur un vaste lit de roches colossales, et tantôt estompant ses lourds profils et ses arêtes coniques sur le brillant azur de l'air.

La vue de *Saint-Bauzille de Putois*, dormant encore dans la brume du matin, les mit en liesse d'une autre manière, car on devait y déjeuner. Mais ce repas, pris à l'ombre d'une saulaie, sur les bords d'un ruisseau, n'empêcha pas que bien des yeux se portassent sur la rampe verdoyante qui s'élançait du village vers le mont *Taurat*, passablement semblable à une coupole sourcilleuse achevant la pyramide commencée par les escarpements des éminences voisines.

C'était sous ce Taurat que gisait la curieuse grotte des Demoiselles, que nous allions visiter.

Figurez-vous un large mamelon aux flancs rebondis comme ceux d'une amphore pélasgique et portant pour diadème un rocher à pic, si cruellement foudroyé qu'il est partagé en deux parts. Chacune d'elles forme un bloc gigantesque, et une immense crevasse les sépare. Vus de loin, ces deux colossales épaves ressemblent à des men-hirs plantés là dès l'origine des temps. Il s'agit d'atteindre la base de ces rochers gigantesques. On y arrive par un sentier taillé dans le flanc rocheux du Taurat. Alors on se trouve sur un large plateau capitonné de chênes verts. Mais ce qui charme le plus, c'est de découvrir au pied de la montagne un vallon délicieux, encadré de collines et sillonné par l'Hérault, qui y promène ses eaux limpides. Enfin, à l'extrémité du plateau apparaît l'excavation béante...

C'est l'entrée de la Boûma de la Fadas.

Heureusement une rampe en fer, puis, un peu plus bas, une échelle, sont disposées pour faciliter l'accès du curieux souterrain. Après quelques minutes, nos jeunes voyageurs sont réunis au fond de la caverne, et alors, après avoir dit adieu aux rayons du jour dont l'éblouissant éclat forme une auréole brillante à l'orifice de l'excavation, torches et flambeaux sont allumés, et la caravane disparaît dans une fissure qui tient lieu de porte.

On pénètre aussitôt dans ce qu'on nomme le *Vestibule.*

A peine nos curieux ont-ils fait quelques pas qu'ils peuvent admirer la magie des dépôts calcaires agglomérés dans cette longue galerie. D'énormes stalactites dressent ici et là leurs blanches et capricieuses figures. Les parois du rocher semblent tapissées d'une neige étincelante, que mouchettent, en mille endroits, des cristaux qui s'irisent sous le feu des flambeaux de toutes nuances d'arc-en-ciel. A lui seul, le Vestibule renferme autant de beautés et de richesses que les autres salles de la grotte.

Ce n'est cependant que la préface de splendeurs bien autres. Une fois descendus au fond du Vestibule, nos jeunes amis sont arrêtés par une porte close. C'est une précaution prise contre les indiscrets qu'une curiosité imprudente porterait à s'aventurer, sans guides, dans l'inextricable dédale. Alors nous cessons de descendre, pour visiter d'abord la *salle du Manteau-Royal,* qui se présente à nous.

Quelle bizarre et magnifique surprise! Une immense draperie de pierre, artistement jetée sur un porte-manteau de rocher, pend d'une saillie de la voûte en étalant ses plis harmonieux et ondulants comme le velours et le satin. Rien n'est curieux comme cette œuvre capricieuse de la nature. Certains détails sont réellement modelés avec un art féerique. A la lueur fantastique des feux de Bengale que nos jeunes gens ne tardent pas à allumer, on se demande si ce n'est pas là véritablement la dépouille de quelqu'un de ces géants dont l'imagination des hommes aime à peupler la terre primitive.

Cependant nous nous arrachons à ce spectacle et nous descendons vers la *salle de la Vierge.* Jusqu'ici notre pérégrination souterraine s'était effectuée sans trop d'encombre. Quelques fissures un peu étroites, quelques escarpements un peu difficiles à gravir, à cela seulement s'étaient bornés tous nos efforts gymnastiques. Mais alors chacun dut déployer toute son adresse et sa vigueur, car les positions les moins usitées dans la vie habituelle devenaient indispensables, et il nous fallut ramper sur le ventre, marcher courbés à tous les degrés possibles, nous glisser le long de parois sur une saillie large comme deux travers de main, descendre des roches presque à pic, nous cramponner, les flambeaux aux dents, à toutes les aspérités, et le plus souvent n'avancer que de quelques pas après avoir soigneusement éclairé le passage.

Enfin, le terrible *pas du Diable* laissé derrière nous, nous voici dans la salle de la Vierge... Nulle part au monde, assurément, dame nature n'a accumulé avec plus de profusion des prodiges aussi merveilleux. C'est, ici, un manteau impérial, admirable draperie du même genre que celle que nous avons vue à la sortie du Vestibule ; là, ce sont les grandes orgues, la plus imposante de ces étranges et gigantesques créations de la main du roi des mondes. A la vue de piliers d'albâtre hauts comme des clochers de cathédrale, de buffets énormes se détachant de la paroi circulaire en un relief effrayant, d'une coupole hérissée d'aiguilles blanches, dentelée, ajourée comme par le patient burin d'un sculpteur du moyen-âge, nous nous sentions comme anéantis. Chaque feu de Bengale qui brûlait, éclairant d'une lumière différente cette scène grandiose, arrachait à toutes nos poitrines des cris d'enthousiasme. Que de détails, en outre ! Je dois mentionner trois stalagmites placées côte à côte et du plus singulier effet d'opposition, la première véritable chou-fleur colossal, la seconde fine et coquette aiguille s'élançant hardiment du sol, comme un minaret levantin.

Bref, nous touchons à la salle légendaire de la caverne, celle qui lui a valu son nom de *Boûma de las Fadas*, la grotte des Fées. Aussi le chef de nos guides ne néglige aucun moyen de la produire sous son plus magnifique aspect.

D'abord nous arrivons à un point où notre marche est arrêtée subitement par un précipice que le rocher embrasse dans une courbe demi-circulaire. Alors, sur l'invitation du chef des guides, nous nous plaçons tout le long de cette courbe et pas une torche ne reste allumée, mais au moment où la plus affreuse obscurité nous pénètre d'horreur, tout-à-coup une flamme de Bengale jaillit comme un rayon de soleil et frappe en plein une admirable statue de femme drapée, couronnée d'un diadème, qui surgit du milieu de l'abîme, et, sur le noir absolu du fond, détache et met en relief l'étonnante et bizarre ébauche de ses formes colossales. C'est la Vierge !

La première impression est des plus saisissantes. Elle explique facilement les naïfs et miraculeux récits auxquels ce singulier phénomène a donné cours dans la contrée.

La Vierge est le dernier tableau de cette longue et fantastique galerie. Mais il ne nous suffit pas de l'admirer, nous descendons aussi jusqu'au fond de la grotte, au pied de cette curieuse stalagmite dont l'élévation totale n'est pas moindre de quarante-deux mètres, tandis que la voûte se dresse à plus de cent. Nous nous mettons donc en marche, recommençant sur de nouveaux frais nos tours de force gymnastiques, nous tordant comme de vrais reptiles dans le *passage du Serpent*, ou nous traînant avec prudence sur l'étroite et visqueuse crête du *Pas du Chameau*. Nous faisons halte enfin, après avoir cheminé de la sorte pendant quatre heures et demie. Cependant nous ne sommes qu'à la base du piédestal de la blanche statue. Jugez donc de l'immensité du souterrain ! En levant la tête, à travers le nuage de fumée produit par les torches et les feux de Bengale, nous apercevons comme une étoile scintillante sur un ciel gris. C'est une lumière laissée par un des guides au Pas du Diable, à l'entrée de la salle. L'illusion est complète et nous révèle la prodigieuse élévation de la voûte.

Le signal du départ est donné néanmoins, après une station suffisamment longue. Notre bande curieuse s'ébranle dans la direction du *Saut du Chat*, un vrai casse-cou. Cette scène du retour n'est peut-être pas, au point de vue fantaisiste, le moins intéressant épisode de l'exploration.

En effet, de la tête de colonne, en jetant au-dessous de soi un regard sur ce souterrain plein d'abîmes et de mystères, et en voyant la caravane d'enfants aux gracieuses toilettes, à cette heure quelque peu maculées et pailletées de taches de cire, qui se cramponnent aux saillies du rocher et promènent dans les galeries ténébreuses leurs lumières vacillantes, je songeais involontairement à ces terribles repaires de brigands dont mon enfance, comme la vôtre, mes amis, recherchait si avidement les descriptions. C'était bien là l'idéal du genre, et jamais plus magnifique caverne de voleurs ne s'est offerte à l'imagination de Lewis ou d'Anne Radcliffe.

Après une marche assez longue encore, un rayon de soleil, filtrant à travers la ramille qui borde l'entrée de la grotte, vint nous rappeler à la vie réelle en se jouant sur le rocher, et deux minutes après nous aspirions à pleins poumons l'air pur du plateau du Taurat.

Combien de fois ne foulons-nous pas aux pieds, sans le savoir, sans nous en douter, un sol mystérieux qui cache des merveilles inconnues, telles que celles enfouies dans la grotte des Demoiselles!

Par exemple, depuis peu, dans Bordeaux, il n'était question que d'une admirable découverte faite par des habitants de *Rauzan*, en creusant un puits. C'était un vaste souterrain où la nature, par une incompréhensible alchimie, avait accumulé d'étonnantes richesses. On parlait de cristaux, de marbres précieux, de couches minérales d'une grande beauté. On allait même jusqu'à prétendre avoir trouvé des statues bizarres, des autels d'une forme toute particulière...

Attiré par ces récits et se défiant de l'exagération populaire, un savant de la contrée, M. Jules Brisson, se rendit à Rauzan. Il y rencontra les ouvriers qui avaient travaillé à creuser le puits, et il se fit descendre au moyen d'un câble dans la galerie souterraine.

Cette galerie est placée à environ dix mètres de profondeur. Large d'abord et d'une élévation suffisante pour marcher debout, elle va ensuite se rétrécissant au milieu des anfractuosités des rochers, et aboutit par un corridor bizarre et inégal à une sorte de rotonde qui en est la partie la plus curieuse.

M. Brisson fut en premier lieu frappé par les innombrables cristallisations qui pendent des voûtes. Ces cristallisations ou stalactites, qui lui ont paru être du carbonate de chaux ou albâtre, offrent l'aspect le plus varié. Elles recouvrent la voûte d'une couche épaisse et transparente, et retombent en mamelons éblouissants de toutes grandeurs. Les parois du rocher sont également tapissées d'albâtre. Les gouttes d'eau qui filtrent à travers la voûte depuis nombre de siècles et qui se solidifient en tombant, ont formé les dessins les plus capricieux et les plus fantastiques. Ce sont des draperies d'une finesse et d'une variété inimaginables, des ciselures élégantes, des sculptures délicates; là, chaire d'église; ici, mitre d'évêque; ailleurs, manteau d'empereur, etc.

Mais la partie la plus curieuse est la *Rotonde*. On appelle de ce nom désormais un emplacement spacieux, passablement élevé, situé à environ cinquante mètres de l'ouverture, et dans lequel quinze personnes peuvent se mouvoir facilement. L'albâtre qui le décore semble plus riche et plus abondant. La réverbération des bougies, la scintillation de la lumière sur les blanches parois, le filet d'eau qui coule avec un léger murmure sur son lit de roche noire, à travers des cristallisations de toutes sortes, la solitude et le silence du souterrain dans lequel depuis des milliers d'années le pas de l'homme n'avait pas pénétré, tout répand dans cette enceinte un mystère empreint de terreur.

Ce qui frappe le plus les yeux, c'est une colonne cristallisée qui semble soutenir la voûte. Cette colonne, légèrement inclinée, ressemble à un arbre déraciné, jeté dès l'origine du monde dans cet abîme par quelque tremblement de terre ou quelque convulsion de la nature, et pétrifié par l'action des eaux.

Je pourrais vous faire la description d'autres grottes, cavernes ou souterrains, mes amis : mais elles se ressembleraient plus ou moins, et dès-lors l'intérêt ne serait plus le même.

Pourtant j'ajouterai qu'il est certaines excavations du sol qui ressemblent tellement à des puits qu'on serait tenté de les croire le résultat du travail de l'homme, tandis qu'elles sont l'œuvre de la nature. Dans les Pyrénées, par exemple, au pied de la *penne* ou *pic de Lhiéris*, il est un puits de ce genre dans lequel je voulus me faire descendre. Il est fort profond, inspire je ne sais trop quelle terreur, et ne renferme que des ossements de bêtes fauves tombées certainement dans ce traquenard par mégarde, et qui ont dû y mourir de faim. Il y avait là des squelettes de toutes les espèces de quadrupèdes. J'ajoute que j'attribue à la nature du sol la faculté de conserver les corps, car nombre de ces animaux étaient à l'état de momies. Je quittai bien vite cette peu aimable société.

Vous avez vu que l'air salin de certains plateaux entretient ces corps dans l'apparence de la vie : il en est de même de certains caveaux, de certaines cavernes, de plusieurs excavations.

On cite notamment le *caveau de la tour Saint-Michel*, de Bordeaux,

7.

comme offrant un curieux spécimen de ce genre de phénomène. Ainsi, on trouve dans ce caveau une trentaine de cadavres rangés debout autour de la muraille, perpendicularité qui semble rappeler davantage la vie encore chez eux, en faisant contraste avec l'habituelle horizontalité des cadavres. Ces abominables spectres ne vous montrent que figures contournées, grimaçantes, des crânes à demi dénudés, des flancs entr'ouverts, qui laissent voir à travers les cloisons des côtes des intestins desséchés... Les bouches bâillent affreusement, comme contractées par un ennui sans mesure; ou bien elles ricanent de ce rire sardonique qui paraît dire : Ton tour viendra ! Les mâchoires sont disloquées, les poings sont crispés, les épines dorsales se cambrent, c'est à frémir d'épouvante, aussi... je me tais.

Les secrets de la mort ne doivent pas être par trop développés sous les yeux de la vie...

L'une de ces reliques humaines m'a rappelé le souvenir des vestales de Rome, enterrées toutes vives. C'est le squelette d'une jeune fille, évidemment morte de faim. Sa figure est admirablement empreinte de douleur et de désespoir. Jamais souffrance humaine n'a porté plus loin l'expression d'une abominable torture. Les ongles de la pauvre enfant se sont enfoncés dans la paume de ses mains; ses nerfs sont tordus comme des cordes de violoncelle; les genoux produisent des angles aigus, la tête se rejette violemment en arrière... c'est horrible à voir !

Je vous ai parlé des effondrements du globe, des jaillissements des Geysers, de la formation de lacs, etc. De ces phénomènes j'ai de beaux spécimens à vous mettre sous les yeux. Les voici, car tout événement géologique est un enseignement pour la science, qui s'empresse de le recueillir.

Il existe de par le monde une ancienne carte de la Neustrie, au temps où elle faisait partie de la Gaule celtique-armorique, c'est-à-dire à l'arrivée de Jules César dans les Gaules. Trouée par les vers et l'humidité, elle fut la possession d'un bon religieux du mont Saint-Michel, qui faisait volontiers remarquer qu'elle était l'œuvre de 1406, et qu'on avait employé pour faire cette carte des caractères du xiii° siècle, ce qui démontre qu'elle était elle-même la copie d'une carte encore plus ancienne.

Il n'y a que les moines pour conserver ces curiosités du travail patient et éclairé, dans les archives de leurs monastères !

Or, sur cette carte de notre vieille Bretagne, on voit l'île d'Aurigny adhérer au continent breton.

L'île de Guernesey, déjà isolée, offre une superficie quatre fois plus considérable que celle d'aujourd'hui. Un détroit de trois kilomètres environ la sépare de la terre ferme, qui commence à Jersey.

Plus au sud, on voit que Chausey fait aussi partie de la presqu'île.

Cette portion de territoire, ne ressemblant en rien à ce qui existe aujourd'hui, a donc été effondrée, submergée, et cela dans une étendue de douze à quinze kilomètres : sa plus grande largeur est sur la côte occidentale du Cotentin; sa plus petite sur la côte septentrionale, de la Hogue à Barfleur.

En effet, en beaucoup d'endroits, sur cette bande de terrain enfoui sous les eaux, on a retrouvé des vestiges de forêts et d'habitations. On a même reconnu l'existence d'anciens cours d'eau. Le langage des paysans des îles anglo-normandes est identiquement le patois qui se parle à Portbail et à Régnéville, sur notre sol, auquel évidemment, jadis, ces îles étaient adhérentes.

D'autre part, les flots de la baie de Douarnenez recouvrent une ville, autrefois florissante, *Ys*, ancienne capitale de la Cornouaille. Lorsque le vent pousse au large, par marée basse, au sud, non loin de Plogoff, on distingue nettement, à cinq ou six mètres sous l'eau, des pierres druidiques, men-hirs, peul-vens, crom-lechs, etc., des autels, des portions de murs, des ruines de monuments divers.

Il y a donc eu là des effondrements considérables, puis des envahissements de la mer armoricaine.

Enfin, on sait que la chaîne de rochers du Calvados, située aujourd'hui à trois ou quatre lieues de la côte, marquait jadis le rivage même.

Une forêt, du nom de *Bannes*, s'étendait au nord de la presqu'île de la Hogue.

Dans les grèves de *Naqueville* et d'*Urville*, on trouve nombre de troncs d'arbres, de tuiles, de poteries, de médailles romaines, le tout démontrant que le sol gagné par la mer était habité.

Je sais que des découvertes analogues sont déjà faites, et sont à faire, sur la plus grande partie de nos côtes occidentales, jusqu'aux Pyrénées. D'où il résulte la certitude que les terrains perdent, sur certains rivages, ce que gagne l'océan.

Aussi, sur nos côtes de Bretagne, les légendes celtiques que nous possédons racontent-elles des événements extraordinaires, des envahissements, des effondrements, des cataclysmes de déluges. Sur toute la partie du rivage comprise entre la Loire et la Seine, d'après ces légendes, l'océan couvre des villes antédiluviennes instantanément détruites par une terrible invasion des eaux. Certes! même en faisant la part de l'exagération légendaire, il demeure constant que la Gaule s'étendait plus au large, et dans l'océan Atlantique et sur la Manche.

Enfin, à Liverpool, en Angleterre, on observe du rivage des terres placées maintenant en contre-bas, au fond de la mer, qui ont été autrefois habitées et cultivées. A deux cent vingt pieds au-dessous de la hauteur moyenne des marées, on aperçoit distinctement un ancien cimetière et des dépôts de tourbes, jadis parfaitement à sec. Les végétaux qui composent ces amas sont identiques à ceux qui existent aujourd'hui dans la contrée. Ces faits montrent bien qu'il y a eu, là aussi, une vaste dislocation du sol.

Toute la physionomie première des terrains de notre époque alluviale change donc, bien évidemment.

Des études suivies de découvertes, sur divers points culminants de Paris, à *Charonne*, par exemple, et à la *porte d'Italie*, entre autres, n'ont-elles pas fait reconnaître tout récemment que la Seine, après le passage du courant diluvien, s'est établie et maintenue à une largeur confortable? Des dépôts de sable, de cailloux, des coquillages fluviatiles ont été trouvés sur ces hauteurs.

En construisant l'aqueduc de la Dhuys, on a dû exploiter des carrières de sable de la vallée de la Marne, situées un peu au-dessous d'une altitude de soixante mètres. La Marne a donc eu pareillement un lit immense.

Entre Charonne et la porte d'Italie, une plage de sable n'a pas moins de six kilomètres de largeur. La Seine occupait donc toute cette surface. Elle coulait sur la plaine de Vincennes, et la preuve, c'est qu'on exploite encore de nombreuses sablières faisant partie de l'ancien lit, notamment au pied du village de Montreuil.

Dans ces sablières, on a rencontré des quantités d'ossements d'animaux de races éteintes : les énormes fossiles de *l'elephas antiquus;* de *l'elephas primigenius*, du *rhinoceros etruscus;* de l'*hippopotamos major;* du *cervus-elaphus;* du *bison europœus;* du *bos*, de l'*hyœna spelœa*, etc., etc.

Avec son immense volume d'eau, la Seine refoulait les eaux de la Bièvre, qui, presque stagnante, inondait les plaines de Bourg-la-Reine. Sur ce point, on a également exhumé de nombreux, mais plus petits fossiles.

Le livre de Job atteste que les animaux gigantesques dont je vous ai fait la peinture, chers lecteurs, ont été contemporains de la race humaine. Nous lisons au chapitre 407 ces paroles de Dieu :

> Vois Béhémot, que j'ai comme toi mis au monde,
> Il se repaît de foin comme un bœuf. Sa vigueur
> Découle de ses reins, et sa vertu se fonde
> Aux tendons de son ventre, où j'ai placé son cœur.
> Sa queue est comme un cèdre, et son flanc s'entrelace
> De muscles monstrueux. Son dos est recouvert
> D'une couche d'airain comme d'une cuirasse ;
> Ses membres et ses os sont des barres de fer.

Autre phénomène.

C'est au village de Murat, entre la vallée du Mont-Dore et celle de

Saint-James, que se passe, en juillet 1869, l'événement géologique fort extraordinaire que je vais dire.

Un entrepreneur, creusant un puits rectangulaire, avait poussé son travail jusqu'à cinquante-trois mètres, à travers le tuf solide qui, dans cette localité, recouvre le terrain primitif. A cette profondeur, insignifiante si on la compare à celle des puits de mines, une chaleur insolite se produisit, et devint bientôt si intense que les ouvriers, ne pouvant séjourner longtemps, étaient contraints de se relayer fréquemment. Leurs chaussures s'échauffaient rapidement, et il devenait impossible de poser les pieds sur ce terrain brûlant plus que quelques minutes. L'apparence du tuf révélait d'ailleurs qu'on était arrivé à la limite de cette roche, et qu'on devait rencontrer bientôt le granit. En effet, ce tuf, si dur dans ses couches supérieures, ne présentait plus qu'une constitution molle. L'entrepreneur recommanda en conséquence d'être vigilant, et de déblayer seulement le fond du puits, sans foncer davantage.

Toutefois, l'un des ouvriers, pendant que son compagnon se mettait en devoir de jeter dans la benne les dernières pelletées, eut l'idée d'enlever avec son pic un morceau de tuf plus élevé que le fond et d'environ quarante centimètres de circonférence.

A peine avait-il achevé de lever cette sorte de trappe, qu'il vit, à sa grande stupéfaction, la partie du tuf qu'ils avaient sous leurs pieds, son camarade et lui, se soulever peu à peu et prendre une forme convexe. En même temps, se fit entendre un bruit souterrain semblable en tout point à des décharges d'artillerie.

Epouvantés, les ouvriers montent dans la benne et donnent le signal d'enlever. Il faut se hâter, car le sourd murmure souterrain augmente; il se prépare un étrange événement...

Les voilà élevés à douze mètres déjà. Mais la curiosité étant chez eux plus forte que la peur, ils font arrêter la benne, et se garent dans un enfoncement du tuf, en forme de guérite. Bien leur en prend, car une horrible détonation retentit, et aussitôt une énorme colonne d'eau chaude, entraînant les débris de la roche, monte, monte rapidement, passe devant eux, et les échaude cruellement en retombant presque aussitôt... Il n'y a plus un moment à perdre : sur un nouveau signal, on les hisse hors du puits. Il était temps ! Un clapotement bruyant indique que le gouffre se remplit d'eau brûlante... En effet, le puits déborde bientôt, un courant ascendant d'eau thermale se produit au-dehors, débitant deux cent trente litres à la minute, et, se frayant un passage, court se jeter dans la Dordogne, où il arrive en conservant encore quarante degrés de chaleur.

Ainsi la France est dotée d'une nouvelle source d'eau thermale, d'autant plus précieuse que cette eau contient l'immense quantité de plus de vingt milligrammes d'arseniate par litre, et nulle source au monde ne présente pareil caractère et de telles proportions.

N'oubliez pas que les terrains du Mont-Dore sont essentiellement volcaniques, comme leurs voisins du Puy-de-Dôme.

Quelques mots encore sur les excavations, cavernes, etc., et les apparitions instantanées de lacs, etc.

Au mois d'août 1869, un éboulement du sol a lieu soudain sur une étendue de plusieurs arpents, près du village de Moll, dans la Haute-Autriche, à quelques lieues de la ville de Steyer. Aussitôt il s'est formé un lac, un grand lac, où peu d'instants auparavant on voyait de magnifiques champs de céréales. L'eau de ce lac est limpide, et la température en est fort basse. Bien que la petite rivière de Steyer ne coule qu'à quelques mètres de distance, il ne paraît pas exister de communication entre ce cours d'eau et le lac, ou du moins, si cette communication existe, il y a tout lieu de supposer que c'est le lac qui verse ses eaux dans la Steyer, mais n'est point alimenté par elle.

Au mois de juin de la même année, pareil phénomène a lieu, sur les deux rives de l'Isère, au hameau de la Léchère, commun de Notre-Dame de Briançon, dans les Hautes-Alpes. La substitution de l'eau au terrain qui s'effondre, est accompagnée d'un effroyable fracas, et on voit une énorme colonne d'eau s'élever à une grande hauteur, puis retomber soudain au beau milieu des champs qu'elle inonde.

Or, il y a quelques années à peine que déjà, un peu au-dessous des deux nouveaux lacs de la Léchère, des paysans qui étaient au labourage furent témoins d'un semblable effondrement du sol, sans que l'eau jouât un rôle quelconque dans le cataclysme. En moins de temps que je ne mets à l'écrire, le terrain manque subitement sous les pieds des bœufs de l'attelage, et les pauvres animaux disparurent dans le gouffre.

L'Italie souvent, et beaucoup d'autres contrées, ont vu se produire de ces faits géologiques, qu'il est bon d'expliquer.

Dans le sous-sol des terrains où ont lieu ces éboulements, peut-être immédiatement au-dessous du gravier et de la terre végétale, une agglomération de blocs de natures diverses a dû se former au moment du soulèvement des montagnes voisines. Ces blocs se maintenant en équilibre appuyés les uns sur les autres, ont formé une voûte naturelle, et laissé au-dessous des vides immenses composant ainsi des cavernes ignorées, dont les eaux ont pris possession. Plus tard, des graviers, puis des terres d'alluvion, déposés par l'eau et venus des hauteurs, ont formé le sol arable que l'on cultiva jusqu'au moment de l'effondrement. Mais qu'un dérangement ait lieu dans les blocs, soit par la corrosion des eaux, soit par toute autre cause, la désagrégation des matières schisteuses, par exemple, à un moment donné, la voûte naturelle s'écroule et il se fait le gouffre que vous savez.

En effet, une clé de voûte manquant, celle-ci s'affaisse, mais, en s'affaissant, elle déplace bruyamment l'eau du lac souterrain qui, ne trouvant pas d'issues inférieures, doit jaillir nécessairement, pour retomber ensuite à la surface des terres.

A l'exception des lacs que forment les eaux du ciel dans les cratères de volcans éteints et fermés; et à l'exception des autres lacs qui sont créés par des cours d'eau que le sol endigue naturellement, ou par la fonte des glaciers, combien de lacs sont le résultat d'événements géologiques tels que ceux dont je viens de parler!...

CHAPITRE VII.

Les forêts vierges. — Pampas et Llanos. — Les mangliers de l'Atlantique. — Entrée dans une forêt vierge. — Océan de végétaux. — Force créatrice de l'humus végétal. — Coupoles de verdure. — Guirlandes aériennes. — Légendes des bois. — Embarras des voyageurs dans les forêts vierges. — Effets du lever du soleil. — Sabbat général des animaux. — Étranges accidents de terrains. — Mornes rocheux. — Cavernes à serpents. — Savanes. — Admirables essences d'arbres. — Effets de la chaleur. — Quel est le moment favorable pour visiter les forêts vierges. — Inondations et tempêtes dans ces grandes solitudes. — Contrastes du vieux monde avec le nouveau. — Intelligence des animaux. — Enterrement d'une abeille. — Les éléphants artilleurs.

Il gèle encore quelque peu, pendant la nuit, mais les jours deviennent plus longs, et le soleil se fait chaud et vivifiant. Au-dehors, dans les champs, dans les bois, sur les collines, au bord de la mer, tout est vie, mouvement, amour. L'alouette fait entendre son chant joyeux et matinal; on l'entend longtemps encore après l'avoir perdue de vue. Il y a un ramage dans chaque buisson, des hymnes d'allégresse dans toutes les haies, bien qu'on voie à peine encore un symptôme de verdure, à peine un bourgeon de formé. Cependant le printemps fermente déjà dans toute la nature.

Le moment est donc propice pour entamer un sujet qu'inspire le *renouveau*, comme disent nos paysans, c'est-à-dire la renaissance des beaux jours.

Je vais vous entretenir des *forêts vierges* et de leurs beautés incomparables et tout-à-fait inconnues dans nos contrées.

Forêts vierges! Voilà un mot qui parle à l'imagination, j'espère, et qui lui ouvre de mystérieux horizons!... Forêt vierge! c'est-à-dire qui n'a pas encore été entamée par la hache de l'homme, presque non foulée par son pied, dont les profondeurs ne sont pas connues, dont l'immensité est telle, la végétation si puissante, les arbres si merveilleux, les aspects si grandioses, que l'esprit humain ne peut se figurer les magnificences de ces bois aussi anciens que le monde...

Qui de vous, chers lecteurs, n'a pas rêvé de forêts vierges, après avoir lu les pages écrites par Fenimore Cooper, le capitaine Mayne-Reid, Gustave Aymard, Gabriel Ferry, et d'autres encore?

Dans le but de vous servir de guide, et d'aider la capricieuse *folle du logis,* qui s'égare si facilement dans les paysages créés à sa guise, je vais vous conduire tout droit, en enjambant l'océan Atlantique, jusqu'à l'une des parties les plus curieuses de l'Amérique méridionale, à savoir le Brésil. Là, nous trouverons une suite non interrompue d'incommensurables prairies, appelées *Pampas,* de vastes plaines, sans accident de terrain aucun, inondées pendant la saison des pluies, dites *Llanos,* et de forêts impénétrables, auxquelles les fleuves de la Plata, des Amazones et du Parana, servent d'enceinte, en les arrosant de leurs nombreux affluents.

Voici la mise en scène de ces prodiges de la nature que l'on nomme forêts vierges :

D'abord, à celui qui arrive de la haute mer, ces forêts, qui bordent le rivage de l'océan Atlantique, semblent offrir des tons moins crus et moins vigoureux, parce qu'ils sont adoucis par l'azur des vagues. Ainsi, on voit des bois de *mangliers* courir le long de la côte et sortir même du milieu des lames de la plage. Comme des baigneurs qui s'avancent çà et là, pour recevoir le flot bienfaisant, ces arbres énormes plongent dans la mer qui déferle leurs racines aventureuses, et ne laissent sortir de l'eau que leur tête luxuriante et chenue, se balançant au gré du vent et du ressac sur le tronc colossal qui les supporte. Aussi, quiconque, venant du large et ne connaissant pas la côte, ne saurait dire, dans l'étonnement qui résulte de cette étrange disposition des premières vedettes des bois, si c'est la forêt qui refoule l'océan, ou la vague qui oblige la forêt à reculer. Dans son éternelle agitation, la mer qui secoue sans relâche ces troncs noueux de mangliers, fait jaillir et étinceler, irisées par les feux du soleil, d'innombrables fusées de poussière humide diamantée, à travers les ramures feuillues de ces arbres gigantesques. En même temps, les échos de la profondeur des bois répètent avec un fracas majestueux et solennel les gémissements sourds et prolongés de la côte.

Après la zone des mangliers, commence la forêt vierge.

Il n'est rien de plus saisissant que le spectacle de ces richesses inimaginables et de ces prestigieuses splendeurs. Pour les concevoir quelque peu, figurez-vous d'immenses dômes de verdure qui s'élancent à perte de vue, supportés par des milliers de colonnes, s'élançant vers la voûte de ces arbres, à une hauteur inconcevable. Mais alors cette vigoureuse charpente est enveloppée, suivie, et pour ainsi dire étouffée, noyée, par la végétation la plus extravagante qu'on puisse se figurer. D'énormes ramées de plantes de toutes sortes s'élancent du sol en gerbes capricieuses, et semblent lutter d'audace, se mêlent, se confondent, s'enchevêtrent l'une dans l'autre, dressent leurs tiges, étalant les éventails gigantesques de leurs plantes, et étoilant la verdure des éclatants calices de leurs feux éblouissants. C'est un véritable palais féérique, le palais d'une nature exubérante et sauvage.

De cet océan de végétaux saturant l'air de leurs parfums, s'échappent d'épais faisceaux de lianes qui, grimpant avec énergie aux troncs robustes des arbres, les étreignent de leurs spirales sans fin. Alors, parvenues à la cime de ces géants qu'elles revêtent de leurs pousses échevelées, elles rampent de branche en branche, puis, çà et là, retombent en guirlandes, se déroulant en festons, ou pleuvant en cascades frémissantes, elles rejoignent le sol, s'y implantent de nouveau dans un brûlant humus végétal qui, leur prodiguant une vie plus active encore, les renvoie avec une puissance suprême du nadir au zénith, où elles continuent leur folle course aérienne. La terre des forêts vierges possède, en effet, une telle fécondité qu'il n'est pas un pouce du sol qui reste improductif. Ce ne sont plus là de simples plantes auxquelles la nature donne le germe : chaque végétal y devient un colosse. Les forces créatrices y sont telles, que, au besoin, le suc terrestre ne compte pour rien dans les productions de la sève. Ainsi, on trouve souvent des palmiers d'une vigueur si étrange, qu'ils s'élancent fièrement de blocs dénudés de granits. Cramponnés à la pierre, ces audacieux titans des bois la saisissent de leurs racines, l'enveloppent de leurs réseaux capricieux, la mordent de leurs dents furieuses, et s'élèvent ensuite à des hauteurs incommensurables, comme pour aller braver le ciel et se rire des refus qu'il a fait à la fissure du roc de l'aliment nécessaire à leur existence. En effet, il leur suffit des trois grands éléments de vie que prodigue le climat austral, à savoir : l'eau, l'air et le soleil !

Une terreur superstitieuse et un indéfinissable étonnement sont la première impression que l'on éprouve en pénétrant petit à petit dans ce temple majestueux de la végétation, dans ces sombres et tout à la fois radieux labyrinthes de la nature.

Tel devait être le saisissement de nos ancêtres, lorsqu'ils s'enfonçaient sous les voûtes mystérieuses des forêts druidiques de l'ancien monde.

Qui dira jamais les dramatiques légendes de ces grandioses et immenses solitudes? Car, n'est-ce pas cette inextricable feuillée qui cache le sol et le couvre d'une moisson de fleurs admirables, qui recèle aussi les serpents les plus formidables et les plus dangereux reptiles? N'est-ce pas au pied de ces troncs et sous ces roches caverneuses que le jaguar et la panthère guettent leur proie qui passe sans défiance?

Le voyageur, dédaignant ces ennemis redoutables, ou prêt à les combattre, ne craint-il pas d'affronter les amas de végétation qui se dressent devant lui, comme une barricade infranchissable? Aussitôt il est enlacé dans un épais fouillis d'herbes, de plantes et de pousses de tout genre. Les lianes lui ferment le passage; les buissons le déchirent; il ne peut avancer que la hache à la main. Ses pieds cherchent inutilement un point d'appui. Ses mains s'empêtrent dans mille obstacles. Des épines énormes font couler son sang; des branches et des feuilles acérées fouettent son visage; ses vêtements sont bientôt déchirés et ne protégent plus ses membres violacés.

Comme pour l'effrayer et l'arrêter dans ses explorations, de sourds murmures grondent au-dessus de sa tête. C'est un oiseau de vingt centimètres de long, d'un corps gris brunâtre, taché de blanc, l'*oiseau moqueur*, qui se divertit à contrefaire toutes sortes de cris et de ramages, et, en ce moment même, se moque en effet des efforts du curieux intrus. Celui-ci s'arrête étonné; il lui semble ouïr la voix des sombres génies de la forêt... Il prête l'oreille... Mais il n'entend plus que le souffle du vent qui frôle l'épaisse chevelure des hauts arbres.

Aussi s'habituant peu à peu à cette vie du désert, le touriste se sent imprégné d'une force nouvelle. Il avance, sa hache au poing, et ne s'arrête plus. Son corps se fait à la fatigue; les difficultés s'aplanissent devant lui.

Voici ce qui a lieu aux premières approches du matin, dans ces ténébreuses solitudes des bois du *Mato-Virgem*, par exemple :

A peine l'aurore a-t-elle paru, blanchissant les cieux, que les parfums humides des plantes s'élèvent au-dessus du sol en nuages de légères vapeurs. Elles montent peu à peu, comme des brumes folles soulevées par la brise; elles s'accrochent aux ramures des arbres, elles ondoient à la surface des cimes. Mais viennent bientôt les premiers rayons du soleil, qui les fait fondre et les disperse. L'astre du jour, en montant dans l'espace, lance alors des flèches d'or çà et là, à travers les rares interstices de la coupole immense de verdure; aussitôt les ténèbres s'illuminent de ces jets lumineux, et, tremblottant dans l'obscurité qui devient transparente, ils produisent de ces effets merveilleux que ni la plume ni le pinceau ne peuvent rendre. Petit à petit, une atmosphère brûlante, tombant d'à-plomb sur la vaste chevelure des nombreuses essences d'arbres, pénètre sous la voûte de leurs feuillages et inonde alors la nef de la forêt d'un coloris chaud, éblouissant et saturé des plus suaves senteurs.

C'est l'heure d'un silence solennel qui a quelque chose d'effrayant. Je dis effrayant, car, dans ce calme ineffable, vous tressaillez souvent, parce qu'il suffit du plus léger bruit pour troubler la solitude. Une baie qui s'ouvre, une graine qui tombe, un arbre qui craque, un reptile qui froisse des feuilles, un animal qui brame dans le lointain, un rien suffit pour appeler et faire naître la plus vive émotion.

Quand vient enfin le milieu du jour, tout ce désert s'anime, et les grandes clairières se transforment en Agora..... sauvage. En effet, le soleil, en s'élevant au-dessus de la coupole de bronze des arbres, et en pénétrant dans les plus épais fourrés, éveille tous les hôtes de la forêt. Au murmure des animaux minuscules se joint aussitôt l'infernal glapissement des tyrans des bois. Ce sont des cris aigus de singes, des miaulements de tigres, des sifflements de serpents, de tels beuglements, des rugissements si épouvantables, qu'il est difficile de dire de quelles créatures ils peuvent provenir. Les échos de la forêt et des mornes renvoient de leur côté ces sons rauques et discordants; aussi dirait-on des bandes de démons qui se convient à quelque sabbat infernal.

En même temps, sous ces massifs de plantes et de végétaux, dans cette pénombre des arbres vigoureusement teintée de rayures de feu, à terre et dans les airs, s'agite tout un monde lilliputien, microscopique, d'oiseaux merveilleux, de terribles reptiles, d'insectes d'une magnificence digne de la reine de Saba, charmantes et redoutables créatures dont les beautés étincelantes, la délicatesse et la grâce, l'éclat et les couleurs effraient l'imagination. Toute cette immense famille cironienne ronge et creuse, piaille et chante, butine et mange, voltige et gambade. Elle s'inquiète bien du chasseur et de l'hiver! Le chasseur est rare dans les forêts vierges. Quant à l'hiver, elle ne le connaît pas. Le soleil ne ruisselle-t-il pas sans fin sur ces bois?

Les forêts vierges présentent les plus étranges accidents de nature. D'un terrain plat, enchevêtré par des arbres de toutes les essences et des plantes colossales épineuses, vous arrivez bientôt au pied de mornes gigantesques, ou de massifs rocheux, enfouis dans les plus étonnantes fourrures de végétation. Vous passez devant des cavernes sombres dont l'orifice béant vous effraie, car il s'en échappe des bruits mystérieux, tels que de sourds broiements de cailloux. Ce sont des cavernes dans lesquelles s'agitent des milliers de serpents et de reptiles de toutes les tailles. Leurs horribles sifflements vous font tressaillir et vous vous enfuyez au plus vite. Mais alors vous atteignez de spacieuses clairières qu'inondent des flots de soleil et où le grand jour vous éblouit. Heureux si vous ne vous trouvez pas face à face avec quelques bêtes fauves, ou des animaux féroces allant en quête de leur proie ou d'une source pour apaiser leur soif. Souvent on entend craquer les branches sèches sous leurs pas précipités.

Vous vous trouvez ensuite en présence de larges cours d'eau dont les eaux murmurantes sont agitées çà et là par des vaches marines, ou bien par de monstrueux alligators, ou caïmans, de la famille des crocodiles, que trop souvent la vase dissimule et que vous n'apercevez qu'au moment de mettre le pied sur leur corps qui vous semblait un arbre tombé dans la fange.

Enfin, des mornes péniblement gravis, des massifs de rochers difficilement escaladés, des clairières franchies et des rives d'un fleuve dont vous suivez plus ou moins les sinuosités, vous rentrez sous l'épaisse coupole des bois.

Ailleurs, vous vous engagez dans des *savanes*, c'est-à-dire de vastes plaines couvertes de hautes herbes, où paissent d'innombrables troupeaux de bisons, d'antilopes, de guanacos et de buffles sauvages. Car, comme l'océan a ses courants qui souvent marchent en sens contraire, les forêts vierges ont leurs zones variées qui en changent la physionomie selon les sites.

C'est ainsi qu'à l'embouchure grandiose de certains fleuves, l'Amazone, par exemple, ou le Tocantins, les arbres atteignent des proportions telles que l'esprit se refuse à les concevoir. Là, le bananier, le cocotier, l'acajou, l'ébénier, le palissandre, les liquidambars, le mancenillier, le brésil, le cotonnier, etc., parmi les arbres; et, parmi les plantes, le cactus, les orchides, le cierge pascal, le nopal, le campêche, le quinquina, le caoutchouc, l'agave, le cacaoyer, etc., n'ont plus seulement cette charpente énorme que nous avons décrite; ils prennent des formes titaniques. Leurs racines, plongées dans des alluvions humides et brûlantes tout à la fois, reçoivent du sol une si formidable puissance, qu'elles donnent aux colosses qu'elles alimentent une anatomie d'autant plus gigantesque qu'elle aspire tous les sucs que féconde le soleil de l'équateur, se gonfle de leurs esprits vitaux et produit une ramure exubérante. L'humus n'est plus lui-même qu'une semence universelle, sans cesse en travail de production. Aussi l'écorce qui se détache, ravivée par son contact avec la fécondation du terrain, se transforme en souche et donne le jour à des rameaux sans nombre. Il en résulte une vertigineuse efflorescence de végétaux, au milieu d'un indéchiffrable composé de détritus, où, de la vie et de la mort en lutte perpétuelle, c'est la vie qui triomphe et qui engloutit la mort. Alors, de cet entrecroisement, de cet enchevêtrement, sort un tout grandiose dont le produit est une nature merveilleuse à contempler, admirable à voir. Sur les bords de ces fleuves, on demeure saisi d'étonnement en face des troncs noueux et des fûts truculents des géants des bois, car les branches des arbres des deux rives se rencontrant, forment des arceaux d'une élévation prodigieuse et de telles ogives que nos plus magnifiques cathédrales les envieraient. Il semble que l'on se trouve en présence de ces féeriques visions dont nous entretiennent les contes orientaux. Les troncs, qu'une mousse active décore de ses capricieuses broderies, les guirlandes de lianes, les dais de fleurs, la pénombre de verdure qui, tout en repoussant l'éclat du soleil, se zèbre de furtifs rayons lumineux qui font du dôme des bois une étincelante guipure d'or, portent l'imagination à rêver de spectres et d'apparitions. Il advient alors que cette fantasmagorie se trouvant reproduite sur la surface des larges eaux qui coulent majestueusement sous ces admirables voûtes revêtues d'une inexprimable majesté, se montre à votre regard étonné comme un lac transparent de fleurs, de feuillages, de grottes de lianes; la vie ruisselle, les parfums débordent, la sève s'agite dans cette fiévreuse nature, et l'on demeure ébahi.

C'est ainsi encore qu'en s'éloignant des chaudes alluvions des vallées, pour gravir les étages supérieurs de ces immenses forêts, petit à petit l'aspect magique des bois se métamorphose, et le spectacle perd de sa puissante beauté, à mesure que l'on change de zone. Bientôt les arbres se dépouillent insensiblement de leurs colossales ramures; sa végétation diminue peu à peu de sauvage fécondité. Alors, par moments, vous apparaît, solitaire, quelque bloc de granit dont la tête dénudée s'élève comme une pyramide fruste par-delà les cimes des masses de sombre verdure qui forme la coupole de ces bois. Puis, plus au loin, s'il se fait un horizon de clairières, l'œil peut compter d'innombrables pitons qui s'élancent vers le ciel dont ils menacent l'azur, ou bien, comme un chaos, jonchent le sol, entassés les uns sur les autres, ainsi qu'après une bataille feraient des cadavres de géants. Tels ces blocs de rochers immenses sortirent sans doute avec violence des viscères liquéfiées de notre planète, quand la main du Créateur en agita les bases. Au pied de ces âpres entassements de granit, les arbres les plus élevés, le cierge pascal haut de cent mètres, ne semblent plus que d'humbles lichens rampant à l'ombre d'une forêt de titans.

Le moment le plus favorable pour visiter les forêts vierges du Nouveau-Monde est de mai à octobre, car alors le Brésil jouit d'un printemps délicieux : le froid des nuits et la fraîcheur des matinées tempèrent les molles tiédeurs des jours. Mais après octobre, c'est-à-dire de novembre à avril, alors que le ciel austral est illuminé des feux du soleil, la température devient brûlante et l'air est irrespirable. Comme des pluies torrentielles inondent le sol à cette époque, l'eau, constamment vaporisée par des rayons dévorants, produit des orages perpétuels ; une inimaginable humidité s'empare de toutes choses, et une végétation folle s'étend jusque sur les meubles, les vêtements et les chaussures, que la moisissure envahit. L'atmosphère placée ainsi entre l'eau de la terre et le feu du ciel, se met en ébullition ; des courants électriques se forment ; on voit des nuages blanchâtres s'arrêter sur la cime des Andes, et bientôt, poussés par le vent d'ouest, ils descendent sur les forêts. Peu après, d'effroyables roulements répercutés par les pitons et les mornes annoncent que l'ouragan va se déchaîner et la tempête éclater. En effet, les grondements de la foudre se font entendre de plus en plus retentissants, des sillons lumineux zèbrent l'air, et alors des avalanches d'eau, d'épouvantables détonations, d'horribles éclairs, le déchirement des bois et d'indicibles coups de vent vous font connaître le déchaînement d'un orage dans ces régions australes. Puis, comme les bêtes fauves du désert s'enfoncent dans leurs tanières et que les rumeurs de la forêt ont cessé, la formidable horreur de cette convulsion de la nature devient plus solennelle, plus majestueuse et plus redoutable. Enfin, après deux ou trois heures d'un vacarme inexprimable, peu à peu les secousses perdent de leur violence, le bruit s'amoindrit, les feux s'éteignent, la tempête va plus loin jeter l'épouvante. Aussitôt le firmament s'illumine des derniers reflets du soleil, et une charmante soirée succède à l'affreux cataclysme.

Mais souvent aussi de cruelles inondations sont le résultat de ces chutes d'eau. En peu de temps le moindre ruisseau s'est fait torrent impétueux : les rivières deviennent des fleuves, et les fleuves des mers. Les arbres des rives sont arrachés, entraînés par des cataractes de boue qui descendent avec fracas des montagnes : ils s'accrochent les uns aux autres, s'enchevêtrent et forment des digues que les eaux ne peuvent franchir. Alors un lac immense est soudain créé là même où peu auparavant se trouvait des pampas, c'est-à-dire une vaste prairie. Les rives indécises de cette mer houleuse s'élargissent de plus en plus, car les rivières n'entraînent plus seulement des arbres, mais des forêts entières. On voit, semblables à des panaches verdoyants, surnager les immenses feuillages des géants des bois, et comme il arrive d'autres points d'autres courants d'eau improvisés, les flots opposés se choquent, se dressent l'un contre l'autre, tourbillonnent, comme une montagne liquide tournant sur un pivot ; le désordre, la confusion ne sont plus dans les airs, ils sont sur la terre. Enfin, quand les eaux se sont arrêtées, et qu'elles se sont écoulées petit à petit, il est curieux de voir les débris et les détritus de toute sorte qu'elles ont amoncelés : plantes ligneuses énormes, troncs déracinés se superposant, roches arrachées et dressées l'une sur l'autre comme dans une construction cyclopéenne, toutes choses sur lesquelles le soleil et la boue font déjà naître une végétation nouvelle qui s'épanouit et se couvre de fleurs, de manière à donner l'image la plus étrange de magnifiques jardins suspendus, tels et plus beaux sans doute que ceux de l'antique Babylone.

L'Indien, sauvage habitant de ces solitudes, surpris par ces inondations imprévues, ne s'effraie pas pour si peu. Il livre sa pirogue au courant, et il atterit à quelqu'une de ces îles qu'improvisent les alluvions au milieu des fleuves. Mais il ne s'y trouve pas seul : des animaux de toute sorte y sont venus chercher un abri. Le danger les rend amis : ils tremblent et ne se regardent même pas. Vienne le calme, et que les eaux se retirent, l'oiseau donne l'essor à ses ailes, le jaguar se dirige vers la vallée pour y poursuivre le cerf, un instant auparavant immobile près de lui, et le Peau-Rouge retourne au carbet et au wigwam qui l'attendent.

J'ai dit qu'aucun chemin foulé ne partage ces forêts : c'est à peu près au hasard que l'on s'avance à travers le dédale d'innombrables palmiers, chênes, dattiers, cocotiers, liquidambars, tamariniers, acajous, bananiers, palissandres, caroubiers, acacias, mancenilliers, arachides, aloès, sésames et vingt autres essences. On franchit des massifs de végétaux, on s'enfonce dans les hautes herbes, on se perd en d'inextricables réseaux de lianes, et on erre à l'aventure parmi d'énormes squelettes d'arbres tombés sous les coups de la foudre ou la violence des ouragans, et des troncs pourris de vétusté, qui encombrent le sol. Aussi de l'humus qui recouvre la terre, il émane d'énervants parfums de plantes et de fleurs tropicales qui saturent l'air étouffé.

Mille scènes diverses récréent le regard dans cet Eden qui semble sortir de la main de Dieu, comme au jour de la création.

Quand les oiseaux de nos contrées, alouettes, pinsons, mésanges, chardonnerets, fauvettes et bouvreuils, sont répandus dans la plaine, et, sans se donner le *la*, chacun à son diapason, entonnent une de ces œuvres magistrales, vieilles comme le monde, et pourtant toujours la même, toujours nouvelle, devant laquelle les Rossini s'inclinent avec respect; en un mot, quand arrive le printemps, c'est une impression charmante que de se trouver, de bonne heure, dans la serre du jardin d'acclimatation du bois de Boulogne. Au milieu de cette végétation exubérante, on se croit transporté dans un coin de ces forêts vierges dont je vous parle.

Mais bien vite vous laissez de côté cette flore si variée, si brillante, pour vous occuper des hôtes vivants de ce séjour enchanteur. Vous vous occupez bien plus volontiers de guetter un rouge-gorge par-ci, un roitelet par-là. Puis, dans la rivière en miniature, vous admirez les cyprins dorés et la grenouille-bœuf d'Amérique dont la robe verte sur le vert gazon se fond comme un camaïeu naturel.

Je vais vous faire pénétrer dans un bien autre jardin d'acclimatation, chers lecteurs. C'est dans une forêt vierge que vous allez entrer, pour en étudier les hôtes, à la suite du capitaine de frégate Varnier. Sa voix va vous initier aux mystères de ces grandes solitudes du Nouveau-Monde.

Ce que je vous ai appris jusqu'ici des forêts de notre globe n'est que la préface de ce qu'il va vous montrer, lui. Pauvre pérégrinateur de l'Europe que je suis, moi, tout au plus, au jardin zoologique de Londres, ai-je vu un singe âgé de neuf ans, appelé Jenny, qui a suivi les Anglais dans leur expédition d'Abyssinie, contre le negus Théodoros. Il a pour favorite une poule qui aime à être portée par lui. Il sait très bien déboucher une bouteille de sodawater. Il boit du grog avec plaisir, et ne se refuse pas l'agrément de fumer un cigare quand l'occasion s'en présente.

J'ai bien vu encore un hardi aventurier prendre un serpent à sonnettes et chercher à prouver l'étrange faculté dont il était doué de fasciner ce terrible reptile. Après avoir entortillé le serpent autour de ses bras, il le jeta à terre, puis il se mit à le frapper avec une baguette jusqu'à ce que l'animal fît rage. Alors il le reprit, en disant :

— Es-tu fou de te mettre en colère?... Baise-moi !

Et il mit la tête du serpent dans sa bouche. Le reptile, qui n'était pas d'humeur égale, ce jour-là, le reptile, hélas! lui mordit affreusement la langue, et, une minute après, l'infortuné expirait dans d'horribles convulsions. Phénomène étrange ! tout aussitôt la peau de cet aventurier se couvrit de la couleur tachetée du monstre.

Mais, qu'est-ce que cela, en présence de ce que mon savant ami peut vous dire? Ecoutez-le; je lui cède de grand cœur la parole. Ayant beaucoup vu, il est intarissable quand il raconte.

— Combien notre vieille Europe est pauvre au point de vue des prodiges de la nature, me disait-il hier encore, en comparaison de l'Asie, de l'Amérique, et même de la brûlante Afrique, que du reste on connaît à peine !

Certes! ce n'est pas notre Mont-Blanc, tout admirable qu'il soit, qui peut rivaliser avec le gigantesque Himalaya, le roi des montagnes du monde entier, puisque notre géant, auprès du colosse asiatique, est comme 1 à 10!

Ce ne sont pas nos fleuves, même le Danube, même le Volga, nonobstant les trois bouches du premier, les soixante du second, et le long cours de tous les deux, qui peuvent soutenir le parallèle avec le Gange ou l'Indus, le Nil ou le Niger, avec l'embouchure du fleuve des Amazones, large de quarante lieues, et sa longueur qui ne compte pas moins de cinq mille quatre cents kilomètres, tandis que sa largeur varie de trois à deux cent quatre-vingt-deux.

Et nos forêts vierges où sont-elles? Quel contraste des forêts des Ardennes, du Morvan, du Der, etc., en France, et du Hartz, en Allemagne, etc., avec les forêts du Brésil et d'ailleurs!

Et la flore de l'Europe, et notre faune, que sont-elles relativement à la flore, à la faune de l'Afrique, de l'Asie, du Nouveau-Monde, voire même de l'Océanie?

Dans le règne animal surtout, quelle variété, quels prodiges! Je veux en dire quelques mots, car j'ai un culte pour les animaux, et ce qui me l'inspire c'est la persuasion que ces créatures de Dieu méritent notre affection, notre respect, oui, notre respect, notre admiration même, depuis le plus petit jusqu'au plus grand.

Un jour, je passais près d'un jardin d'horticulture, à Chelsea. J'observe alors deux abeilles sortant d'une ruche et portant entre leurs pattes le cadavre de l'une de leurs congénères. Je les suis avec curiosité. Je suis tout étonné du soin avec lequel elles choisissent un trou commode, sur les bords d'une allée sablée. Là, elles déposent avec une tendresse visible, dans la terre, le corps de la défunte, la tête la première. C'est avec une touchante sollicitude qu'elles poussent deux petites pierres contre les restes inanimés de leur compagne, pour les protéger. Enfin, leur tâche terminée, elles restent immobiles durant une minute, sans doute pour verser une larme sympathique sur le tombeau de leur amie; puis elles s'éloignent avec lenteur, en tournant de temps en temps la tête...

Eh bien! c'est depuis ce moment que les animaux m'inspirent le plus sincère intérêt.

En passant de l'abeille à l'éléphant, n'avons-nous pas des preuves constantes de l'intelligence dont sont doués les animaux! Pendant la guerre de Coorg, dans l'Inde, un officier anglais voit une de ses brigades engagée dans le lit d'un torrent à sec. Sous peine de se résigner à être massacré par l'ennemi, il est urgent de faire remonter aux canons la pente presque verticale de la roche de granit au bas de laquelle ils viennent de tomber. Les bœufs qui traînent les pièces, après quelques efforts, renoncent à cette entreprise au-dessus de leurs forces, et se couchent comme ils le font toujours dans les cas désespérés. On se décide aussitôt à aller chercher quelques éléphants, et on leur indique de la voix, du geste et de l'exemple ce que l'on attend d'eux. Sans tarder, un de ces colosses se place derrière une pièce de six, y applique l'extrémité de sa trompe, la pousse devant lui, tandis que les canonniers se contentent de la guider, et lui fait remonter toute la pente du rocher. Un peu plus loin, la pièce roule dans un ravin et s'y renverse. Alors deux éléphants réunissent leurs efforts, l'enlèvent avec leurs trompes, une de ci, une de là, la retirent et la replacent sur son affût.

Une autre fois, par les ordres du général Autram, en marche sur

8

Lucknow, trois obusiers, descendus du dos de l'éléphant qui les portait pendant la marche, sont mis en batterie sur une petite éminence, dans le but d'inquiéter le flanc des Cipayes. Cet éléphant portait un nom célèbre dans l'Inde, un nom illustré par sa mère, celui de Kudabar-Moll. Dès que les pièces se trouvent installées, l'animal se place, suivant sa consigne habituelle, à quelques pas en arrière. Bientôt la plupart des artilleurs tombent décimés par la mousqueterie de l'ennemi. Alors Kudabar-Moll intervient. Il prend avec sa trompe les gargousses au fond du caisson, et les fait passer une à une aux rares canonniers qui survivent. Un moment vient où il ne reste plus que trois Anglais, qui réussissent cependant à recharger les obusiers. Mais tous, avant de pouvoir y mettre le feu, tombent mortellement frappés.

— A nous, mon brave Kudabar!... s'écrie l'un d'eux.

L'éléphant s'approche, saisit la mèche qui gît à côté du soldat, met le feu à la première pierre et s'apprête à continuer la manœuvre, quand deux compagnies d'infanterie arrivent au pas de course et délogent les Cipayes.

Voilà qui est beau, je l'espère, et j'ai été témoin du fait, car ma frégate étant embossée non loin de là, j'étais à terre, et j'ai connu le vaillant Kudabar-Moll.

Un autre exploit que j'ai vu de même.

Le rhinocéros d'une ménagerie de passage à Carmel-Putnam s'étant échappé, se réfugie dans un étang. Un chien est alors chargé de ramener le fugitif. Aussitôt mis en présence, les deux animaux nagent à la rencontre l'un de l'autre, et dès qu'ils se sont rejoints, commence une lutte étrange, au milieu même des eaux. Le rhinocéros essaie de percer, de la corne qui surmonte son nez, le chien, qui, en plongeant à propos, parvient à éviter les atteintes de son terrible adversaire et finit par saisir une de ses oreilles avec ses dents. Cette prise de possession de l'oreille du rhinocéros met fin à un combat si inégal en apparence. La bête féroce, vaincue par la douleur, se laisse ramener par son vainqueur, sur la terre ferme d'abord, et ensuite à la ménagerie, avec la docilité d'une génisse que l'on conduit à l'abattoir. Ce chien, qui avait nom Jack, par son exploit, son courage, son adresse et son intelligence, avait bien mérité du public, car le rhinocéros pouvait faire bien du mal. Mais il avait aussi rendu grand service au chef de la ménagerie, car la bête sauvage avait une valeur de vingt mille dollars.

Si, des animaux qui vivent sur la terre, nous passons maintenant à ceux qui vivent dans les eaux, nous reconnaîtrons aussi que la Providence les a doués d'une intelligence qui se produit au-dehors par des faits extrêmement curieux.

J'étais en Chine, non loin de Saïgon, j'eus l'occasion de remarquer des poissons, longs de sept centimètres, qui n'ont pas encore de nom dans la science. Je fis l'étude de ces petits êtres, et voici ce qui en résulta. Quand la femelle est sur le point de pondre, le mâle s'en approche et se courbe en arc autour d'elle de manière à lui faire une ceinture. Il la presse alors, facilitant ainsi la sortie des œufs, qui sont fécondés au fur et à mesure de leur apparition. Une fois pondus, la femelle ne s'en occupe absolument plus, imitant ainsi la manière d'agir de l'immense majorité des poissons. Mais il est loin d'en être de même du mâle, qui se livre aussitôt à un travail aussi original qu'actif. Il va, à maintes reprises, à la surface de l'eau pour aspirer de l'air, puis il descend incontinent au fond pour expulser de son corps un certain nombre de bulles gazeuses. Celles-ci, enveloppées d'une mucosité secrétée par la bouche de l'animal, arrivent à la surface sans crever, et, après un temps suffisant, elles forment une sorte de mousse épaisse de deux centimètres et large de cinq au moins. Le tout constitue un véritable nid, où le mâle place alors tous les œufs. Si l'un de ceux-ci se détache, l'infatigable gardien court le chercher, le prend entre ses mâchoires et le remet à sa place. Que les bulles de gaz viennent accidentellement à crever sur un point du nid, l'architecte s'empresse de les remplacer, ne se donnant ni repos ni trêve, pendant tout le temps de l'incubation. Celle-ci d'ailleurs est relativement fort courte. Au bout de soixante-quatre à soixante-cinq heures, les petits sortent de l'œuf. Mais le père continue encore pendant quelque temps d'en prendre soin, ramenant au nid les petits imprudents qui s'en écartent trop tôt, et usant de tous les moyens pour conduire à bien sa jeune famille.

Il faut dire que notre célèbre pisciculteur, M. Coste, a remarqué un fait analogue chez nos épinoches. On sait que ces poissons construisent un véritable nid également, mais avec des herbes aquatiques, absolument comme les oiseaux. Or, quand un petit quitte le nid avant d'être en état de vivre seul, ses parents prennent soin de le ramener dans l'asile qu'ils lui ont construit.

Vraiment la nature nous met sous les yeux des choses admirables!

Des eaux montons dans les régions de l'air. Je vais vous signaler un épisode maritime des plus singuliers. Le fait a lieu à bord d'un navire faisant le cabotage sur la côte d'Afrique, entre les îles voisines du Gabon.

Cette année même, 1869, le brick-goëlette *San-Iago*, ayant relâché à l'île du Prince, les hommes de l'équipage se livrèrent au plaisir de la pêche. Ils prirent une magnifique dorade, qu'ils s'apprêtèrent immédiatement à faire cuire. Une grande chaudière découverte fut fixée sur un trépied. Le feu était allumé et le poisson déposé dans l'eau bouillante, quand tout-à-coup on vit planer majestueusement au-dessus de la chaudière six oiseaux de mer, dits *frégates*, aux ailes éployées. Ces pirates de l'Océan se rapprochèrent bientôt petit à petit, en diminuant la circonférence de leur vol et en rasant l'orifice du récipient dans lequel la dorade cuisait à petit feu. L'équipage, composé de huit hommes, était assis en cercle à quatre mètres au plus de la chaudière. Tous se levèrent en apercevant cet ennemi de nouvelle espèce, et s'élancèrent sur les frégates, croyant les intimider et les effrayer. Mais point. Les frégates avaient faim, et l'occasion était trop belle pour la négliger et la perdre. Très peu épouvantés des gestes et des gambades des matelots, les oiseaux ne craignirent pas de venir tour à tour harponner de leurs mandibules crochues la dorade bouillie. Et quand les hommes, qui s'étaient un instant éloignés pour s'armer d'avirons, revinrent à leur foyer, la dorade avait été complètement déchiquetée. Il n'en restait plus que les arêtes. *Tarde venientibus ossa!* Déjà la bande des ravisseurs avait pris son vol, et, par ses croassements railleurs, semblait narguer les matelots ébahis de tant d'audace.

La frégate a une envergure moyenne de près de quatre mètres. Son corps cependant est du volume d'une poule. Elle fréquente les mers des deux mondes. Mais on ne la rencontre qu'entre les tropiques, et souvent à des distances de plus de quatre cents lieues de toute terre. A raison de son petit corps, nonobstant ses ailes immenses, on peut dire de cet oiseau, surnommé *le guerrier* :

Ingentes animas angusto in pectore gestat.

CHAPITRE VIII.

Les forêts vierges de l'Australie. — Etrange physionomie de ces bois. — Fourrés et clairières. — Rochers sauvages. — Paysages fantastiques. — Nuits merveilleuses. — Effets de lune. — Résurrection de la nature, au matin. — Aras et colibris. — Périques et bengalis. — Les amusements de la gélinotte. — Salons et soirées des oiseaux à berceau. — Kokoon et ouistitis. — Une aventure dans les forêts vierges de l'Amérique. — Villages de castors. — Les deux étages de leurs huttes. — Apparition d'un wolverenne. — Ménage des castors. — Le soir dans les forêts vierges de Guyane. — Le porte-lanterne. — Admirables insectes des tropiques. — Le macaque barbu. — Malice diabolique des singes. — L'orang-outang noir. — L'orang-outang roux. — Forêts vierges de l'Afrique. — Yuccas et baobabs. — Gorilles et papions. — Babouins et mandrilles.

— Maintenant, continue le capitaine Varnier, après avoir fait entendre sa profession de foi à l'endroit des animaux, maintenant pénétrons sous les frais ombrages d'une forêt vierge de l'Australie, appelée Nouvelle-Hollande par les explorateurs des Pays-Bas qui ont découvert ce continent de l'Océanie, mais débaptisée et envahie par les Anglais, ravisseurs de tout ce qu'ils trouvent à leur convenance.

Les forêts tropicales possèdent en tel nombre des arbres et des plantes d'une si admirable végétation, d'une exubérance de port et de formes, d'une élégance de feuillage colossal si ravissante, qu'un Européen ne peut se figurer l'aspect enchanteur de ces incomparables et immenses entassements de verdure équatoriale de tous les tons et de toutes les nuances. Ici, ce sont des palmiers motacus, là des palmiers carondaï, sous lesquels paissent des animaux de toutes les races. Si c'est pendant la nuit que l'on s'avance dans ces bois, le silence du désert n'est interrompu que par le bruit des eaux et le rauque coassement de crapauds, ressemblant au choc d'une pierre sur une autre, répété par intervalles. Si c'est de jour que l'exploration se fait, l'œil ne peut se détacher du tronc de quelques arbres, étroits d'en bas, mais qui se renflent ensuite fortement à quelques mètres de hauteur, pour se rétrécir encore. Le sentier que suit le voyageur, à peine assez large pour laisser marcher un cheval, n'est qu'un torrent desséché, tortueux, où l'on est constamment obligé de s'arrêter, pour se frayer un passage fermé par des arbres déracinés et que le vent d'orage a couchés sur le dos.

Bientôt les terrains s'élèvent peu à peu. La forêt, toujours aussi épaisse, laisse voir ici et là des cactus, dont la hauteur approche de celle des arbres de haute futaie. On rencontre fréquemment une charmante espèce de petits palmiers à feuilles en éventail. Elevés de quelques mètres seulement, ils forment des bocages au milieu des autres essences. L'uniformité des bois fatigue par moments. On n'y entend d'autre bruit que le frôlement des brises sur les feuilles, ou le frottement d'une branche sur l'autre, rendant des sons tristes, mélancoliques, analogues à des gémissements plaintifs. On est frappé du repos absolu de ces vastes solitudes, où le voyageur, perdu sous une voûte naturelle de verdure, ne voit jamais devant lui à longue portée, et marche constamment sans apercevoir le ciel. Car, dans les bois vierges, il est des régions que fuient les oiseaux et les animaux, hôtes ordinaires des forêts.

On est heureux quand on atteint ces régions plus fortunées, où les palmiers égaient le paysage de leur feuillage élégant. Leur tronc svelte et grêle traverse le fourré, et les panaches verts dont ils sont surmontés se dessinent à plus de trente mètres au-dessus des autres arbres. Quelquefois, plongé dans la rêverie, on croit entendre tout-à-coup une voix humaine s'élever de la profondeur des futaies. On écoute mieux, et on entend distinctement une voix qui semble appeler par intervalles. C'est un oiseau dont le cri ressemble absolument à la voix d'un homme égaré, appelant pour retrouver sa route.

La forêt s'éclaircit. Voici une clairière qui va se produire. On la devine, car les oiseaux chantent dans le lointain. En effet, palmiers lotaï à la tête en boule, palmiers carondaï aux feuilles en éventail, palmiers motacus au vert sombre, le tout borné par la forêt d'où émergent de grands arbres au feuillage plus diversifié, se découvrent peu à peu. Puis, dans les ravins, se dressent des bambous aux tiges pennées. Des carouges couleur de feu sont épars sur le sol. On admire quelques essences remarquables, au milieu de cette riche nature encore vierge, par leurs rameaux formidables et dont le tronc ne mesure pas moins de neuf à dix mètres de circonférence. On trouve d'énormes rochers de gneiss, dont les parois dénudées contrastent avec l'opulente végétation qui les entoure. Il faut passer souvent au pied de pics droits comme un obélisque, qui, suspendus sur la tête, semblent menacer de leur chute au moindre souffle du vent. Par moments, un bruit étrange frappe l'oreille; on croit à un danger qui menace ; c'est tout simplement une rivière aérienne dont le lit manque subitement, et qui se précipite alors d'une hauteur de plusieurs centaines de pieds sur les rochers qu'elle envahit, et où elle forme un vaste lac, endormi plus loin au centre de la clairière. Plus loin, c'est un torrent qui, par ses chutes d'étages en étages de roches, se creuse des bassins dans les endroits les plus friables.

Rien n'est admirable comme la nuit dans ces pittoresques oasis des forêts vierges! Les étoiles étincellent sur un firmament d'azur foncé, tandis que des milliers de gros insectes répandent une vive lumière, se croisent en tout sens. Ces feux vivants, sans cesse en mouvement, contrastent avec les feux fixes du ciel, et parfois de nombreuses étoiles filantes viennent se confondre à l'horizon avec la lumière animée de ces insectes volants. Puis, quand la lune se lève, l'ombrage sombre des grands arbres qui couvre alors les eaux, le voisinage des grandes fleurs des tropiques qui embaument l'air de leurs parfums enivrants, le chant des oiseaux que la nuit n'a pas endormis, et souvent même le rauque rugissement des animaux féroces, que l'on éloigne en tirant au hasard quelques coups de carabine, tout est magie, charme et félicité.

Au lever du jour, la vie, l'animation revêtent le tableau d'un charme irrésistible. Dans l'air s'élèvent des nuages de papillons aux ailes diaprées. Les feuilles, les tiges des plantes, les troncs des arbres sont brodés d'innombrables insectes aux teintes métalliques, rivalisant d'éclat avec le sémillant oiseau-mouche ou bien avec le colibri, et d'autres oiseaux dont les accents égaient à l'envi la solitude de ce sol vierge pour l'homme. La pie bleue, la colombe d'or, donnent le signal du réveil. Aussitôt le branle est suivi par les troupes de singes, d'agoutis; le tigre, le jaguar, répondent à l'appel, et la vie reprend où semblait s'étendre la mort.

Tantôt les plumages étincelants des aras, des colibris, des périques apparaissent sur les branches, becquetant des insectes aux ailes d'or; tantôt la robe fauve de guenons ou de ouistitis font remarquer les quadrumanes concassant les baies aromatiques des caroubiers.

Dans une de mes excursions à travers une de ces merveilleuses forêts, un matin, j'entendis dans l'éloignement un bruit singulier qui ressemblait passablement au son d'un tambour couvert, et parfois au cri stident d'une scie qu'on aiguise. Je crus d'abord que c'était une musique de sauvages, et je me dérobai aux regards dans les profondeurs d'un hallier : mais le bruit continuant sans approcher, j'allai à lui, en me glissant avec précaution sous les feuillages. Alors, en écartant les branches, j'aperçus, sur un tronc d'arbre renversé, un très bel oiseau de la grosseur d'un coq, paré d'un riche collet de plumes autour du cou et d'une superbe huppe relevée. Cet oiseau était fort occupé à faire les gestes les plus extraordinaires. Sa queue était étalée en éventail comme celle d'un paon, mais beaucoup plus courte : les plumes de sa tête et de son cou étaient hérissées sous l'empire d'une passion vive. Il les agitait parfois avec une telle vitesse qu'elles semblaient un nuage qui l'enveloppait subitement, et tantôt il tournait en cercle sur son trône, remuant les yeux et la tête comme s'il était possédé, et poussant alors ce cri qui m'avait alarmé. C'était le mouvement de son aile sur le bois creux et sec de l'arbre, qui causait ce bruit semblable au son du tambour. Autour du tronc étaient réunis quantité d'oiseaux qui lui ressemblaient, mais qui, plus petits, n'avaient plus sa belle forme. Tous avaient les yeux attachés sur lui et paraissaient admirer ses manières..... Ce curieux animal n'était autre que la *gélinotte du Canada* ou le mâle de la poule à fraise. Je me fis un reproche de le tuer, et cependant comment ne pas ranger dans ma collection un aussi étrange volatile ?...

Pendant que je vous entretiens d'oiseaux, je vais de suite vous raconter une autre surprise qui m'advint dans une autre forêt vierge, en Australie, le continent du grand océan Equinoxial.

Figurez-vous que je trouvai dans une de ces sombres forêts des oiseaux qui ne se construisent pas des nids, mais de vrais salons... Vous riez? je le conçois, mais vous allez juger de la vérité de mon récit. On nomme ces oiseaux *oiseaux à berceau*. Leurs salons consistent en une sorte de plate-forme solidement convexe et composée de branches légèrement entrelacées. Au centre s'élève un pavillon construit de rameaux minces et flexibles, reliés à la base, disposés en courbes rapprochées et se rejoignant au sommet, comme un faîtage. Ce pavillon forme une voûte régulière, et les ogives que produit leur assemblage à l'extérieur, figure de véritables ornements. L'entrée de cette singulière pièce est tapissée de divers objets de couleurs brillantes où domine le bleu, pour lequel le *bower-bird* ou oiseau à berceau paraît avoir une vive prédilection. Tantôt ces objets sont des plumes de perroquet, habilement assorties et tressées sur les parois de la petite habitation, tantôt de menus coquillages ou bien des cailloux ronds et polis disposés symétriquement. Les bowers-birds se réunissent dans leur salon et s'y livrent à des jeux très animés, à des exercices joyeux et presque à des conversations bruyantes. Un jour, le hasard me fit rencontrer un nid d'oiseau à berceau, à moitié démoli sans doute par quelque indigène qu'avait tenté un des cailloux brillants incrustés dans la paroi de ce palais féerique. Aussitôt je me cachai derrière un buisson et je ne tardai pas à voir une troupe de ces très jolis oiseaux, assez semblables à des périques, accourir de dessus tous les arbres de la forêt, où sans doute ils s'étaient réfugiés pendant qu'on spoliait leur demeure. Ils se mirent incontinent à l'œuvre pour réparer le dégât. La bande ne se composait que de femelles, et il fallait les voir à l'œuvre, piaillant, voletant, cherchant partout des matériaux, se servant de leurs pattes et de leurs becs avec une adresse qui tenait du prodige. Ces oiseaux étaient au nombre de trente à quarante environ, et il leur suffit de deux heures pour rendre à leur berceau sa première physionomie. La besogne terminée, les uns ramassèrent avec leurs becs les petits morceaux de pierre et de bois qui jonchaient la plate-forme ; après quoi, toutes les ouvrières reprirent leur vol et s'éparpillèrent dans le bois en jetant un cri particulier. Dix minutes ensuite, chacune d'elles revenait accompagnée d'un mâle. Le joli couple portait dans son bec et dans ses pattes des provisions de graines et d'insectes qu'on déposa en commun, au milieu du salon. Alors commença une sorte de fête que moi, d'après les cris joyeux des oiseaux et la façon dont ils s'évertuaient à sauter et à trépigner, je ne pouvais mieux comparer qu'à un bal... Par malheur, l'un de mes gens se baissa pour voir plus facilement et ne prit point garde à une sentinelle placée sur le figuier géant, au pied duquel s'élevait le berceau. Cette sentinelle donna l'alarme en jetant un cri aigu. Aussitôt la troupe joyeuse s'envola, s'éparpilla et disparut dans les profondeurs de la forêt. J'eus beau attendre jusqu'à la nuit et même revenir le lendemain, je ne pus désormais voir les oiseaux à berceau se livrer à leurs délassements.

N'est-ce pas charmant, cela, mes amis ? Aussi, que j'ai bien raison de conclure que Dieu est un grand maître !

Encore une curiosité animale dans une forêt vierge de l'Afrique.

Le *kokoon* est un des plus étonnants quadrupèdes que l'on puisse voir. Il a les jambes fines du cerf, la taille de l'âne, l'encolure, la croupe, la crinière et la queue d'un petit cheval, avec un cercle de poils autour d'un large mufle. En somme, il a une apparence terrible. Lorsqu'il est excité par la vue d'un objet suspect, ou effrayé par un bruit inaccoutumé, le kokoon paraît plus féroce et plus sauvage encore que de coutume. Souvent même il s'approche d'un air de défiance, comme s'il était résolu de combattre avec le chasseur; mais il décampe, dès que l'on montre contre lui la moindre hostilité. Quand les kokoons se trouvent en troupeaux et qu'ils sont poursuivis, ils mettent leur tête, qu'un nez aquilin termine, entre leurs genoux, et fouettant de leur queue noire, ils s'élancent en longues files dans un galop furieux; puis, se retournant d'une façon singulière à une distance d'environ deux à trois cents mètres, ils vont bravement au-devant du danger. Mais ils s'arrêtent ensuite, brusquement, et, présentant un rempart impénétrable de cornes, ils s'élancent furieux contre l'objet qui excite leur colère. Sont-ils en train de paître? ils ont alors une apparence extrêmement grossière et lourde, qui les fait souvent prendre, même à une petite distance, pour des buffles sauvages. Ils sont plus enjoués cependant. Tout d'un coup ils veulent comme grimper sur une hauteur qui n'existe pas, puis ils décampent à travers la plaine, sans avoir de but apparent, tout en faisant des soubresauts grotesques et des courbettes avec leur tête proéminente, qu'ils tiennent entre leurs jambes de devant.

Le kokoon, qui s'appelle aussi gnu, paraît avoir été connu des anciens, qui le nommaient *catoblepas*. Pline dit que c'est un animal tenant toujours sa tête penchée vers la terre, afin de ne pas détruire la race humaine, car tous ceux qui voient ses yeux expirent aussitôt.

Pline s'est trompé. J'ai vu quelques kokoons, j'ai été vu par eux, ils m'ont fort mal accueilli dans le pays des Bachuanas, au sud de l'Afrique, j'ai dû en tuer plusieurs pour forcer les autres à reculer, et malgré leurs regards furibonds et leurs nombreux coups de cornes, je vis encore.....

A cette heure, une aventure dans les forêts vierges du nord de l'Amérique septentrionale.

Une nuit d'automne, j'étais campé avec mes gens dans une clairière de forêt formant un vallon très en pente, arrosé par un cours d'eau, et faisant face à une savane solitaire de la plus imposante beauté, non loin de la Rivière-Rouge. La lune se levait au-dessus des collines de l'est, quand nous nous couchâmes tous dans nos chariots, en laissant à nos chiens la garde du camp. Il y avait trois heures peut-être que nous dormions du meilleur sommeil, très fatigués que nous étions d'une chasse de deux jours, lorsque les chiens, dont j'avais cru entendre de sourdes plaintes alors que je dormais, poussèrent de tels hurlements que je me réveillai enfin et sortis en hâte de ma tente. Quel ne fut pas mon effroi en voyant que le ruisseau avait débordé et s'était répandu sur tout le vallon, qu'il avait converti en lac, de telle sorte que nos chariots, semblables à des chaloupes abandonnées aux caprices des flots, se trouvaient entourés d'eau à une certaine hauteur déjà et fort loin du terrain sec encore. Je donnai aussitôt le signal d'alarme, et tout chacun, comprenant qu'il y allait de la vie, s'empressa de mettre la main à l'œuvre pour nous arracher aux progrès de l'inondation. Enfin, grâce à de longues cordes amarrées à nos équipages, nos attelages qui paissaient dans la prairie purent nous arracher au danger toujours croissant. Une fois hommes, bêtes et bagages en sûreté, je me mis en quête pour trouver la cause d'une pareille crue d'eau. Jugez si je fus surpris quand, arrivé à l'extrémité la plus basse du vallon que traversait le ruisseau, je vis qu'une digue avait été établie de manière à retenir les eaux, et que le courant était barré juste à l'endroit où le vallon, resserré entre deux collines, ne laissait qu'un étroit passage!...

Quels étaient les auteurs de cette digue si promptement exécutée? Etions-nous dans le voisinage d'une horde de sauvages?

Point. C'étaient des *castors* qui avaient fait tout ce travail dans le but de se créer un lac où ils pussent demeurer paisiblement. Leur travail présentait une construction telle que c'était à y reconnaître la main de l'homme. Un grand arbre coupé avec les dents des castors, à sa base, et en quelques heures, avait été abattu en travers du ruisseau, et des branches avaient été ensuite séparées du tronc, afin qu'il posât également partout. De longs pieux étaient appuyés contre cet arbre, formant une sorte de palissade derrière laquelle étaient empilées des couches de pierres, de branches et de vase, véritable muraille de plusieurs pieds d'épaisseur et de hauteur.

Une telle œuvre accomplie en aussi peu de temps, car la veille il n'y avait rien sur ce point, que j'avais comparé à un défilé, là était le prodige!

Comme j'étais caché pour observer, je vis les castors réunis en très grand nombre et continuant leurs travaux : ils édifiaient alors leurs maisons dans le lac qu'ils s'étaient fait et qui devait désormais rester à la même hauteur, car le trop plein de ses eaux formait une cascade en passant par-dessus la digue. Mes travailleurs, fort semblables à des rats gigantesques, à part que leurs pattes de devant sont des espèces de mains, dont les doigts sont bien séparés, leurs pieds de derrière disposés comme de larges pattes d'oie pour les aider à nager, et la queue à forme elliptique, à peau écailleuse, épaisse d'un pouce, large de quatre, longue de huit à dix, faisant l'office de marteau ou de truelle de maçon selon les circonstances; mes travailleurs, dis-je, étaient couchés, les uns sur la nouvelle construction, qu'ils enduisaient de terre glaise à l'aide de leur queue, que je puis comparer à une raquette, les autres rongeaient les branches qui sortaient de l'eau avec leurs dents incisives, deux en haut, deux en bas, toutes les quatre larges et tranchantes comme des rasoirs, formant saillie, même lorsque leur bouche était fermée.

Je vous assure que le spectacle offert par ces intéressants animaux était fort curieux et des plus comiques. Je restais immobile, admirant la scène, quand j'avisai l'un d'eux, placé quelque peu à l'écart, au-dessus du lac, qui veillait pour les autres et faisait sentinelle. Ceci me rendit plus attentif et plus vigilant encore à ne pas trahir ma présence.

J'ai dit que beaucoup de ces castors construisaient leurs maisons dans ce lac. En effet, ceux-ci parcouraient les bords de la rivière et y coupaient de moindres arbres, ou gros comme la jambe, ou minces comme le bras. Ils les dépeçaient et les sciaient à une certaine hauteur pour en faire des pieux et les poussaient à l'eau, où leurs camarades les recevaient. Ceux-là les plantaient debout, dans l'eau et la vase, et en composaient des huttes à un, deux ou trois étages, presque toutes ovales ou rondes, et dans lesquelles ils pratiquaient deux issues opposées, la première pour aller à terre, la seconde du côté du lac. Ces petits édifices, dont la voûte s'arrondissait en forme de coupole, étaient maçonnés par d'autres de ces amphibies avec du sable, des pierres et de la terre glaise, et, en outre, enduits en-dedans et en-dehors d'une sorte de stuc qui rendait l'œuvre impénétrable à la pluie. Ils formèrent ainsi bientôt une bourgade de vingt-cinq cabanes. Chaque cabane devait être habitée par une famille. Les plus grandes semblaient pouvoir contenir dix-huit, vingt, et même trente castors, mâles et femelles, une tribu entière. Les huttes moindres n'étaient destinées qu'à six ou huit des rongeurs, père, mère et enfants. Près des habitations, il en était encore qui établissaient sous l'eau des magasins où devaient être recueillis les vivres et les provisions pour l'hiver, racines aquatiques, écorces d'arbres, branches tendres, mets dont le castor est très friand...

Au moment où j'admirais l'organisation, la fraternité, les mœurs douces de cette charmante petite république, le castor placé en sentinelle sauta dans le lac et frappa vigoureusement l'eau par trois fois de sa lourde queue. Je compris que c'était un signal. Avais-je donc été découvert?... La bande des travailleurs se jeta dans l'eau la tête la première et disparut, après que chacun eut donné un coup de queue. Alors que je cherchais la cause de cette fuite soudaine qui changeait en solitude cet atelier d'ardents ouvriers, je découvris sur la rive un animal de forme extraordinaire, quelque peu semblable au castor, mais aux jambes plus courtes, car il rampait plutôt qu'il ne marchait. Je reconnus le wolverenne, un carnivore, ennemi redouté du castor. Trompé dans son espoir de bonne chère, le wolverenne tourna le dos et s'enfonça dans la forêt, non sans tourner parfois la tête avec regret. Mais c'était une ruse de la part de ce dernier. A peine, après une demi-heure de calme, les castors étaient-ils revenus à leurs occupations, que le traître wolverenne se glissa furtivement le long de la digue, avança la tête au-dessus du barrage, vit ses victimes occupées, et se traînant à plat-ventre, se prépara à s'élancer. Un pauvre vieux castor allait être sa proie... Je ne le permis pas, et visant le wolverenne, je lui fracassai la tête... Quand je m'approchai pour le voir de plus près, l'odeur fétide qu'exhalait son cadavre me contraignit à m'éloigner. Toutefois, avant d'expirer, il saisit dans une dernière convulsion une des grosses branches de l'arbre formant l'écluse, et la brisa comme nous faisons une coquille de noix. Il va sans dire que l'explosion de mon coup de fusil fit détaler bien vite tous les amphibies : mais au moins je les avais sauvés...

Cependant, vers le soir, le calme de deux heures durant permit aux castors de se rassurer et de reprendre la suite de leur établissement. Alors plusieurs d'entre eux poussèrent à l'eau des plantes choisies, des herbages délicats et des racines fraîches, dont le lac fut tout couvert. C'était le festin du soir. Chacun en fit provision et l'emporta dans sa nouvelle cabane, où on soupa en famille.

Seulement, avec quelle précaution les castors s'éloignaient du cadavre de l'infect wolverenne !...

Pendant la nuit qui survint, un froid très vif se fit sentir. Aussi, quand le lendemain je voulus aller dire adieu à mes amis les castors, avant de m'éloigner à tout jamais de ces lieux, je fus peu étonné de voir leur lac converti en une épaisse nappe de glace. Elle avait acquis déjà tant d'épaisseur qu'il me fut possible de me promener sur la surface transparente de l'eau cristallisée. Je me convainquis alors que les cabanes des castors étaient si solides qu'elles ne redoutaient pas même le poids d'un homme, car je montai sur plusieurs, comme sur un piédestal, leur toit dominant le niveau de la glace. Je remarquai que la plupart des portes étaient bien au-dessous de la surface de la glace, de sorte que l'entrée demeurait toujours ouverte pour ces habitants des eaux. Bien mieux, quand je piétinai sur la voûte de ces huttes, je pus apercevoir, à travers le miroir transparent, les pauvres castors effrayés qui s'enfuyaient dans l'eau. Enfin, comme je ne les voyais pas revenir, leur terreur passée, je cherchai quel pouvait être leur refuge, et je trouvai sur l'un des côtés du lac une digue nouvelle s'élevant de beaucoup au-dehors de l'eau. Là, les intelligents animaux avaient creusé des trous disposés de telle sorte que l'eau ne pouvait y geler. Les castors étaient-ils dérangés par une cause quelconque, ils quittaient en toute hâte leurs demeures et se réfugiaient dans ces trous d'où, par moments, il leur était facile de monter à la surface du lac et de respirer à l'aise.

Du reste, je dois ajouter que les maisonnettes des castors sont non-seulement très sûres, mais aussi très propres et très commodes. Le plancher est jonché de verdure; des rameaux de bois et de sapin leur servent de tapis, sur lequel ils ne font ni ne souffrent jamais aucune ordure. Une petite fenêtre est en outre pratiquée sur un des côtés de la hutte et leur sert de balcon pour se tenir au frais et prendre le bain pendant la plus grande partie du jour. Ils s'y tiennent debout, la tête et les parties antérieures du corps élevées, et toutes les parties postérieures plongées dans l'eau. C'est dans cette position qu'ils mangent.

Enfin, disons aussi que deux êtres assortis et réunis par un goût, par un choix réciproques, passent ensemble leur vie en une douce union et composent ainsi un ménage. Les deux époux se retirent dans leur cabane dès l'automne et ne se quittent plus. Si quelque beau soleil vient égayer la triste saison, le couple heureux sort de sa cabane et va se promener sur le bord du lac, y manger de l'écorce fraîche, y respirer les salutaires exhalaisons de la terre. Alors, quand la mère a des enfants, le père, attiré dans les bois par les douceurs du printemps, laisse à ses petits la place qu'il occupe dans l'étroite chambrette de la cabane. Là, la nourrice allaite ses petits, les soigne, et les élève au nombre de deux ou trois. Devenus plus grands, elle les conduit dans ses promenades, leur apprend à se nourrir d'écrevisses, de poissons, de l'écorce nouvelle, etc. Hélas! pourquoi l'homme, cet implacable ennemi de tous les êtres dont la destruction peut tourner au profit de sa cupidité, trouble-t-il si souvent d'une manière bien cruelle l'innocence de ce bonheur domestique!...

Suivez-moi maintenant dans la Guyane française, non loin de Cayenne, au milieu d'une forêt vierge dont l'on aspire avec délices les âcres et délicieux parfums des plantes tropicales qu'elle voit naître et mourir. Le soleil disparaît à l'horizon, alors que je reviens de la parcourir et de l'étudier. Sous l'influence des derniers rayons de l'astre du jour, la dégradation des teintes imprime aux objets des reflets changeants qui s'assombrissent rapidement, comme toujours, sous la ligne de l'équateur. La brise du soir se lève et commence à agiter avec de mystérieux murmures la cime houleuse des grands arbres. Les rauquements des tigres et des couguars se mêlent déjà aux bramements des élans, aux mugissements des bisons et aux abois saccadés des loups, dont on voit apparaître les sombres silhouettes sur les bords des mares, où ils cherchent une eau fraîche à boire. En voulant les éviter, je m'égare; et comme la nuit devient de plus en plus noire sous le dôme des bois, je ne connais plus la direction que je dois prendre. Une nuit passée dans ces forêts a ses dangers; je me trouve exposé à périr...

Heureusement la Providence n'abandonne jamais ceux qui mettent en elle leur confiance.

Les abîmes des mers ont leurs flambeaux vivants qui en éclairent les ténèbres; il en est de même pour les profondeurs des forêts vierges, véritables océans des terres. Voici que, pendant qu'au fond de mon âme s'éveillent mille inquiétudes, tout-à-coup, tout autour de moi, s'allument des myriades de ces petits êtres auxquels l'entomologie donne les noms les plus variés. Ces innombrables insectes se changent sous mes yeux en étincelles animées qui brillent dans l'obscurité des bois et resplendissent à travers l'épais feuillage des géants de la végétation. Je ne vous dirai ni mon enthousiasme en présence de cette nouvelle magnificence de la nature, ni la facilité avec laquelle je puis trouver alors une issue de la forêt, mais je vous signalerai parmi ces insectes de feu le splendide *fulgor-corruscans*, et le lumineux *porte-lanterne*. Tel est le nom donné à deux hémiptères, de la famille des cicadaires, type de la famille des fulgorelles. Ces insectes, dont je pus prendre plusieurs et que je vais vous montrer, portent en effet sur le devant de la tête un renflement vésiculeux plus long que la moitié du corps, qui s'illumine si fort pendant la nuit, que les lueurs qui s'en échappent permettent au voyageur égaré de retrouver facilement son chemin.

Vous vous extasiez devant les pierres précieuses, mais que diriez-vous donc si elles s'animaient et se mettaient en mouvement? Eh bien! voilà ce qui arrive dans les forêts vierges placées sous la ligne équinoxiale. Les insectes s'y montrent de véritables pierres précieuses vivantes. Ce ne sont pas des saphirs, des émeraudes, des améthystes, des topazes, du lapis-lazzuli, du béryl, de la tourmaline, des turquoises, de l'hyacinthe, des camaïeux ou des rubis, gemmes admirablement œuvrées par les mains des fées et illuminées des feux de l'iris; mais ce sont de charmantes bestioles qui font la surprise du curieux et le mettent en extase. On ne peut rien trouver au monde de plus beau que les formes et les couleurs de ces insectes, comme aussi des mille petits oiseaux, oiseaux-mouches, colibris, etc., périques, etc., cardinaux, etc., qui voltigent dans ces bois, rivaux des coléoptères, dont les élytres font jaillir des reflets magiques.

Depuis le brillant papillon du Pérou, jusqu'au guanaco dont le plumage resplendit des plus belles couleurs; depuis l'oiseau-mouche jusqu'au géant des oiseaux de proie, le condor-chevelu, il n'est pas un de ces oiseaux des forêts équatoriales qui ne soit un chef-d'œuvre de la création, au point de vue de la forme et de la richesse du plumage. Tous à la fois voltigent sur les branches, pépient, craquettent, gloussent, chantent, piaillent, crient, jouent ou se font la guerre : le colibri mignon, les aras bleus, verts, rouges, blancs, jaunes d'or, les perruches à collier, à longs brins, les catacoës, les perroquets bavards, les loris, les psittacules à joues bleues, à têtes grises, à gros becs.

Je ne dirai rien du jaguar qui, accroupi sur un tronc d'arbre couché, regarde souvent fixement le voyageur, dont il se prépare à faire son régal ; ni du cougouar et de l'once noir toujours à l'affût de quelque proie ; ni du terrible chat sauvage, qui se place en embuscade de manière à ne jamais être vu et à fondre inopinément sur sa victime ; ni du chien des bois, dont la dent meurtrière est l'effroi du colon.

Je vous raconterai seulement que, parfois, dans la solitude de ces immenses forêts, alors que tout se tait, même la brise qui glisse légèrement sur le feuillage, on entend tout-à-coup un bruit formidable qui n'a d'égal que le grondement du tonnerre ou le roulement du tambour additionné d'un affreux grincement semblable à celui d'une charrette lourdement chargée qui roule sur le pavé. Ce n'est autre chose qu'un *macaque barbu*, sorte de singe qui se divertit à son lever et commence sa toilette matinale. Reconnaissable à sa très longue barbe, ce macaque, huché sur les premières branches d'un arbre, est là faisant le beau sous les yeux admirateurs d'une demi-douzaine de femelles qui le câlinent, le peignent de leurs longues griffes et l'adonisent à sa plus grande satisfaction, car c'est pour exprimer son bonheur que le beau macaque pousse ces affreux criaillements qui lui font donner le surnom de *hurleur*.

Ces singes sont doués de la malice la plus diabolique qu'il soit possible de se figurer. Ils ont une queue pendante et musculeuse, susceptible de s'enrouler autour des objets, des branches d'arbres notamment, et de les saisir vigoureusement. Elle fait pour eux l'office d'une cinquième main. Parvenus à l'âge adulte, ils sont intraitables. Comme tous les singes, le macaque est essentiellement voleur. Son plaisir est de dévaster les plantations de maïs qui entourent les *fazendas* ou cultures établies sur les clairières des forêts vierges par les colons, ou les fruits et les légumes des *vendas* ou auberges qui forment une première zone en avant des fazendas. Généralement ils cueillent les épis du maïs, nouent les feuilles de manière à les placer facilement sur leurs cous et les portent à leurs familles. Mais, prudents dans leurs incursions, ils se mettent en troupe pour tenter une razzia et envahir les plantations. L'un des plus barbus, c'est-à-dire le plus vieux ou au moins le plus avisé, ouvre la marche, qu'éclairent les plus jeunes placés en vedettes. Un danger menace-t-il ? un cri fort aigu avertit la bande, qui disparaît en un clin d'œil. Il n'est pas d'animal plus habile à déjouer toute ruse du nègre ou du chasseur, et à éventer toute surprise. Toutefois, il arrive que sa méfiance est trompée en certaines occasions. Alors, s'il est pris de telle sorte que la fuite devienne impossible, cette race machiavélique a recours à l'hypocrisie, et s'adressant au cœur de son ennemi, par des gestes moitié bouffons, moitié sérieux, il fait appel à la générosité, et sa pantomime est tellement expressive que l'homme rit et se sent désarmé. J'en ai vu un qui, couché en joue et devinant qu'il y allait pour lui de la mort, imagina de prendre dans ses bras son petit debout à ses côtés. Alors il se mit à supplier son adversaire d'un air si piteux et d'une façon tellement comique, semblant conjurer d'épargner sa vie fort nécessaire à son enfant, que le nègre qui allait le tuer laissa retomber son fusil. Aussitôt le macaque s'éloigna : mais il était à peine hors de danger que, se retournant vers son ennemi, il lui adressa de loin la plus laide et la plus ironique grimace qu'il soit possible d'imaginer.

Vous savez tous que les singes sont placés en tête des animaux vertébrés, dans l'ordre des quadrumanes, où ils forment une grande famille. Ces mammifères éveillent la curiosité du naturaliste et du philosophe par leur remarquable intelligence, par la facilité avec laquelle ils peuvent contrefaire les actions humaines, et par leur analogie de conformation avec l'homme, soit au-dedans, soit au-dehors. Le caractère le plus saillant dans l'organisation du singe, c'est la conformation de ses extrémités, munies, aux pieds comme aux mains, de doigts profondément divisés, à ongles plats, et opposables à un long pouce qui en est séparé. Ce sont là tout à la fois des organes du toucher, de la préhension et de la locomotion. Ces quadruples mains ne sont pourtant pas encore les seuls instruments de préhension dont disposent les singes. Comme nous l'avons dit tout-à-l'heure des macaques, le plus grand nombre des singes du Nouveau-Monde porte une queue très longue et fort musculeuse qui peut saisir, s'enrouler, et qui suffit seule, dans quelques cas, pour assurer la station. Leurs membres sont toujours grêles et longs; dans quelques genres, les bras touchent même la terre. Leur corps svelte, recouvert d'un poil assez serré, est doué d'une grande énergie musculaire. Leur crâne arrondi, le peu de proéminence du museau, leur donnent une malheureuse ressemblance avec l'homme. A voir surtout l'*orang-outang* noir avec sa figure olivâtre qu'encadrent d'épais favoris, son corps bien conformé, sans queue, haut de plus de cinq pieds, presque dépourvu de fourrure, on dirait un être humain échappé de notre civilisation. Les dents des singes ont la plus grande similitude avec les nôtres, quoique leurs canines soient plus longues : néanmoins leur régime est essentiellement frugivore. Ils vivent généralement par troupes et voyagent sous la conduite d'un chef. D'un naturel très défiant, s'ils s'avancent dans les lieux cultivés, ce n'est qu'après avoir posé des sentinelles avancées. Ce n'est que la gloutonnerie qui leur fait commettre des dégâts. Les femelles allaitent leurs petits en les tenant entre leurs bras : elles leur prodiguent les démonstrations les plus tendres de l'amour maternel et les défendent jusqu'à la mort contre les attaques de leurs ennemis. Quoi de plus touchant que le récit de la mort de cette pauvre femelle, qui, blessée par les chasseurs et sentant qu'elle va succomber, recueille ses forces défaillantes pour lancer sur un arbre voisin, et dérober ainsi à ses ennemis, le précieux fardeau qu'elle portait, expirant aussitôt après, épuisée par ce dernier effort !

A l'état de domesticité, ces quadrumanes, bien qu'ils se montrent généralement gourmands, voleurs et irascibles, nous égaient par leur pétulance et leur adresse. Ils ont en effet le caractère gai. Il est curieux de les voir agacer de leurs plaisanteries leurs compagnons de captivité, apprivoisés comme eux, singes, aras, cacatoës et perroquets. Ces pauvres bêtes, surtout les derniers, dont l'attitude est généralement morose, ne répondent à ces espiègleries que par des battements d'ailes et des cris d'effroi. Heureusement, en Amérique du moins, ces oiseaux trouvent des vengeurs dans la personne des négrillons. Ceux-ci, sous le beau semblant d'éduquer les singes, profitent de toutes les occasions pour tourmenter les macaques ou les ouistitis. Il n'est sorte de niches qu'ils ne leur fassent. Mais le singe sachant parfaitement qu'il a affaire à de mauvais écoliers et nullement à des maîtres, d'abord montre les dents, puis à bout de patience, s'élance contre le turbulent négrillon. Hélas ! retenu par sa chaîne, il retombe sur ses pattes sans atteindre son ennemi, qui se tient à distance. Mais malheur au négrillon si, dans l'impétuosité de l'élan du singe, la chaîne se brise : il le pince, lui déchire la peau et le mord d'importance. Chose étrange ! et qui impressionne le nègre, autant le singe fustige le négrillon quand il le peut, autant il a d'égards pour l'enfant blanc, dans lequel il reconnaît plus volontiers une autorité.

Dans notre Europe, à Paris, nous avons vu des singes qui étaient dressés à rincer des verres, à tourner la broche devant le foyer des cuisines, et à servir à table. Un orang roux, amené en France, rendait à bord du bâtiment les services d'un domestique. Il nettoyait les habits des officiers, apportait de l'eau, débouchait les bouteilles, pilait dans un mortier. La nuit venue, il se couchait sur un lit à son usage, se couvrait la tête d'un bonnet de coton, se faisait un oreiller, s'enveloppait parfaitement de sa couverture, et disparaissait tout-à-fait sous ses plis quand il était ennuyé par les visites qu'on lui rendait. Un jour, il fut égratigné par un chat, avec lequel il aimait à jouer. Alors il s'empara de l'animal, le saisit fortement, et examina scrupuleusement le dessous des pattes du quadrupède. Quand il eut trouvé les griffes, il se mettait en devoir de les arracher et eût terminé l'opération si l'on n'était venu au secours de l'infortuné patient.

Le genre le plus joli dans la famille des singes, et celui que l'on trouve le plus souvent dans les forêts vierges, c'est le *ouistiti*. Le ouistiti est de la plus belle espèce, de fort petite taille, d'une douceur extrême et d'une grande intelligence. Il se distingue par des griffes aiguës qui lui servent à grimper, comme les écureuils, et suppléent ainsi à leur queue, qui n'est jamais prenante. Aussi, le ouistiti, surtout le ouistiti à pinceau, étant le plus commun dans le Mato-Virgem, j'en ai vu beaucoup qui faisaient l'ornement et les délices des varandas, c'est-à-dire du salon d'entrée des habitations du Brésil. Les senhoras les affectionnaient d'une façon toute particulière; elles leur apportaient les friandises du dessert ; et quelquefois il arrivait que le ouistiti, oublié, venait lui-même réclamer ses chatteries, quand il pouvait quitter sa chaîne.

Une fois, un nègre vint me faire présent d'un ouistiti à pinceau qu'il avait trouvé à l'entrée d'une forêt. Il était fort petit, et je m'imaginai voir en lui une espèce particulière, car, gros comme le poing seulement, ce petit animal avait au cou une sorte de bourrelet qui en faisait le tour. Mais en examinant ce prétendu bourrelet, voilà que je découvre que c'était un autre petit ouistiti de la grosseur du doigt qui, de ses membres minuscules, se cramponnait de toutes ses forces au cou de sa mère...

Mais je vais vous parler d'autres singes, et, pour ce faire, repasser avec vous l'océan Atlantique, mes enfants, et débarquer sur les côtes occidentales de l'Afrique, où nous avons aussi des forêts vierges à visiter, à étudier et à connaître.

Dans cette partie du monde, nombre de forêts vierges se composent de palmiers aux troncs élancés, aux branches flexibles chargées de feuilles vertes, dans lesquels le vent soupire avec douceur en apportant des chants d'oiseaux. Ces palmiers, appelés *mava* par les indigènes, et *elaïs guineensis* par les savants, ressemblent assez au cocotier. D'une médiocre grosseur, il s'élance à une grande hauteur et se couronne de feuilles semblables à d'immenses plumes d'autruche, qui retombent gracieusement en forme de parasol. Ces feuilles sont longues de cinq mètres, et le fruit de ce palmier est une noix de la grosseur d'un œuf de pigeon. Aussi l'élaïs est-il un arbre admirable à voir avec ses longues feuilles et ses longs régimes de fruits disposés en chapelets d'or. Aussi loin que la vue peut s'étendre, on n'aperçoit que des colonnes élancées, si droites et si régulières qu'on les croirait le résultat du travail de l'homme. Des merveilleux chapiteaux de ces colonnes sont suspendues et se balancent les girandoles de ces fruits, à faire croire à un temple décoré de lustres d'or. Pourtant, çà et là, des arbres d'espèce différente, arbres magnifiques, soit isolés, soit en bouquet, se mélangent avec les palmiers. On trouve aussi des arbres dont le tronc n'a pas une branche, pas une brindille, mais se couronne simplement d'une énorme touffe de longues fueilles charnues, droites et raides comme des lances de sabre : c'est l'étonnant *yucca*. Enfin, on rencontre en mille endroits le dragonnier, un arbre aussi étrange que l'yucca, et puis le merveilleux *baobab*, lalo, ou arbre à pain de singe, dont je vous ai déjà parlé. A voir ce géant des forêts, à une certaine distance on le prendrait pour un bois taillis : ses feuilles sont grandes, oblongues, digitées, d'un vert brillant, et de chaque côté pend à l'extrémité d'un pédoncule une large fleur blanche, d'une élégance parfaite. Mais, vu de près, ce bois taillis forme un seul arbre, arbre gigantesque s'il en fut. Pour pénétrer sous ses branches, il faut se baisser, et on se trouve alors comme dans un immense salon de verdure, dont le tronc, d'un gris brun, présente des nœuds, des crevasses profondes, des rides courant dans tous les sens, et parfois d'une circonférence de trente à quarante pieds. De ses branches pendent des gourdes allongées, qui se balancent sous le feuillage. Le bois de ce tronc est si tendre qu'il est facile de creuser une cabane dans cet énorme bloc et d'en faire une retraite en cas de surprise.

Ce fut ce qui m'advint. J'avais avec moi deux jeunes officiers, et, après une longue exploration dans l'une de ces forêts africaines, il nous sembla bon d'allumer du feu près du tronc, en face de la porte d'une chambrette taillée ainsi dans le vif d'un baobab, d'y souper de nos provisions et d'y passer la nuit. Nuit terrible, hélas! Nous étions à peine assoupis que nous fûmes réveillés en sursaut par un bruit furieux, mais lointain, que nous attribuâmes à des lions en chasse, à des tigres ou à des léopards. Le vacarme était tel, que nous rendormir devint impossible. Pour tuer le temps, nous causâmes.

— Qui sait? dit un des officiers, ce sont peut-être des *gorilles* qui nous régalent d'un concert...

— Laissez les gorilles, et ne nous inquiétez pas avec ces horribles singes... dis-je à mon tour. Le gorille, le géant des singes, est plus grand et plus fort que l'homme : il a une tête effrayante de laideur, il est toujours armé d'un bâton noueux, sa présence serait un grave danger : grâces à Dieu! ce n'est pas dans ces forêts qu'il se trouve...

— Ce que vous dites là me rappelle une histoire toute fraîche que l'on m'a racontée, en passant au Gabon, l'autre jour, reprit l'autre officier; elle est assez plaisante pour que vous l'écoutiez.

Il y a quelques mois, un nègre enrôlé au service de la France et faisant partie de l'escadron de spahis indigènes, traversait tranquillement une forêt, quand tout-à-coup il se sent saisi violemment par deux mains gigantesques, et entraîné, ou plutôt hissé sur le sommet d'un arbre élevé. L'enlèvement s'était fait avec tant de promptitude, que le pauvre noir n'avait point su d'abord voir à quelle espèce de ravisseurs il avait affaire. On peut juger de son épouvante quand il se trouva entre deux énormes gorilles qui semblaient beaucoup s'amuser de son émotion et de cette pâleur si bizarre qui blanchit parfois le visage des nègres et leur donne un caractère si plaisant et si terrible à la fois. Tandis que l'un des gorilles maintenait le prisonnier, l'autre s'éloigna, alla cueillir des bananes et les présenta au nègre, qui, vous le pensez bien, ne se sentait guère en appétit. Sur le refus du pauvre hère, le quadrumane enfonça les bananes dans la bouche du spahis et y mit une telle violence que le visage pâle du noir, qui suffoquait, devint tout-à-coup d'un pourpre foncé. Les gorilles lâchèrent alors le malheureux, le jetèrent en bas de l'arbre et disparurent. Cependant le commandant s'inquiétait de la non-présence du spahis : on fit des recherches dans la forêt, on visita avec soin la route qu'il avait dû suivre, et on finit par trouver le malheureux soldat évanoui au pied d'un arbre. On le rapporta sur un brancard improvisé avec des branchages, et ce fut seulement après plusieurs heures et quand on l'eut installé à l'hôpital, qu'il reprit connaissance. On ne connut néanmoins son aventure que huit à dix jours après, car la peur et peut-être les effets de sa chute l'avaient rendu muet. A la fin, il recouvra la parole, et il raconta l'étrange guet-apens dont il avait été victime, guet-apens dont n'attestaient que trop la réalité les empreintes des doigts des gorilles, imprimées sur ses poignets et sur ses bras en meurtrissures caractéristiques.

— Je conçois cette terreur du spahis, repris-je à mon tour, car le nègre est plein de couardise; tout lui fait peur. En voici la preuve :

Sur les pentes abruptes et sur les crêtes des montagnes primitives du Darfour, on remarque de singuliers arbres dont la silhouette lourde et massive tranche nettement sur tout ce qui l'environne, rochers, ciel ou végétaux. Quelquefois, pendant la saison qui précède les pluies torrentielles des tropiques, la teinte vert foncé de ces arbres se dessine sur une végétation à demi morte. L'œil chercherait en vain un jour, une éclaircie, la moindre fissure à travers cette masse impénétrable à la vue comme aux rayons du soleil, et, quand on s'en approche, le regard, en plongeant entre ses branches, pénètre dans une teinte obscure qui croît à mesure qu'elle s'avance vers le centre. Ces arbres sont des *euphorbes* d'une grandeur extraordinaire; ils semblent chercher à insérer leurs racines entre les rochers décharnés et en relief que présentent les sommités et les flancs des montagnes. Par leur position élevée, autant que par l'ombrage frais qu'entretiennent leurs rameaux toujours verts, ils forment des belvédères naturels où les nègres viennent passer leurs loisirs. Cependant ce n'est qu'avec crainte et réserve qu'ils en profitent, car ils attribuent à l'ombre de cet arbre une influence dangereuse, et ils ont soin, pour s'en préserver, d'établir sous l'ombre de ceux qu'ils fréquentent une toiture horizontale en chaume supportée par des pieux élevés.

Aussi, une fois que je dessinais un paysage de cette contrée, je priai un des nègres qui étaient autour de moi d'aller s'asseoir près du pied d'un grand euphorbe que je lui désignais et qui devait figurer dans mon esquisse. Le nègre hésita d'abord, puis enfin il se décida à s'y rendre, non sans lever les yeux à plusieurs reprises vers les branches de cet arbre, qui était certainement aussi volumineux que le boabab. Lorsque j'eus terminé mon travail, je me mis à gravir sur les rochers pour rompre un rameau de l'euphorbe que je voulais emporter et conserver. Mais le nègre, en me voyant approcher, s'enfuit avec terreur hors de son ombrage, en faisant des signes, en gesticulant et en prononçant avec volubilité des mots d'un idiome que je ne pouvais comprendre. Toutefois, l'expression de ses signes et quelques mots arabes que l'un des autres nègres prononça : *In te a kouse maat!* Toi tu veux mourir! me firent comprendre qu'en touchant à cet arbre je m'exposais à la mort. Mais l'impulsion était donnée, le rameau venait de se rompre, et soudain un suc laiteux, très abondant, ruisselait sur mes vêtements et pénétrait même sur mon corps.

Alors les figures et les gestes de ces pauvres nègres exprimèrent à divers degrés la terreur et la pitié. Ils me firent comprendre que si le suc blanc atteignait une des écorchures qu'un voyageur toujours en action a souvent sur le corps, je mourrais incontinent...

Du reste, il paraît que c'est avec ce suc qu'ils empoisonnent leurs armes, afin de rendre ces blessures mortelles. Néanmoins vous conviendrez que les nègres sont généralement des poltrons...

— Oui, j'accorde, fit le premier officier qui avait parlé, et je reconnais la peur trop facile du nègre en général. J'ai même causé avec plusieurs noirs qui habitent les régions fréquentées par les gorilles, et quand je voulus parler avec eux de ces colosses de la famille des singes, ils se montrèrent tous si terrifiés que je ne pus en obtenir aucune parole, tant ils redoutent cet animal. Deux ou trois, tout au plus, répondirent à mes questions, et ce fut pour me dire de ces gorilles des choses extraordinaires, qui font dresser les cheveux sur la tête... Néanmoins, je crois le gorille un... terrible animal.

Ainsi, par exemple, un soir de chasse, dans les montagnes de la Lune, alors que nous nous reposions sous un immense baobab, je vis dans l'ombre passer de ces gorilles, à distance heureusement, et ils me semblèrent si grands, si robustes, si horriblement laids, que j'ai mieux aimé ne pas leur lancer une balle que de... les appeler dans notre voisinage, par le bruit de l'explosion et la vue d'un de leurs morts...

— Eh mais, dit à voix basse un autre de mes compagnons, voici que, moi aussi, je vois passer là-bas, regardez donc, de grands fantômes qui... m'ont tout l'air d'être soit des mandrilles, soit des gorilles.....

Le mandrille, qu'il ne faut pas confondre avec le *drill*, à raison de sa face entièrement noire, tandis qu'il a la face bleu, avec un nez rouge et une barbe jaune, le mandrille, excessivement laid, est presque l'égal du gorille par la force et la violence.

Quant au *papion*, plus petit et plus sociable, car nous en avons vu tout un hiver un spécimen de la race danser sur un cheval du cirque Napoléon, à Paris, et faire les délices des amateurs par ses allures et son adresse d'écuyer, ce ne peut être des individus de son espèce que nous entrevoyions. C'était le sphinx des anciens.

Ce ne sont pas non plus des *babouins*, comme tous les précédents, du genre *cynocéphale*, car ils sont reconnaissables à leur face couleur de chair, à leur dessus de corps jaune verdâtre et au dessous du ventre jaune plus pâle. Ils sont fort méchants et très dissolus, mais de moindre taille que les drôles qui nous occupent.....

— Attention, Messieurs !... dis-je à mon tour... mandrilles ou gorilles, voici des ennemis qui nous viennent... Ce sont eux qui faisaient ce tapage tout-à-l'heure : le bruit de nos voix les aura attirés, et en curieux qu'ils sont, les drôles commencent à... rôder autour de nous... Attention, arme au bras, et feu, au besoin...

En effet, mes amis, ce n'était pas deux ou trois, six ou huit de ces affreux gorilles qui s'approchaient cauteleux et prudents, mais une armée entière. Quelque direction que prissent nos regards, nous les voyions, leur face horrible enluminée des flammes de notre petit foyer, qui venaient par dix, par vingt, par cent...

C'était une horrible position que la nôtre. Evidemment ils allaient nous attaquer, et combattre avec eux, en aussi petit nombre que nous étions, devenait fort dangereux.

Tout-à-coup, ces épouvantables bêtes poussèrent des cris sinistres à glacer l'âme du plus déterminé ; et, en même temps qu'ils hurlaient à faire retentir les forêts dans toute sa profondeur, ils nous resserraient de plus en plus dans le cercle qu'ils formaient, avec l'intention bien positive de nous effrayer et de se préparer à un assaut.

Alors l'un d'eux, le plus colossal de la bande innombrable de ces colosses, vint droit à moi, qui lui parus sans doute le plus important du groupe, et il remuait les mâchoires d'une façon tellement effrayante que, me croyant déjà sous l'étreinte de ses formidables bras velus, et pour m'en débarrasser, je le visai à la poitrine et fis feu. L'énorme quadrumane tomba, et roulant à terre, se débattit avec une fureur inexprimable. Mais la mort fut plus forte que lui.

La détonation et la vue du cadavre de leur camarade, de leur chef peut-être, détermina chez les assaillants un paroxysme de rage. Ils se regardèrent, comme pour se faire signe d'avancer tous à la fois, et déjà ils se précipitaient sur nous, lorsque nous fûmes débarrassés de ces farouches ennemis de la façon la plus comique et la plus inespérée.

Un animal de la forêt, appelé lui aussi par le tapage inouï que faisaient les gorilles, parut tout-à-coup à l'angle de la clairière. Il ne nous offrit d'abord qu'une forme vague : mais les singes n'eurent pas besoin d'étudier longtemps son signalement.

Si jamais déroute de gorilles, mandrilles, babouins, macaques, singes de toute espèce, mérite d'être vue, ce fut celle de nos redoutables ennemis... Deux minutes suffirent pour les faire entièrement disparaître : on aurait pu croire qu'ils s'étaient envolés dans les airs ou qu'ils s'étaient enfouis sous la terre; plus un seul n'était en vue...

C'était un lion, un lion magnifique, qui venait de nous rendre ce service.

Il fut décidé qu'on allait lui offrir en hommage de gratitude le cadavre du gorille défunt : mais, après réflexion, et de crainte d'une nouvelle surprise de la part des gorilles, on se résolut à immoler le roi des animaux qui venait de nous sauver. Au moins, à l'aide de sa peau nous pourrions jouer le rôle de lion, au besoin, et chasser de nouveau les terribles hôtes de ces bois.

Ce fut un acte d'ingratitude, mais il était nécessaire.

Le lion tomba sous une balle mortelle, et sa peau devint notre palladium. Malheureusement pour la bête, le talisman qu'il nous donnait fut inutile : messieurs les gorilles ne revinrent plus.

A ce propos, je tiens à vous parler plus amplement de ces dangereux animaux.

Jusqu'à présent, on a représenté ce gigantesque quadrumane du Gabon, où il se tient de préférence, comme un monstre intraitable et dont rien ne peut tempérer la férocité. M. Duchaillu, un voyageur qui a spécialement étudié le gorille, le dépeint comme insensible aux bons soins et se laissant mourir de faim, plutôt que de subir la domesticité la plus douce.

« Un jour, nous raconte-t-il dans un livre plein d'intérêt, un jour, je tuai une femelle de gorille qui tenait un petit dans ses bras. Pendant que sa pauvre mère gisait morte au milieu d'une mare de sang, celui-ci se sauva dans les bois. Nous résolûmes de nous cacher pour guetter son retour. Ce ne fut pas long. Il reparut, sauta sur sa mère et se mit à la téter et à la caresser. Nous nous élançâmes alors, Etio, Gambo et moi. Quoique évidemment le petit animal n'eût pas encore deux ans, il se débattit avec force et nous échappa encore. Mais nous lui donnâmes la chasse, et, peu de minutes après, nous l'avions attaché, non sans qu'un de mes hommes eût été mordu fortement au bras par cet enragé petit démon.

» C'était une femelle. Nous la ramenâmes vers la mère, en ayant bien soin de la maintenir avec des cordes solides attachées à des piquets. Elle se précipita sur le corps et enfouit sa tête dans le sein maternel. C'était touchant. On eût dit qu'elle éprouvait une véritable douleur.

» La petite gorille, malheureusement, ne vécut que dix jours après avoir été prise. Elle refusait obstinément tout aliment, et même toute autre chose que les noix et les fruits, dont ces animaux se nourrissent dans leurs forêts. Elle n'était pas aussi féroce qu'un mâle dont je m'étais emparé autrefois, mais elle se montrait tout aussi sournoise. S'approchait-on d'elle? c'étaient les mêmes démonstrations menaçantes. Ses yeux, quoique plus doux, avaient le même regard faux et traître. Comme mon intraitable premier captif, elle attachait ce regard sur le mien quand elle méditait quelque mauvais coup. Ainsi, j'ai remarqué qu'elle employait la même manœuvre quand elle voulait saisir quelque chose que son bras ne pouvait atteindre, empêchée qu'elle était par sa chaîne. Elle regardait bien en face; puis, prompte comme l'éclair, elle s'appuyait d'un côté à terre sur un bras et sur une jambe, et me détachait de l'autre côté un coup de pied pour m'agripper avec ses doigts. J'étais alors fort heureux d'échapper au vigoureux accroc de son orteil. Tous ses mouvements étaient d'une agilité remarquable, et sa force, eu égard à son âge et à sa petitesse, était vraiment extraordinaire... »

Voici, en revanche, un fait communiqué à l'Académie des Sciences par M. Béranger-Feraud, un autre voyageur, dont le récit donne quelque valeur à la matière.

« Comme le gorille, nous dit-il, le *chimpanzé* et l'orang-outang, doués d'une force redoutable, se défendent jusqu'à la mort contre le chasseur, et, pris adultes, se laissent mourir de faim plutôt que de subir la captivité. Mais quand on s'en empare jeunes, quand on ne les met point à la chaîne, comme l'a fait M. Duchaillu, quand on les entoure de soins et qu'on les admet pour ainsi dire dans la vie domestique, ils s'apprivoisent, ils deviennent doux et s'attachent à leurs maîtres. Il doit donc, selon toute probabilité, en advenir de même du gorille, qui diffère si peu, par ses mœurs et par son anatomie, de l'orang-outang et du chimpanzé. »

Du reste, M. Béranger a conservé plusieurs mois, à bord de son bâtiment, un jeune gorille. Cet animal était agile, gai, supportait très bien la captivité, jouissait d'un excellent embonpoint, et se montrait parfaitement doux. Il ne devint un peu triste, dormeur et paresseux, que le jour où la nourriture fraîche lui fit défaut, et qu'il se trouva atteint du scorbut. Mais du moment où l'on put se procurer des légumes et des fruits acidulés, sous leur influence le gorille retrouva ses forces, se guérit, et reprit son humeur joyeuse et caressante.

Par malheur, le navire remonta vers des latitudes plus froides, et la pauvre bête ne tarda pas à se trouver atteinte d'un mal implacable pour les quadrumanes importés en Europe. Il succomba à la phthisie, et sa main dans la main d'un matelot qu'il affectionnait, il mourut ainsi qu'eût pu le faire un enfant atteint de la même maladie.

CHAPITRE IX.

Vallons et vallées. — Gorges et chaos. — Vallée de Kandersteg. — Vallée du Lys. — Historique de la vallée du Rhin. — Magnificences des eaux. — Croquis de la vallée du Nil. — La Lutchmi, dans l'Inde. — Cascades et cours du Gange. — Le crocodile du Gange. — Ce qu'on appelle lagunes. — Venise et son Lido. — Coucher de soleil sur les lagunes. — Lac Majeur. — Lac Némi. — Les autres lacs de l'Italie. — Chute du fleuve Vélino. — Cascades de Terni. — Chutes de l'Anio. — Cascades de Tivoli. — Le lac Sèculéjo (Pyrénées). — Cirque de Gavarnie. — Singularités du lac Leiknitz. — Splendeur du lac de Genève. — Aspects sauvages du lac des Quatre-Cantons. — Les trente chutes d'eau de la vallée de Lauterbrünnen. — Cascade de la Staubbach. — Les quatorze chutes du Giesbach. — Le Meschacébé, père des eaux. — Randales de l'Orénoque. — La rivière d'Argent. — Le fleuve des Amazones. — Monographie du caïman. — Les lacs de l'Amérique. — Cataracte du Niagara. — Cascades de Norwége.

J'ai placé sous vos yeux les grands phénomènes de la nature, chers lecteurs; nous avons cherché ensemble à en pénétrer les mystères; nous avons admiré les merveilleux spectacles, les tableaux féeriques qu'elle expose aux regards de l'homme : volcans, montagnes, glaciers, forêts vierges, steppes et déserts, etc. Avant de vous peindre certaines beautés des océans et des mers, îles et archipels, par exemple, et leurs singularités, comme aussi les splendeurs des pôles, et les curiosités des infiniment petits, je ne puis omettre de vous parler des magnificences des vallées, des lacs, des fleuves et des cours d'eau, des cascades et des cataractes.

N'est-il pas essentiel que le panorama des grandes curiosités du globe passe tout entier sous votre examen et complète la série de nos études?

Veuillez donc continuer à me prêter votre attention.

Une *vallée* n'est autre chose que la dépression du sol entre deux montagnes ; un *vallon*, entre deux collines. C'est comme un couloir permettant de circuler autour de ces éminences.

Si cette vallée, si ce vallon sont privés de végétation, on n'y voit qu'un *désert*.

Qu'ils soient semés, entravés de blocs de pierres, de détritus de roches, de ruines et de fragments de montagnes, ce n'est plus qu'un chaos, comme le *chaos de Gavarnie*, dans les Pyrénées, ou une gorge rocheuse, telle que la *Gorge-d'Enfer*, dans la petite Suisse de notre France, le Mont-Dore.

Mais, au contraire, que les rampes des montagnes qui s'infléchissent vers ces vallées ou les talus des collines, vers ces vallons, soient couvertes d'arbustes ou hérissées de grands arbres au feuillage chenu, semées de clairières vaporeuses, les voici qui prennent une physionomie déjà plus effrayante.

Certes ! toutes les vallées ont leur genre de beauté ; mais cependant, si dans leurs sinuosités babille un ruisseau, murmure un cours d'eau quelconque, se lamente une cascade échevelée, gronde un torrent, ou s'étale la nappe blanche d'un lac aux ondes émues, vallons et vallées deviennent un petit Eden.

Tout fleuve et toute rivière suivent la pente d'une vallée à laquelle ils donnent leur nom : vallée de la Meuse ; vallée de la Loire, etc. Mais ces vallées sont plus ou moins riches en beautés d'art ou de nature.

L'Asie, parmi ses plus belles vallées, met en première ligne la *vallée de Kachemyr*, puis celles du *Fleuve-Bleu* et du *Fleuve-Jaune*, dans la Chine. On peut y joindre aussi certaines *vallées du Liban* et de la *Palestine*, la *vallée du Jourdain*, par exemple, et celle d'*Engaddi*.

Dans le Nouveau-Monde, la *vallée de l'Amazone*, et la *vallée du Mississipi*, sont les plus grandioses.

En Europe, c'est dans la Suisse qu'il faut aller chercher les plus splendides vallées. Est-il rien de plus romantique, de plus sauvage, de plus admirable que la *vallée de Kandersteg*, par exemple, et cent autres, où, tout à la fois certaines montagnes de leur enceinte sont plantureuses, tandis que les autres érigent jusqu'au ciel leurs cimes blanches de neiges éternelles ou se hérissent de glaciers aux pointes de diamants ?

Dans notre France, parmi nos plus belles vallées, nous pouvons ranger la *vallée du Lys*, dans les Pyrénées, toute semée de ces fleurs magnifiques qui lui méritent son nom, et capitonnée de blocs erratiques emprisonnés par les racines de grands arbres huchés sur leurs massifs et allant puiser leur suc nourricier sous la pierre, en l'enfermant de leur réseau, comme les serres d'un aigle captivent sa proie.

La *vallée de la Seine* est aussi des plus charmantes.

Mais au nombre des vallées que l'art a décorées et qu'une nature généreuse et pittoresque a richement dotées de magnificences incomparables, je dois placer la *vallée du Rhin*.

Que ne puis-je descendre avec vous, chers lecteurs, le cours de ce grand fleuve qui a vu tant de générations assises sur ses bords? Que ne m'est-il donné de vous montrer la sauvage famille des Celtes construisant ses burgs sur les rochers de ses rives; les Romains emprisonnant ses eaux de cinquante citadelles; les cités fameuses baignant leur pied dans ses baies; les merveilleuses perspectives que les montagnes qui le bordent, en se déchirant à droite ou à gauche, offrent aux regards étonnés; les délicieux paysages qu'il traverse à l'ombre de forêts millénaires ou de vieux manoirs en ruines, vrais nids d'aigles, dont les sombres profils s'estompent sur l'azur de l'éther, en menaçant le ciel de leurs dentelures hardies et de leurs tours et bastions frangés par les siècles?

Combien de légendes sur ce Rhin, large comme une mer en vingt endroits, ailleurs resserré dans son lit par des masses de roches cyclopéennes qu'il s'efforce en vain de repousser, et dont il voudrait soulever les gigantesques encorbellements! Longues lignes ténébreuses du Taunus se dessinant à l'horizon, d'un côté; de l'autre, antique Kœnigsthul formé de sept voûtes et supporté par neuf piliers, d'où la trompette d'un héraut d'armes pouvait se faire entendre de chacun des électeurs assis dans son manoir, aux jours du moyen-âge. D'une part, Wiesbaden et les rampes poétiques du Sonnemberg l'entourant comme d'un royal manteau; puis le charmant Biberich, admirable résidence d'été du duc de Nassau; de l'autre, après Creuzenach, le rocher de porphyre haut de deux cent quarante-cinq mètres, surmonté des ruines du château-fort des rhingraves. Et puis encore, tantôt le Johannisbergh et ses vignobles enchantés; tantôt la tour des Souris, où Hatto Ier fit périr dans les flammes nombre d'infortunés paysans affamés; les vénérables remparts de Bacharah, et ses clochers séculaires; l'immense nef de pierre édifiée au sein même du fleuve, qui a nom Pfalz; la sirène Loreley, muée en rocher et fascinant le voyageur de ses chants perfides; les tours noires du Chat et de la Souris; Saint-Goar et ses mystères; le sourcilleux mamelon de Rolandseek; les Sept-Montagnes; et enfin Coblentz, Andernach, Cologne, etc.

Je sais que j'en passe, et des plus beaux!

Vous aimez les eaux, n'est-ce pas, que ces eaux soient un ruisseau, une rivière, un fleuve ou un lac, un torrent ou une cascade? En effet, un paysage, une vallée, un site quelconque sans eau, c'est une perspective inerte, car elle est sans mouvement et sans vie. Il est si charmant de voir le ruisseau naître d'une goutte d'eau, ou bien tomber en écharpe irisée que lutine la brise, de la fissure d'un rocher! Pour peu que l'on ait le sentiment de la poésie qu'inspire la nature, quelle douce jouissance n'éprouve-t-on pas à contempler une rivière sortir d'une humble source cachée sous les mousses ou le cresson fleuri? Et quand le sol manquant subitement à son lit, le courant d'eau se précipite d'une grande hauteur pour tomber dans le vide d'une vallée, quels effets charmants de fine poussière ou de dentelles voltigeant dans l'espace, ne produit-il pas aux regards enchantés? Qu'elles sont gracieuses ces cascatelles aux blanches aigrettes qui ruissellent en gazouillant sur les cailloux polis et le sable doré! Qu'elles sont grandioses et sublimes ces cascades et ces cataractes qui pleurent ou mugissent en se lançant dans l'abîme ou en glissant le long des rochers, pour retomber dans des vagues de granit ou sur les aspérités de leurs assises. Ruisseaux, petites rivières, cascades et cascatelles ne disent pas grand'chose encore; mais la voix leur vient peu à peu, douce et calme d'abord, plaintive ou joyeuse. Alors ils fredonnent mainte idylle écoutée avec recueillement par les saules aux fronts inclinés de leurs bords. Mais attendez qu'ils grandissent et deviennent sérieux. Alors, au lieu d'églogues et de pastorales, vous entendrez leurs vaillantes épopées et les chaleureux récits de leurs aventures à travers les régions qu'ils sillonnent.

Voulez-vous jeter les yeux sur des eaux qui, de la poésie qui les caractérise, vous fasse passer à quelqu'un de ces drames dont les grands fleuves et les golfes sont le théâtre? Je n'ai rien dit encore des vallées et des cours d'eau de l'Afrique, la patrie des monstres amphibies : mais je puis vous satisfaire; je n'ai que l'embarras du choix.

Remontons la grande et historique *vallée du Nil*.

Le Nil, tantôt calme et uni comme une glace, tantôt agité comme la mer, roule ses eaux limoneuses entre des rives tantôt riantes, tantôt sauvages. Ici, ce sont de vastes plaines, semées de bouquets de dattiers, plantées de sorgho et de cannes à sucre; là, ce sont des rochers aux formes truculentes, rougis, brûlés, effrités par le soleil et percés d'une multitude de trous alignés, gigantesques entassements qui sont autant de tombeaux ouverts. Des villages de fellahs, amoncellement pittoresque de huttes noirâtres, s'étalent au soleil ou se cachent sous les palmiers-doums; des villes détachent sur le ciel bleu leurs minarets bizarres, peints de rouge et de blanc; des femmes, drapées de bleu sombre, des hommes couleur de bronze florentin, gardent sur les rives des troupeaux de buffles et de chameaux. Les chasseurs peuvent voir d'un œil d'envie d'innombrables bandes de pélicans, de hérons, de flamants roses, d'ibis et d'autres oiseaux s'ébattre dans les roseaux, et de grands vautours au cou pelé s'accroupir sur les rochers. Tout ce tableau est doré, baigné de lumière par ce grand coloriste qui a nom soleil. Dame! il est bien un peu chaud : trente degrés centigrades... à l'ombre et sur le Nil. Car, je n'ose dire combien il y en a à terre et au soleil. Pourtant, il faut avouer qu'il y a toujours une petite brise qui corrige cette ardeur et la rend supportable. Les couchers de soleil sont splendides dans cette Egypte; l'horizon prend feu; c'est un immense incendie qui s'allume. Puis ces teintes de fournaise s'éteignent peu à peu, et la lune se lève à l'orient... Alors les monuments antiques, les vieux temples, les sphinx, les vénérables pyramides vous apparaissent tels que des fantômes d'autrefois, et vous vivez de splendeurs orientales, de Pharaons et de théories de jeunes Egyptiennes glissant, comme des ombres, le long des avenues interminables de pylones et d'obélisques, de Louksor à Karnac.

Voilà le beau côté du Nil. L'envers appartient aux crocodiles qui hantent ses eaux, se cachent dans ses roseaux pour y contrefaire l'enfant qui pleure, se vautrent dans la fange de ses rives et s'y dissimulent, le tout afin d'attirer le trop naïf baigneur ou l'imprudent touriste.

De l'Afrique à l'Asie il n'y a qu'un... isthme; franchissons-le, et nous nous retrouvons au pied du géant des montagnes. Nous le connaissons déjà, c'est vrai; mais comment ne pas tenir à le revoir, quand nous avons à parler de ses merveilleux cours d'eau, l'Irawaddy, la Lutchmi, le Gange, le Gange surtout, fils de l'Himalaya!

Quelle exubérance de nature, dans l'Inde!

C'est ici, par exemple, cet Irawaddy, qui passe à Rangoun. Ses bords sont tellement escarpés, et ses falaises sont hérissées d'une végétation si puissante, que les vaisseaux, toutes voiles dehors, y manœuvrent sans gêne, à l'ombre d'immenses berceaux et de colossales arcades de verdure.

Voyez ce paysage de l'Inde :

Non loin de Madras, une charmante rivière, la *Lutchmi*, bordée de bocages, de massifs de fleurs, de pagodes, s'échappe des profondeurs d'un mystérieux vallon, et s'achemine avec un doux murmure vers un horizon de collines qui se termine par le vide d'une vallée. Là, soudain, un immense escarpement se produit, et au pied s'ouvre, béant, un horrible gouffre qui a nom *Gouroul*. La Lutchmi s'incline donc subitement, elle s'arrondit en écharpe du plus bel azur, et tombe en cascade énorme d'une hauteur inappréciable dans les entrailles de l'abîme. Aucun bruit n'accompagne cette immense chute d'eau qui éteint son fracas dans les profondeurs du gouffre, sans le faire remonter jusqu'aux oreilles humaines. Seulement une trombe de fine poussière s'élève et paraît provenir de quelque soupirail de l'enfer plutôt que de l'écume d'une cataracte engloutie dans de ténébreuses horreurs. C'est avec une sorte d'épouvante que l'on découvre cette prodigieuse masse d'eau, qui s'écoule en silence et ne réveille aucun écho ni dans sa tombe ni sur les flancs du mont Goula, qui en est voisin. A l'autre bord du Gouroul, le sol est chargé d'une épaisse fourrure de végétation, qui fait tomber également dans l'abîme, comme une autre cataracte de verdure, des masses flottantes de rameaux échevelés.

Mettez sur ce coin du tableau de l'Inde un rayon du soleil de l'Asie, et dites-moi si ces effets d'eau ne sont pas d'une incomparable beauté.

Quant au *Gange,* le fleuve sacré de l'Hindou, écoutez ce que je puis vous en dire :

Je vous ai appris déjà que l'un des points culminants de l'Himalaya, le hardi Dsawala-Giri, n'a pas moins de vingt-six mille huit cent soixante-douze pieds. C'est vous affirmer que, à une telle altitude, il a évidemment des glaciers. Or, c'est de l'un de ces glaciers de l'Himalaya que sort le Gange.

Jaillissant des massifs de glaçons éternels, à travers leurs fissures aériennes, il descend soudain d'étages en étages les larges bancs innombrables de l'immense montagne rocheuse, et, dès son origine, produit ainsi la plus grandiose et la plus admirable cascade. Mais devenu peu à peu cataracte furieuse, le Gange, à un point donné, s'enfonce subitement et disparaît tout-à-coup dans un abîme granitique mystérieux et sombre.

Cette perte du fleuve sacré est le point précis où, depuis des milliers d'années, les Hindous viennent en pèlerinage adorer leurs dieux.

Les rampes inférieures du Dsawala-Giri et les vallons qui les composent sont ombragés de cèdres et de sapins d'une élévation colossale, qui indique leur grand âge, et de la végétation la plus luxuriante.

C'est là que le Gange reparaît, après s'être dérobé sous des montagnes de glaces et des masses de granits. Aussi le lieu témoin de la réapparition du fleuve sacré offre-t-il un aspect de terreur religieuse, car les Hindous y ont placé d'autres autels, car c'est le lieu où leur divinité suprême, Mohadeo, a placé son trône.

Après de nouvelles chutes et de splendides cascades étalées aux yeux du voyageur qui veut suivre et connaître son cours, le Gange descend rapidement dans les plaines de l'Inde; il y reçoit le tribut d'un grand nombre de cours d'eau, et notamment du Brahmapoutra ; et alors, large de plus d'une lieue, profond de cinquante pieds, s'abandonnant à mille détours dans un parcours de quatre cent soixante-dix lieues, il roule avec majesté vers la mer des Indes. L'aspect de ses bords est on ne peut plus varié. Ici des falaises formidables; là des forêts de palmiers, souvent une riche culture, accompagnent ses eaux. Afin de bien comprendre sa beauté, il faut se le représenter couvert de très nombreux navires de commerce.

Dans le Bengale, le Gange forme un immense delta, aux très nombreux canaux, sur lesquels s'élèvent quantité de villes opulentes et pittoresques, grâce aux riches et somptueuses pagodes qui élèvent leurs frontons sur tous les points.

Ce grand fleuve a sa barre ou mascaret. Elle est effrayante, car elle s'avance avec une rapidité de trente-cinq milles à l'heure. Ce mascaret du Gange offre l'apparence d'un mur d'albâtre, ou plutôt d'une cataracte de quatre à cinq milles de large sur trente pieds d'élévation. Un des grands divertissements des Hindous est d'assister sur leurs barques à l'effet produit par cette barre, en se faisant soulever par elle. Les flottilles sont donc là, attentives, quand se précipite et roule la muraille d'eau. A peine se fait-elle sentir, que tous se jettent dans ce remous grandiose et s'y agitent pêle-mêle ainsi que des saumons. Cette grande et émouvante scène ne dure qu'un moment. Après quoi le flot s'éloigne, en diminuant de force et de vitesse. Puis, hommes, femmes et enfants s'occupent à recueillir les objets perdus dans la bagarre, et ces épaves font le bonheur et la gloire de ceux qui les trouvent.

Ajoutons que la religion hindoue prescrit à ses sectaires de faire leurs oblations dans les eaux saintes du Gange. Aussi, par dévotion, les cadavres des morts sont-ils précipités dans le fleuve. Ils s'y accumulent vers le delta, et de cette affreuse sentine s'exhalent des miasmes qui se répandent dans l'univers entier et y véhiculent le terrible choléra-morbus asiatique. Aussi, chaque nuit, la hyène et le chacal font entendre leurs cris funèbres sur les bords du Gange, lorsqu'ils viennent s'y repaître de ces débris humains jetés là par la superstition.

Les mythologues de l'Inde représentent le Gange comme le fils de la Grande-Montagne. Ils l'appellent aussi *Djahnari*, du nom d'un santon hindou dont il interrompit la prière en se rendant à la mer. Furieux, le santon, — prêtre du pays, — l'avala d'un trait. Mais, d'après le désir des dieux, il consentit ensuite à le rendre... par les oreilles.

— A part leur sainteté, me dit un jour le capitaine Varnier, les eaux du Gange sont aussi vantées pour leurs propriétés médicinales. Je voulus donc en faire usage, et conduit par des Arabes, gens fourbes et méchants, je me baignai dans une anse solitaire du fleuve. Je me livrais à peine à quelques passes, lorsque tout-à-coup un gros bouillon souleva la surface de l'eau dans mon voisinage. En même temps, je sentis une forte odeur de musc, et je vis passer à mes côtés, entre deux vagues, le dos énorme d'un animal sillonné de six plaques d'un vert sombre.

C'était un *crocodile*.

— A moi ! m'écriai-je.

J'achevais à peine que le monstre, levant un museau oblong, ouvrit sa large gueule, garnie de dents... comme je n'en avais jamais vu. Au lieu de répondre à mon appel, mes Arabes, accroupis sur les bords du fleuve, suivaient mes évolutions de l'œil fauve du lion qui guette sa proie. Je dus aviser seul à mon salut, et je m'y appliquai d'autant mieux que j'entrevis, dans la fange de la rive opposée, d'autres crocodiles, ressemblant à des arbres couchés et enveloppés de bourbe. Donc, le crocodile mon adversaire, long de vingt pieds pour le moins, se disposait à me saisir. Afin de l'éviter, je décrivis des cercles rapides qui, contrariant les projets de l'énorme reptile, et surtout sa marche, le mirent en fureur. Je le devinai à ses grognements. Enfin, j'atteignis terre, au grand déplaisir des Arabes, qui se gardaient bien de me tendre une main secourable.

Mais alors je voulus inspirer à ces fils de Mahomet une terreur et un respect salutaires, par un trait de courage capable de les frapper. Saisissant donc un yatagan laissé près de mes vêtements, je me rejetai immédiatement à l'eau, et, cette fois, n'évitant plus le crocodile, j'allai droit à lui. Les Arabes jubilèrent, et la bête monstrueuse grogna de nouveau, mais de joie. Quand alors je fus à sa portée et que le reptile ouvrit sa gueule épouvantable pour me saisir, je lui plongeai l'yatagan, perpendiculairement, entre les mâchoires béantes... Le crocodile croyant me happer par le bras, s'enfonce soudain de lui-même, et se cloua le crâne, qui fut transpercé... Une demi-heure après, il vint expirer sur la plage...

Quand je revins à eux, les Arabes se prosternèrent devant moi, la face contre terre. Ils me prenaient le pied pour le placer sur leurs têtes, en signe de servage et d'admiration. Désormais ces hommes grossiers, qui n'estiment que la force physique, étaient gagnés à ma cause et prêts à me défendre.

De l'Asie si nous revenons en Europe, nous aurons à voir nombre de fleuves, de lacs, de cascades et d'effets d'eau. Mais à quoi bon vous peindre des sites, des vallées, des cours d'eau que vous pourrez contempler vous-même bientôt, le Danube, le Volga, l'Oder, etc., sur les rives desquels vous serez peut-être appelés un jour ou l'autre? Je préfère vous mettre sous les yeux des tableaux plus rares, des paysages que l'on n'a pas toujours l'occasion d'admirer et dont on désire connaître les splendeurs.

Il est, par exemple, deux villes fameuses, les sirènes des eaux, Amsterdam, au milieu du Zuyderzée, et Venise, dans ses lagunes, qui doivent offrir un certain attrait. Des deux, je choisis la plus poétique et la plus charmante, c'est-à-dire *Venise et ses lagunes*.

D'abord on appelle lagunes des masses d'eau que laissent entre eux des bancs de sables et des îlots formés au bord de la mer par certains fleuves qui charrient du limon. Ces barrages naturels sont appelés *lidos*, et ces eaux basses *lagunes*.

On arrive à Venise par un chemin de fer qui franchit les lagunes au moyen d'un viaduc de trois cent soixante-huit mètres, composé de deux cent vingt-deux arches.

Au sein de ces belles lagunes sur lesquelles flamboie le soleil d'Italie, vers l'orient, surgissent des îles, tout un cortége d'îles, îles vertes comme de gigantesques émeraudes, îles aux toits rouges comme des massifs de coraux émergeant des flots, îles dorées comme des topazes, et, au centre de ces îles, ainsi qu'une reine majestueuse, une ville portant au front le plus riche diadème de donjons, clochers, tours, campaniles, dômes et coupoles. Et cette ville ne se compose que de palais dont les ravenelles découpées dentellent l'éther bleu ; cette ville a pour ceinture les joyeuses façades de maisons blanches et roses ; son ample manteau d'azur, pailleté de rubis et d'opales, ses lagunes en un mot, traîne fort au loin autour d'elle ; et cette ville, c'est

Venezia! la bella Venezia!

Oui, c'est Venise, Venise la belle, Venise la grande, Venise à nulle autre pareille, la reine de l'Adriatique, la fée des lagunes, la perle des mers, la gloire de l'Italie !

Vue de loin, Venise ressemble assez à une cité submergée, dont les sommités seules émergent de l'abîme. On ne voit pas le sol sur lequel reposent ses constructions bâties sur pilotis. Des mâts de vaisseaux se mêlant aux flèches, aux clochetons et aux colonnes de ses édifices, on dirait une ville qui navigue à la surface des eaux. Mais, à mesure que l'on approche, on reconnaît la vérité, et on demeure en extase.

En effet, point de rues, point de voitures, pas de bruit. Des canaux, bordés de maisons, de palais, de temples, de théâtres, remplacent les rues. Des gondoles tiennent lieu de véhicules.

On monte donc dans une gondole, barque noire, vide aux deux extrémités, dont l'une est armée d'une proue en forme de double ou triple bec, et le centre occupé par un petit salon noir, couvert, mais percé de petites fenêtres avec des persiennes vertes. Aussitôt, glissant sur l'onde amère, comme les mouettes des mers, votre barquette, conduite par un gondolier invisible, vous fait passer devant les longues files des plus somptueux édifices du *Canale grande,* puis devant les demeures plus modestes des autres canaux. Et partout d'autres gondoles, et dans ces gondoles des gens invisibles, et sur ces canaux le silence. On croirait se promener dans le dédale d'une cité tumulaire peuplée de spectres et hantée par des ombres noires.

Mon ami Varnier vous raconte assez de choses terribles, pour que je vous remette les sens en vous faisant voir des choses plus douces et moins émouvantes, mais pleines de charmes.

Donc, un coucher de soleil sur les lagunes, et comme toile de fond au panorama de Venise, un jour que je revenais de prendre un bain dans l'Adriatique et de visiter le Lido.

J'étais à peine dans ma gondole, dont portes et fenêtres étaient ouvertes, que tout-à-coup le ciel d'or du couchant, sur lequel Venise et ses monuments s'estompaient en gris, devient flammes rutilantes. Les lagunes s'embrasent de leurs reflets; les édifices de la ville se reflètent dans les eaux lumineuses. Cette magie persévère pendant quelques minutes, après quoi, peu à peu, en plongeant sous l'horizon, le disque du soleil s'efface, puis disparaît, tel qu'un bouclier rougi au feu qu'on laisserait échapper dans le vide. Petit à petit, de même, l'incendie du ciel s'éteint, et la brume d'or seule reste à la surface de la terre et des eaux. Pendant une heure encore ses vives teintes vont dorer les cimes des Alpes qui chevauchent dans le lointain, vers le nord.

La nuit tombe alors; une à une les étoiles étincellent dans les profondeurs du firmament. Mais un autre spectacle se produit sur les eaux. Avec ma gondole, se dirigent vers la cité des doges une foule d'autres embarcations. Toutes sont décorées de guirlandes de lanternes aux couleurs diverses. Il en résulte, sur les lagunes, des milliers de grappes de feux étranges réfléchis par le miroir des vagues, qui ruissellent de paillettes d'or et de rubis. Au loin, le couchant, plus pâle, mais encore lumineux, permet de voir la fée de l'Adriatique mollement couchée dans des langes de pourpre. Mais alors, comme au firmament des étoiles, sur la silhouette opaque de Venise, s'allument les feux du gaz, les fanaux des navires, les phares du rivage, et des gerbes rutilantes signalent l'espace qu'occupent, au centre de la plage, et le palais des doges et la place Saint-Marc, et son église et la Piazzetta. En même temps, des chants s'élèvent des gondoles; les gondoliers entonnent leurs barcaroles vénitiennes; une balancelle, chargée d'un orchestre complet, passe à distance, faisant retentir l'air de ses fanfares. Enfin, à l'approche de Venise, on reconnaît qu'elle fait de la nuit le jour, car Piazza et Piazzetta sont envahies par les flots pressés de promeneurs, et de cette foule compacte s'échappent des bouffées d'harmonie qui vous montent au cerveau et vous enivrent. La musique, en Italie, est si douce; elle est si charmante, à Venise!

Des lacs de l'Italie : *lac Majeur*, assis entre les glaces de l'hiver et les séductions d'un éternel printemps, si gracieusement ponctué de ses îles Borromées; *lac de Como*, bordé de splendides villas, de collines ardues aux souvenirs historiques, celui de la *Pliniana*, par exemple, et de la *grotte de la reine Théodelinde; lac de Garde*, aux horizons vaporeux et aux forteresses inexpugnables; *Peschiera; lac de Trasimène*, sur lequel plane la grande ombre d'Annibal; *lac d'Albano*, dont la rive montre encore les ruines d'Albe-la-Longue, et la cime du Mont-

Albane celles du temple de Jupiter-Latial; *lac Némi*, délicieux bijou de la nature, charmant miroir de Diane qui, près de là, avait une cella dont on vient d'exhumer les restes; *lac Achéron* aux légendes d'enfer; *lac du Cocyte*, au grimaçant nocher Caron; et *lac Lucrin*, aux huîtres exquises, que pourrais-je dire, si ce n'est que l'œil n'a point vu, au monde, rien de plus poétique, rien de plus original, rien de plus admirable ?

Mais pénétrons dans l'Ombrie, au cœur de cette même brillante Italie, et en passant par Foligno, et en allant ensuite à Narni, nous pourrons voir, étudier et admirer les magnifiques *cascades de Terni*.

A Narni, prenons un petit chemin sylvestre qui va nous conduire dans le plus frais vallon que puisse rêver l'âme d'un poète. Ne vous effrayez pas du murmure qui se fait entendre dans le lointain : examinez plutôt, en avançant, comme les rayons de soleil, en transperçant un nuage blanc qui voile le fond du tableau, s'y décomposent et produisent les élégantes arcades de plusieurs arcs-en-ciel superposés. Voyez-les se mouvant, s'approchant, reculant, s'agitant selon les capricieuses ondulations du nuage et l'impulsion que leur donnent les brises. Peut-on trouver effet de lumière plus ravissant et plus gracieux ?

Mais quel est ce nuage, et d'où vient ce bruit ?

Le nuage n'est autre chose qu'une pluie fine et blanche qui s'élève de la plus belle cascade de l'Europe, celle de Terni, et qui voltige, en s'éparpillant, sur toute la vallée qui la reçoit, et où ses innombrables gouttes d'eau se réunissent pour reformer un fleuve.

Le bruit est le murmure du *Vélino*, un fleuve de l'Abruze-Utérieure, dans le territoire de Naples, qui, entré dans l'Ombrie, arrose Riéti et traverse la chaîne des Apennins. Mais là, trouvant tout-à-coup sous son lit le vide, un vide immense, produit par la déchirure et l'escarpement de la montagne, il se précipite d'une hauteur de trois cents pieds dans la gorge, où il répand son large volume d'eau, tout en se brisant sur des rochers. Alors, éparpillé, dispersé, rejeté en tout sens, le Vélino voltige et se change en humide poussière, en formant le nuage blanc où chatoie le brillant soleil.

La cascade de Terni est d'une beauté sans égale dans son genre. Cette chute de tout un fleuve, à pareille hauteur, sur des roches aux pittoresques assises et dans un encadrement de verdure du plus rare effet, mérite assurément qu'on la signale. Les Romains avaient bien deviné la perspective et l'artifice du décor, vu de bas en haut, eux qui encaissèrent le cours du Vélino afin de diriger ses eaux vers cet effondrement de la montagne, et de l'amener droit au précipice où, depuis vingt siècles, il fait l'étonnement du touriste. Ce qui ajoute au prestige un accessoire des plus curieux, c'est que des ruisseaux nombreux s'échappent des deux rives du fleuve, à droite et à gauche, et, courant impétueusement parmi les plantes, les arbustes et les roches moussues, en cascatelles frémissantes, ils cherchent à se frayer un chemin à eux. Mais ramenés toujours vers l'abîme par la pente du terrain, ils se heurtent contre mille aspérités pour tomber enfin dans le gouffre. Alors ces eaux bruyantes et comme effarées s'envolent en poussière, et le fleuve est interrompu jusqu'à ce que, à deux cents pas de là, ruisselant des rochers, des arbres et des lichens, il se retrouve enfin coulant dans un lit de verdure, aussi calme, aussi paisible que si nul obstacle n'avait tourmenté son cours.

Du sommet du plateau, si l'on remonte quelque peu le cours du Vélino, le bruit tempétueux s'éloigne, le murmure cesse, et on arrive sur les bords tranquilles d'un lac endormi, d'où la rivière s'échappe avec sérénité, sans se douter du piége qui l'attend.

De Terni à *Tivoli*, l'antique *Tibur* des Romains, il n'y a qu'un pas, un pas de géant, douze lieues. Exécutons cette enjambée, et là, nous nous trouverons sur la crête des monts de la Sabine, dont Tivoli, en face de la grande Rome, couronne les premières ondulations.

En gravissant les rampes de Tivoli, on passe sous les vénérables ombrages d'une antique forêt d'oliviers aux formes extravagantes. Puis, arrivé sur le plateau, à l'extrémité de la ville, on voit se profiler sur l'éther bleu du ciel, si pur dans ces contrées, le plus charmant petit édifice, le *temple de la Sybille Tiburtine*. Cet édicule, rond, entouré de dix-huit colonnes en travertin cannelées, est tout à la fois d'une extrême simplicité, d'une grâce parfaite et d'une rare élégance. Il est bâti sur le point culminant d'un rocher qui surplombe une vallée prenant fin précisément à sa base. Jadis, cette roche était l'acropole ou citadelle des Tiburtins.

Au moment où l'on s'approche du temple de la Sybille, un horrible fracas d'eaux ruisselantes frappe les oreilles, et, en avançant encore pour connaître la cause de ce tapage assourdissant, soudain, à sa droite, on avise un pont de construction romaine vers lequel s'achemine avec majesté un large et beau fleuve, l'*Anio*, qui vient de Subiaco, dans la Sabine. Mais à peine l'Anio a-t-il franchi ce pont que, subitement, le sol manque, et la masse de ses eaux se précipite avec fureur dans un immense entonnoir formé par des roches monstrueuses, rendues lisses comme du marbre par le frottement du liquide élément. C'est un véritable chaos sur lequel une admirable végétation cherche à se cramponner. Là, tout en se ruant dans le gouffre qui forme le point terminal de la vallée, l'Anio traverse, en écumant, de très belles *grottes*, celles de *Neptune* et des *Sirènes* pour aller reprendre, à deux cents pieds plus bas, son cours paisible vers la campagne de Rome, où il se jette dans le Tibre.

Quelles magnificences n'attend-on pas de la belle Italie? Malheureusement nous avons si peu de place à donner à une aussi riche matière, que nous pouvons à peine effleurer les grandes sciences de la nature.

Allons donc ailleurs, en négligeant même de parler de nos brillantes cascades de France, les *cascades* des *Monts-Dore*, celles des Pyrénées, et notamment du *lac Séculéjo*, du *cirque de Gavarnie* et de beaucoup d'autres encore.

Enfin, avant de mettre le pied dans la Suisse, la terre des belles eaux, des cascades et des lacs, des glaciers et des torrents, je tiens à vous signaler un lac de la Carniole, dans l'Illyrie, que vous ne verrez jamais, tandis que, comme moi, vous visiterez les beautés naturelles de la France et de l'Italie.

Le *lac Lerknitz* mesure environ huit kilomètres de long sur quatre de large. Il est donc petit, mais il n'en présente pas moins un phénomène très curieux. Vers le milieu de l'été, son niveau baisse rapidement, et, en peu de semaines, le lit arrive à se trouver complètement à sec. Alors on aperçoit distinctement les ouvertures par lesquelles les eaux se retirent sous le sol, les unes verticales, les autres latérales, et toutes se dirigeant vers des cavernes qui criblent les montagnes environnantes. Immédiatement après la retraite des eaux, on met en culture toute l'étendue de terrain qu'elles couvraient, et, au bout d'une couple de mois, les paysans fauchent du foin ou moissonnent du seigle là, où, quelque temps auparavant, ils pêchaient des tanches et des brochets. Vers la fin de l'automne, après les pluies, les eaux reviennent, se peuplent de poissons, se couvrent d'oiseaux aquatiques, et sans compter le nombre considérable de canards sauvages qu'on y tue à l'aide de la carabine ou qu'on y prend dans des piéges, on y trouve des anguilles qui pèsent deux et trois kilogrammes, des tanches de quatre, et des brochets dont le poids est souvent de vingt.

Que j'aime à voir le *lac Léman* au grand soleil, alors que du vapeur l'*Helvétie* on peut contempler la haute tête du Mont-Blanc se dégageant des nuages qui l'enveloppent le plus souvent, et que sa masse colossale apparaît dans toute sa gloire et toute sa majesté! Que j'aime surtout à voir Genève se mirant dans ses eaux des dernières assises du Salève; Evian brodant sa rive gauche d'opulents paysages; Lausane, sur la rive droite, et Vevey, et Montereux; mais plus encore le vieux manoir de Chillon, sortant de l'abîme comme pour évoquer tout exprès les souvenirs d'autrefois.

Mais combien plus beau, plus varié, plus riche encore en sites gracieux ou sauvages se montre à moi le *lac des Quatre-Cantons!* C'est, ici, le sombre *Pilate* dont la vision funèbre me fait rêver avec mélancolie; c'est, là, l'altier *Righi* qui se dresse à l'horizon opposé pour me convier à gravir ses rampes plantureuses. Pourtant, ce qui me charme plus encore, c'est la partie du lac qui s'avance vers Fluelen, enserrée dans les gigantesque falaises grises de son rivage, dont les assises, en montant vers les cieux, semblent laisser le voyageur attristé dans les noires profondeurs d'un lac souterrain. Et la prairie verdoyante du Grütli? Et les Trois-Fontaines du serment auquel la Suisse dut la liberté? Et la chapelle de Guillaume Tell, que pourrais-je en dire qui soit à la hauteur de leurs poétiques aspects?

Si les lacs de la Suisse sont si beaux à voir, que puis-je écrire sur ses cascades et ses chutes d'eau!

Au pied de la célèbre montagne de la *Jung-Frau*, dont le nom virginal de jeune fille fait allusion à la pureté de ses neiges que foule rarement le pied de l'homme, il est une vallée fort tourmentée dans sa forme, qui a nom *vallée de Lauterbrünnen*. L'inégalité de sa largeur, les escarpements de ses roches verticales, et les aspects de la Jung-Frau qui la domine, la rendent fort curieuse. Le village de Lauterbrünnen qui la parsème de ses chalets anime quelque peu ces gorges sévères. L'altitude de cette vallée est de deux mille quatre cent cinquante pieds au-dessus de la mer, et cependant on y est enseveli dans une telle déchirure de la montagne que, au mois d'août, le soleil ne peut y pénétrer qu'à huit heures du matin, et à midi en hiver.

Trente chutes d'eau se précipitent du sommet de ces escarpements qui forment comme un rempart colossal unissant la terre au ciel. C'est un admirable spectacle de voir tomber, échevelées, dans le vide de la gorge, ces trente cascades, dont le murmure est une musique.

Mais ce qui devient incomparable en beauté, c'est la *cascade de la staubbach*, mot qui signifie *chute de poussière*.

En effet, la chute de la rivière appelée Staubbach est l'une des plus hautes de l'Europe. Elle ne mesure pas moins de neuf cents pieds. Aussi, dans l'espace qu'elle parcourt en tombant, la rivière, qui cependant est forte, se trouve réduite à une vapeur humide, semblable à de la poussière, avant d'atteindre le niveau de la vallée. La Staubbach n'a point le rugissement et la rapidité d'une cataracte; mais cette absence de bruit se trouve bien compensée par des beautés particulières. Son frottement contre le rocher vertical et la résistance de l'air retardent sa chute et lui donnent, quand on la regarde de face, l'apparence d'un immense voile de dentelle suspendu au sommet de l'escarpement, et imitant, vers le centre, les plis soyeux d'un léger tissu. Quand l'eau est abondante, elle s'élance du roc et se trouve recourbée par le vent en ondulations charmantes. Mais, vers midi, cette merveilleuse écharpe, recevant les rayons du soleil, se teint de toutes les nuances de l'iris. L'ombre même de l'eau, projetée contre la paroi, est marquée de bleu, de vert, de rouge et d'orangé. C'est un charme de plus au tableau.

Pendant l'hiver, alors que le torrent est à peu près arrêté par la gelée, l'eau, qui ne tombe plus que goutte à goutte, forme une étrange pyramide de glace, augmentant graduellement vers le sommet, à la manière des stalagmites, jusqu'à ce que la masse de glace atteigne à peu près la moitié de l'escarpement de basalte.

Voici une autre chute d'eau qui mérite bien aussi quelque attention.

Sur les rives du *lac de Brientz*, en gravissant les premières rampes de la haute montagne du Faulhorn, on se trouve en face d'une succession de cascades qui, du sommet d'un plateau, sautillent d'étage en étage jusqu'à sa base.

Ces cascades sont au nombre de quatorze. L'une a onze cent soixante pieds de haut. Ce sont là les *chutes du Giessbach*. Rien de sauvage ne les entoure. Les verts gazons et les bois touffus du voisinage leur donnent au contraire l'aspect le plus riant. Souvent on entend dans les rochers les sons harmonieux du cor des Alpes. C'est un bon vieillard qui salue ainsi, à sa façon, la présence des curieux touristes. Puis à la fanfare du cor succède le chant d'airs nationaux de la Suisse, exécutés par la famille du vénérable montagnard, dont la chaumière occupe le côté opposé à la grande cascade du Giessbach.

Je me complais à vous faire apprécier la splendeur des eaux de notre vieux monde. Mais que sont nos eaux les plus belles, en comparaison de celles du nouveau? Ne vous ai-je pas dit déjà que l'Amérique est la terre des prodiges, que tout y acquiert des proportions gigantesques effrayant l'imagination? Jugez si toutes choses, en effet, n'y sont pas taillées sur un patron sublime !

Voici, par exemple, le *Meschacébé*, mot iroquois qui veut dire *Père des Eaux*, mais dont le vrai nom est *Mississipi*. Vaste et incompréhensible comme l'infini, plein de terreurs secrètes, comme le Nil, comme le Gange, comme notre Rhin; large autant qu'un bras de mer; profond et silencieux, mais calme et sévère comme la grandeur, ce fleuve du Mississipi roule majestueusement ses eaux grossies par d'innombrables rivières, et, baignant mollement les bords d'un millier d'îles qu'il a formées de son limon, s'avance vers l'Océan et y engloutit l'énorme volume de ses eaux.

Voici l'*Orénoque* dont le cours, après des chutes fréquentes, cascades majestueuses nommées *Randales* dans le pays, va se jeter dans l'Atlantique par quarante-neuf embouchures. Quarante-neuf bouches à un fleuve! Ces bouches composent un grand nombre d'îles, lesquelles, pendant la saison des pluies, sont couvertes de vingt-cinq à quarante décimètres d'eau, ce qui ne les empêche pas d'être habitées par une nombreuse tribu d'indigènes.

Voici le *Parana*, qui, avec l'*Uruguay* et le *Paraguay*, forme le grand fleuve de la *Plata*, dont le nom signifie *rivière d'Argent*. La Plata compte un certain nombre de cataractes. La plus remarquable, voisine des ruines de Guayra, voit ses eaux, coulant jusque-là dans un lit de trois mille sept cent soixante-dix mètres de large, s'engouffrer tout-à-coup, en bouillonnant, dans une gorge à pente rapide qui n'a pas moins de six cents pieds de largeur, et produire les plus étranges aspects d'eau, d'ombre et de lumière.

Voici le *Maragnon*, plus connu sous la dénomination poétique de *Rivière des Amazones*, parce qu'on prétend que ses bords étaient habités jadis par des hordes de femmes guerrières. Ce fleuve est le plus grand du monde. Après un cours de quinze cents lieues, accompli à travers des forêts impénétrables, il se perd dans l'océan Atlantique par une embouchure de vingt-cinq lieues de large. N'est-ce pas aussi prodigieux que les quarante-neuf bouches de l'Orénoque?

La masse des eaux du fleuve des Amazones est si considérable que, même à plusieurs lieues en mer, on reconnaît leur présence persistante à leur douceur et à leur nuance. Ainsi, telle est la violence de son cours, que tout en se précipitant dans l'abîme de l'Atlantique, il refoule et substitue la mer d'eau douce à l'océan de flots salés!

Quelle splendide vallée que la vallée de l'Amazone! Comment donner une idée de cette magnificence d'un fleuve qui, large de plus d'une lieue, traverse des forêts que la hache n'a jamais atteintes; dont les palmiers, les manguiers, les grenadilles, les myrtes, les bégonias, les mélastomes, les fougères arborescentes forment la parure?

Parlerai-je de ces végétaux, par exemple le banistérius, qui affectent parfois des formes si bizarres que leur vue frappe d'étonnement? Dirai-je ces myriades d'oiseaux dont les couleurs sont si variées, colibris et bengalis, oiseaux-mouches véritables saphirs, qui animent ces solitudes? Citerai-je les agoutis, les lamas, les vigognes, les guanacos, les tajassus, et la famille d'échassiers qui hantent les bords du fleuve? Vous dirai-je, chers lecteurs, que c'est là que se trouve cette grenouille monstrueuse dont le croassement se fait entendre à plus d'une lieue? là que l'on rencontre le héron-bœuf, au bec formidable! là que fourmillent les reptiles les plus dangereux, et notamment l'*alligator* ou *caïman*, le crocodile américain, en un mot. Chassé à outrance, ce terrible animal renaît de ses cendres comme le phénix, car il reparaît toujours.

La chasse au caïman est des plus difficiles. Assurément on peut arriver assez près de cet amphibie, et pour cela il suffit de se promener sur le bord d'une rivière, lorsque le soleil se montre après un orage, et alors on trouve ce monstre accroupi sur le sable et livré au labeur de sa digestion dans une immobilité absolue. Mais tirez-le avec le meilleur rifle, il ne bougera pas davantage. Les balles s'aplatissent sur sa peau. Il est indispensable de le frapper au défaut de l'oreille : c'est le seul endroit où il soit vulnérable. Se sent-il atteint? il se précipite dans l'eau en faisant une cabriole et en poussant de sourds gémissements. Si le coup a bien porté, l'animal reparaît bientôt, inerte, et couché sur le dos, au beau milieu de la rivière.

Quelquefois vous passez à côté d'un caïman, sans vous en douter. Le monstre est si parfaitement enveloppé de vase qui sèche au soleil, il ressemble tellement à un tronc d'arbre que le remous du fleuve a rejeté sur ses rives, que vous êtes presque disposé à vous asseoir sur ce siége que vous offre le hasard. L'illusion est d'autant plus profonde qu'il n'est pas rare de voir dans le sédiment des eaux qui le couvrent une végétation improvisée par une graine qui tombe et que la chaleur du soleil féconde, fait germer et pousser, et qui peu après s'épanouit comme dans un parterre. J'ai vu des caïmans portant ainsi sur leur dos de petits bosquets et nageant de manière à faire croire à un îlot flottant.

Le jaguar est l'ennemi du caïman. Il connaît les heures de la sieste de l'amphibie. Aussi se met-il à l'affût dans les hautes herbes des rives d'un fleuve, et, là, il attend. Le saurien paraît et s'étale à son aise sur le sable. A un moment donné, le caïman bondit en sursaut et se précipite dans l'eau. Mais une traînée de sang révèle que le jaguar lui a fracassé le crâne. Cela suffit au tigre; sa vengeance accomplie, ou plutôt sa haine, il rentre majestueusement dans la forêt, et cherche curée d'autres victimes.

— Il m'arriva une fois, me racontait un jour le capitaine Varnier, de briser, en marchant, un œuf de caïman caché sous le sable. Il en sortit aussitôt un petit caïman, un peu plus gros que nos lézards. L'animal courut soudain vers la rivière. Etonné de sa petitesse, car le reptile sortait d'un œuf à peu près gros comme celui d'une autruche, je lui barrai le passage. Il s'arrêta court, et ouvrit sa gueule pour m'effrayer. Je le laissai passer, et il plongea sans retard dans le fleuve. Un moment après, avisant un magnifique perroquet qui manquait à ma collection, je le tuai. La pauvre bête tomba de l'arbre qui le portait, et, par malheur pour moi, dans le même fleuve. Là, il atteignait à peine le courant, que trois ou quatre têtes d'énormes caïmans se levèrent et s'ouvrirent pour recevoir cette proie qui... leur venait du ciel.

Généralement le caïman est peu à craindre, car sur le sable il ne se traîne que péniblement. Les pattes, façonnées par la nature pour la nage, se refusent à marcher, et il ne s'en aide qu'avec peine. Aussi sa raideur est telle qu'il ne peut se retourner qu'en exécutant un mouvement complet de rotation. Comme le crocodile, il répand une forte odeur de musc. Néanmoins sa queue est un excellent régal pour les nègres.

D'une fertilité qui dépasse toute description, l'immense vallée que parcourt l'Amazone pourrait nourrir une population de cent millions d'âmes. La navigation de ce fleuve et de ses grands affluents peut ouvrir un jour des horizons sans bornes au commerce et à l'industrie. Ses richesses ne consistent pas seulement dans l'or, l'argent et les pierres précieuses qu'ils charrient dans leurs eaux : des montagnes qu'ils baignent, on peut tirer le fer, le cuivre, le mercure, l'étain, le zinc; les forêts qu'ils côtoient fournissent les plantes médicinales des vertus les plus rares : des aromates, des gommes, des résines de toute espèce ; des bois des teintes les plus brillantes, sans compter le sucre, le café, le tabac, le cacao, le tamarin, le coton, etc.

Les plaines que traversent ces grands cours d'eaux forment les prairies appelées *pampas*, où les herbes acquièrent une hauteur extraordinaire. Mais la plus considérable est celle des *llanos*. Pendant la saison des pluies, cette plaine, qui a plus de vingt mille lieues carrées, offre le tableau d'une incommensurable prairie à demi submergée et couverte d'une véritable forêt. Mais lorsque les chaleurs arrivent, la verdure disparaît; la terre, rapidement desséchée, se fend, et le moindre souffle élève des nuées de poussière qui obscurcissent l'horizon. Le boa constrictor, le serpent-amrou, le crocodile ou caïman lui-même, cédant à cette chaleur dévorante, restent immobiles, étendus sur la grève, et, comme tout le reste de la nature, ils semblent frappés de mort, jusqu'au moment où les nuages amoncelés versent les flots d'une pluie bienfaisante sur cette terre de désolation.

Aux lacs de l'Amérique du sud, l'*Ybéra*, le *Zapatoza*, le *Maracaïbo*, le *Parima*, le *Xaraës*, le *Patos*, le *Villa-Rica*, le *Titicaca*, et d'autres encore, la plupart immenses cuves d'indigoterie, qui percent une infinité de petits golfes entourés de collines vertes en formes capricieuses, ressemblant assez à une succession de bosses gigantesques de dromadaires, on peut bien opposer les lacs de l'Amérique du nord, le *Huron*, l'*Erié*, le *Michigan*, l'*Ontario*, le *Nicaragua*, le *Chapala*, l'*Athapescow*, etc.

Si les fleuves de l'Amérique ont l'étendue et la majesté que je vous ai signalées, combien plus ses lacs sont immenses et grandioses : chacun de ces lacs est une mer, mais une mer encadrée dans les plus beaux horizons. Je ne puis vous les décrire les uns après les autres, et d'ailleurs votre imagination se les représente facilement se prolongeant à perte de vue dans les brumes blanches d'un lointain toujours fuyant ici, là sous les clairières de sombres forêts vierges qui viennent se baigner dans leurs eaux, ailleurs entourés de montagnes sourcilleuses, partout montrant sur leurs rives ou l'homme affairé, ou le chasseur à l'affût, ou l'Indien suivant une piste, ou les hôtes des solitudes venant boire à leurs eaux limpides. Mais ce qui ajoute aux prestige de ces ondes si largement réparties sur le sol neuf du Nouveau-Monde par la main du Créateur, c'est la fameuse *cataracte du Niagara.*

Du *lac Erié* d'où il s'échappe pour se jeter dans le *lac Ontario* en les unissant l'un à l'autre, descend soudain, sur un lit de rochers, le fleuve Saint-Laurent. Le saut qu'il fait pour changer de niveau ne compte pas moins de cent quarante-quatre pieds, et porte le nom de *chute du Niagara.* C'est moins un fleuve qu'une mer, dirai-je encore, et une mer dont la masse incommensurable se précipite dans la bouche béante d'un gouffre colossal. Un énorme bloc de rochers partage la cataracte en deux nappes, juste au moment de la chute des eaux. Entre ces deux immenses courants se trouve une île creusée en-dessous, et cette île demeure suspendue avec toute la végétation qu'elle porte, sur le gigantesque chaos liquide. La première nappe d'eau s'arrondit en forme de merveilleux cylindre, se déroule en une large muraille d'argent inclinée, et miroite au soleil de toutes les couleurs du prisme ; la seconde se développe au milieu d'une ombre effrayante. Mille lueurs jaillissent, se courbent, s'éteignent et se ravivent, en se croisant sur l'abîme et en frappant le roc ébranlé. L'eau rebondit en tourbillons d'écume qui s'élèvent au-dessus des bois, comme la fumée d'un vaste embrasement, et qui s'irisent de mille arcs-en-ciel. Des pins, des arbres sauvages, d'énormes rochers décorent cette scène imposante. Des oiseaux à large envergure, entraînés par l'agitation de l'air, tournoient au-dessus du gouffre, et des singes, habitués à cette fantasmagorie des eaux, s'attachent par leurs queues flexibles aux branches qui surmontent la foudroyante cataracte, dont le bruit, le mugissement effroyable, s'entend à plusieurs lieues de distance.

La spéculation, car en Amérique tout se traduit par de l'argent, la spéculation s'est emparée de l'île suspendue, que l'on nomme l'île aux Chèvres. On en a fait un jardin anglais aux allées sinueuses et aux bosquets touffus. Un pont hardi jeté sur l'un des côtés du fleuve la met en communication avec la terre ferme, et alors, moyennant finances, on peut se promener dans cette île d'où l'on observe parfaitement le phénomène des eaux. On a même disposé un escalier qui descend sous l'île et permet d'aller prendre place dans une grotte humide d'où le Saint-Laurent laisse admirer sa chute sous la voûte des eaux qu'il pousse dans l'abîme... C'est un spectacle unique au monde : mais il n'est pas sans danger. Aussi le propriétaire de l'île aux Chèvres délivre-t-il à l'audacieux amateur des grandes scènes de la nature un certificat propre à être mis sous les yeux des badauds, affirmant que tel curieux a visité et étudié la cataracte du Niagara jusque dans ses abîmes les plus inaccessibles.

Je m'arrête. J'aurais bien voulu vous décrire la célèbre *cascade de la Gotha-Elf,* du lac Wenersse, dans la Norwége, cascade qui, composée de vingt-quatre rivières, se précipite dans un gouffre de cent cinquante pieds. Mais à toute chose il faut une fin. D'ailleurs, à part certaines particularités, cataractes, cascades, lacs, fleuves, vallées, etc., se ressemblent plus ou moins. Donc je m'en tiens là, et je vous souhaite de rêver quelquefois des magnificences des eaux qui ont passé sous nos yeux dans ces pages.

CHAPITRE X.

Les grands déserts. — Désert de l'Arabie, etc. — Le Sahara. — Le Sahara jadis mer. Projet de recréer la mer saharienne. — Chameaux et dromadaires. — Tempêtes au désert. — Le simoun. — Mistral et sirocco. — Effets du simoun. — Mirages dans les déserts. — Explication du phénomène. — Paysages d'Amérique du nord, vus de l'Atlantique du sud par effets de mirage. — La fée Morgane, etc. — Caravanes et caravensérails. — Départ d'une caravane. — Une caravane vue de loin sur les sables du désert. — Campement d'une caravane. — Physionomie du désert. — Histoire d'un touraco. — Chasse aux éléphants. — Ce que l'on nomme oasis, au désert. — Peintures d'oasis. — Un bouc bleu. — Village huché sur les branches d'un arbre. — L'hippopotame dilettante. — La mort d'une giraffe. — Jungles de l'Inde. — Le lion du Bengale. — Combats de rhinocéros et d'éléphants. — Landes et steppes. — Les déserts de l'Amérique. — Peaux-Rouges et visages pâles. — Chevaux sauvages du désert.

La surface de notre planète terre, mes chers lecteurs, n'offre pas un relief continu de montagnes, de pics, de mornes, de glaciers, d'aspérités de toutes sortes, entrecoupés de vertes vallées ou de vastes plaines livrées à l'agriculture. Tant s'en faut! Pour le curieux qui voudrait, du haut des airs, observer l'épiderme de notre sphère, si elle pouvait tourner sous ses yeux sans qu'il fût emporté dans son mouvement diurne, de manière à lui laisser passer en revue les zones désertes de toutes ses contrées, se montreraient, çà et là, sur de nombreux points, d'immenses espaces, ou blancs comme la neige, ou d'un jaune d'or éblouissant, ou de vastes prairies où l'homme n'apparait point.

Ainsi découvrirait-il, dans l'Asie, de grands plateaux, celui de *Kobi*, par exemple, où pendant plus de cent lieues le sol est toujours pierreux, salin, dont la végétation est nulle, car elle ne produit que de misérables plantes herbacées, ne pouvant résister aux ardeurs d'un soleil inclément.

Il y verrait les *déserts de l'Arabie*, où faillirent s'anéantir jusqu'au dernier soldat les armées de Sémiramis, de Cyaxare et de bien d'autres conquérants, tant le soleil tropical y fait ruisseler sur les têtes des torrents de feu.

Il se trouverait en face des immenses perspectives, aux ardeurs dévorantes, des *déserts de Ziph*, de *Sin*, de *Sur*, de *Madian*, etc., dans lesquels, pendant quarante ans, errèrent les Hébreux, après que Moïse eut arraché ce peuple bien-aimé de Dieu à la tyrannie du pharaon d'Egypte.

Dans l'Afrique, il contemplerait les incommensurables plaines de sable de la *Libye* et du *Sahara*, au milieu desquelles le voyageur, qui les parcourt, passe souvent vingt-cinq et trente jours sans fouler aux pieds autre chose que ces sables qui rutilent, éblouissent et calcinent l'œil qui ne se couvre pas d'un voile. Le Sahara, nom arabe qui signifie *désert par excellence*, est en effet un immense désert qui couvre presque toute la partie septentrionale de l'Afrique, et forme l'un des traits distinctifs de sa géographie.

C'est une zone de trois cent cinquante lieues de large, resserrée au nord entre la région couverte par le système de l'Atlas, dont les dernières ramifications viennent s'y perdre; la chaîne Libyque qui couvre les rivages orientaux du Nil à l'est; le Takrour et la Sénégambie au midi; et à l'ouest, l'océan Atlantique. Sa longueur est de mille lieues, et sa superficie de plus de trois cent dix mille lieues carrées. Cet espace incommensurable est complètement dépourvu de montagnes. C'est presque partout une plaine basse de sables arides, au milieu desquels se présentent cependant çà et là de riantes oasis, de petites dépressions où végètent quelques plantes, des rangées de roches pelées, sans liaison entre elles.

On ne trouve d'eau que dans les oasis et dans les puits creusés à de grandes distances les uns des autres, où elle devient saumâtre, quand elle n'est pas absorbée par les vents brûlants qui soufflent sur ces solitudes sans fin. Le palmier-dattier, dont le fruit est une véritable richesse en de tels déserts, le henné, quelques arbustes épineux, l'acacia-gommier, telles sont les principales plantes de ce sol ingrat. Là où la roche ne se montre pas nue, on ne trouve qu'un sable fin que les vents soulèvent comme les flots de la mer.

La partie du Sahara voisine de l'Egypte, le désert de Libye par conséquent, se distingue par quelques débris de végétation, des fragments de rocher, des cailloux roulés, et une grande quantité de débris de bois pétrifiés, depuis les branches les plus minces jusqu'aux troncs d'arbres les plus gros, ce qui donne à ce désert l'aspect d'un fond de mer desséché et couvert de reliques de navires naufragés.

Et, par le fait, Pomponius Mela, un géographe de l'antiquité, disait en son temps, il y a dix-huit siècles, qu'il était fort étonné que le sol du nord de l'Afrique présentât des coquillages fossiles, des amas de galets, des squelettes de grands poissons, des bois de galères, etc., toutes choses attestant, selon lui, le séjour passé de l'eau de la mer dans ces parages. A sa grande surprise, le pied du soldat romain heurtait des ancres de vaisseaux incrustées dans les roches émergeant des sables.

Pomponius Mela avait bien pensé : le Sahara fut jadis une mer. Mais à quelle époque géologique a-t-elle pu exister? A quelle autre période et par quelles causes a-t-elle cessé d'être? Fut-elle d'une seule étendue, ou bien était-elle fractionnée? L'immersion de l'ancien bassin serait-elle possible? Problèmes à résoudre, mais dont peut-être on peut trouver la solution.

En effet, M. de Lesseps, l'infatigable perceur de l'isthme de Suez, frappé de ces indices révélant une mer antéhistorique en plein cœur de l'Afrique, après avoir réuni deux océans, veut en créer un. Il songe à ouvrir le Sahara aux flots de la Méditerranée et à mettre en communication avec l'Europe les contrées brûlantes et sauvages de cette inabordable zone torride, si fatale jusqu'à présent à ses audacieux explorateurs.

Ainsi donc il s'agit de reconstituer une mer qui, d'après l'étendue que je donnais tout-à-l'heure au Sahara, trois cent dix mille lieues carrées, offrirait alors un bassin de navigation plus vaste encore que le bassin méditerranéen lui-même tout entier. Certes! voilà une entreprise prodigieuse ; mais, ainsi rendue à sa destination primitive, cette mer des temps antédiluviens, que l'on pourrait appeler *mer Saharienne*, ouvrirait des rapports directs et faciles avec toutes ces grandes régions de l'Afrique centrale, qui nous sont inconnues. La géographie, l'ethnologie, l'archéologie, l'histoire, etc., y gagneraient d'incalculables avantages. Quant à l'industrie, au commerce et à la civilisation, ils y rencontreraient des ressources immenses, toutes choses perdues depuis la chute de la grande Carthage. Aussi quelle gloire pour le génie qui, triomphant des difficultés, doterait le monde entier de résultats grandioses à ce point!

Attendons et espérons! cent vingt kilomètres de tranchée à ouvrir, ne sont pas un obstacle qui doive arrêter M. de Lesseps, dans le projet de restituer les flots à un bassin destiné dès l'origine des temps, semble-t-il, à les recevoir de nouveau. On étudie ce travail; ayons confiance dans l'homme qui a su mener à bonne fin l'œuvre entreprise, puis abandonnée, par le grand pharaon Néchao.

Quoi qu'il en soit, et tel que se montre actuellement le Sahara, dans ce désert, le regard n'est arrêté par aucunes limites. L'immensité se fait vaste, infinie, comme celle de l'Océan. La matinée, fraîche d'abord, devient rapidement chaude et brillante. Puis le soleil du midi décoche ses flèches de plomb. Les sables lancent de flamboyantes réverbérations. Une lumière crue, éclatante et poussiéreuse à force d'intensité, ruisselle en torrents de flammes; l'azur du firmament blanchit de chaleur, comme un métal à la fournaise. Une brume ardente et rousse fume à l'horizon. Pas un nuage ne tranche sur ce ciel incandescent, invariable comme l'éternité.

Aussi loin que la vue peut porter, on aperçoit une longue ligne de légères ondulations que l'on ne peut définir au premier moment : mais on reconnaît bientôt que ce sont des squelettes de hardis voyageurs, aventurés dans ces déserts, et que le soleil ou la soif ont fait périr; des carcasses de chevaux et de mulets, de misérables chameaux qui sont tombés pour ne se relever jamais. En effet, sous l'influence d'une chaleur qui ne permet de respirer que du feu, les pauvres animaux souffrent avec effort. Leurs yeux s'injectent de sang; ils frissonnent sous leurs cavaliers. Un premier tombe bientôt; un second tombe à son tour; les autres, épuisés eux aussi, échelonnent leurs cadavres de distance en distance et ponctuent le sol. Les mulets résistent plus longtemps que le cheval; mais l'heure de succomber sonne aussi pour eux. Le chameau, le *navire de l'Océan* des sables, généralement résiste seul. Car les explorateurs, démontés, haletants, sont bientôt abattus. Vainement le courage les soutient d'abord; une fièvre ardente comme l'air les dévore; le vide se fait dans leur cerveau desséché; les voici qui fléchissent, ils glissent de leur monture à terre... Ils sont perdus, l'ardeur du soleil les achève et les tue...

Créé par la main de la Providence pour habiter les déserts de feu, le chameau souffre la chaleur, la faim et la soif avec une patience inimaginable. Cet animal appartient à la famille des ruminants privés de cornes; il est caractérisé par la lèvre supérieure fendue, le pied bifurqué, mais en-dessus seulement, et par la présence de dents canines aux deux mâchoires. Il porte sur son dos d'énormes bosses de graisse, dont la nature généreuse lui a fait don pour porter plus facilement les plus lourds fardeaux. De plus, la panse est pourvue de vastes cellules dans lesquelles il peut conserver de l'eau pour plusieurs jours, ce qui lui permet de franchir les déserts sans boire. Il existe deux espèces de ces utiles animaux : le *chameau* à deux bosses de l'Asie, et le chameau à une bosse ou *dromadaire*, particulier à l'Afrique.

Oui, le chameau est un présent de Dieu, qui a su disposer toutes choses pour l'avantage de l'homme. L'Arabe le sait et le dit. Le lait, la chair, le poil du chameau, qui se renouvelle tous les ans, fournissent aux premiers besoins des populations de ces contrées sahariennes. Quelquefois même, dans les derniers moments du supplice de la soif, l'Arabe, ou le voyageur qu'il conduit à travers la fournaise du désert, égorge le pauvre ruminant afin de reprendre la vie qui s'échappe, en buvant l'eau qu'il porte dans ses flancs.

L'Arabe dresse ses chameaux dès leur naissance. Il les habitue à plier les jambes pour recevoir les fardeaux qu'il lui impose; il augmente chaque jour petit à petit le poids de ces fardeaux ; il règle leur repas en diminuant graduellement la quantité de nourriture. Alors, quand ils sont devenus robustes, ces mêmes chameaux sont exercés à la course, par l'exemple des chevaux qu'on leur adjoint dans ce but. Aussi ne peut-on retenir son admiration lorsque l'on contemple la tranquillité, le flegme avec lesquels ces étonnants quadrupèdes continuent leur route à travers les sables, d'où s'exhale une chaleur indicible. Le soleil fait tomber en vain ses torrents de feu, l'air manque, ou brûle, nul zéphir ne souffle, pas un brin d'herbe pour rafraîchir sa langue desséchée ; à peine a-t-il mangé, la veille, une ou deux poignées de blé ou de riz, il n'a pas bu depuis plusieurs jours, et cependant le chameau poursuit sa course sans broncher. Souvent, celui qui le guide, épuisé par la torture, s'arrête et se couche à l'ombre de sa bête ; elle reste immobile alors, et reçoit les baisers, les morsures de l'astre implacable, qui dessèchent sa chair et carbonisent ses entrailles.

C'est de l'intérieur de l'Afrique, de la zone équatoriale qui la partage, que vient ce vent qui, après avoir traversé l'étendue des déserts, apporte avec lui les vapeurs brûlantes de l'équateur, vapeurs souvent mortelles, qui l'ont fait nommer, selon les contrées qu'il parcourt :

Simoun, mot arabe qui veut dire poison;

En Egypte, *chamsin* ou mort ;

Harmattan et *tornados*, dans les Arabies;

Quand il pénètre en Espagne, *solano* ;

Fohn, en Suisse, où il est bientôt rafraîchi par les glaciers et les neiges, tout en restant épais et malsain ;

Sirocco, quand il arrive en Italie ;

Et en France, *mistral.*

Le Napolitain, toujours court-vêtu, appelle sans cesse de ses vœux cette chaude haleine de l'Afrique, son unique calorifère. Sans le sirocco, adieu aux longues flâneries sans but et sans fin dans les rues, les bons sommes sur les escaliers des églises, ces mille doux emplois des heures perdues. Or, quand le sirocco souffle, à Naples et dans l'Italie, come le mistral, en France, et que la pluie vient à tomber, chaque goutte de cette pluie, à Toulon, à Marseille, par exemple, et c'est là l'extraordinaire de la chose, chaque goutte de cette pluie laisse une trace boueuse où elle tombe. Ce résidu n'est autre que le sable du désert véhiculé par le simoun, le sirocco, le mistral.

Dans le désert, le simoun commence-t-il à se faire sentir? le chameau l'a pressenti; sa marche devient plus rapide et le voyageur comprend alors le danger qui le menace. Que la première haleine de ce terrible vent passe dans l'air, le chameau court. Bientôt le sable s'élève fin et brûlant; il forme insensiblement un brouillard. Le soleil s'obscurcit et son orbe ne ressemble plus qu'à un bouclier rougi au feu d'une fournaise. L'horizon se voile. On ne respire plus seulement du feu, on respire du sable, du sable qui brûle. Il pénètre dans les yeux et aveugle; il pénètre dans les narines et étouffe; il pénètre dans la bouche, et dévore. L'homme devient fou de terreur et de souffrance. Le chameau, lui, poursuit sa carrière nonobstant les tourbillons que le vent chasse devant lui en sifflant d'une façon stridente. Le brave animal reste aussi calme qu'à l'heure du repos. Il semble dans son élément. Seulement il court, il court encore, il court toujours. Pourtant, si la tempête atteint le paroxysme de la fureur, alors il creuse du pied le sable, et y cachant l'extrémité de sa tête, il attend le terme de la tourmente.

Buffon a appelé le désert une *lacune de la nature*, et il a dit vrai. Nulle trace de végétation; pas la moindre touffe d'herbe; de l'eau, en aucun lieu. Partout le sable s'accumule en monticules apportés ici par le simoun, aujourd'hui, et, demain, transportés ailleurs. Et lorsqu'un de ces épouvantables phénomènes du désert se déclare, toute trace de sentier disparaît. Il ne reste même plus bientôt rien de ces débris de cadavres d'animaux morts, dont j'ai parlé, rien de ces faibles vestiges qui seraient de funèbres mais utiles fanaux au milieu de ces océans de sables, mobiles comme les eaux. Alors la vie de nombreux pérégrinateurs, perdus dans une plaine infinie, dont l'horizon recule sans cesse, ne tient plus qu'à quelques accidents du sol qui ont résisté au bouleversement général; elle ne tient plus qu'à l'instinct du chameau.

Il est un phénomène, plus agréable à voir, mais redoutable aussi, dans les déserts; c'est le mirage.

Le *mirage* fait voir à l'horizon du désert des îles, des oasis, des montagnes sourcilleuses ou des collines boisées, des prairies, des cascades, des paysages charmants, des villages et même des villes fortifiées, en un mot de ces sites que le voyageur et le marin sont si heureux de rencontrer dans leurs longues et pénibles explorations. Ce phénomène qui, sur les mers, présente aux yeux du matelot ravi des enfléchures de navire, des navires même avec leurs voiles dehors, des flottes entières, ou l'approche de riantes îles, de charmants archipels, a lieu tout particulièrement, comme dans les déserts, dans les pays chauds.

Pour se faire une idée juste et précise de la manière la plus ordinaire et la plus simple dont se manifeste cet original caprice de la nature, il suffit de se figurer un corps quelconque, et, près de ce corps, son image renversée, à peu près comme une masse limpide d'eau reflète, *à l'envers*, les objets placés sur ses bords. Cela tient aux couches de l'air superposées et d'une densité différente. L'une fait miroir à l'autre, et, quelquefois, celle qui fait miroir reflète et montre des sites, des paysages, des objets qui se trouvent à d'énormes distances, comme s'ils en étaient proches, et *en les rétablissant dans leur position naturelle, par suite d'une double réflexion.*

Sur mer, ce prodige est d'un effet d'illusion extraordinaire. Les marins, qui le connaissent, s'en défient, et cependant l'apparence joue si bien la réalité, certaines fois, qu'ils s'y laissent prendre. Alors, croyant aborder à une île fortunée, ils n'atteignent qu'une masse incohérente de vapeurs échauffées par le soleil.

Sur terre, dans les sables notamment, malheur au voyageur inexpérimenté qui se laisse séduire par la vision d'un mirage! Il se détourne de la ligne qu'il suivait pour aller droit au paysage enchanteur qui frappe ses regards, et, à mesure qu'il avance, il ne trouve que le sol aride et la terre brûlante au lieu même où il espérait arriver à un paradis terrestre.

Voici un fait de réfraction terrestre des plus extraordinaires, que me raconte une lettre toute fraîche datée de Ténériffe, à l'occasion d'une ascension faite sur le pic de cette montagne, par des savants portugais. Les savants dont il est question, étant parvenus à la cime du volcan, qui ressemble à une énorme pyramide et qui est à une altitude de deux mille mètres, ne furent pas peu surpris d'apercevoir, au lever du soleil, des terres se développant sur certains points de l'horizon et formant une masse qui ne pouvait évidemment appartenir qu'à un continent. L'archipel des îles Canaries étant à leurs pieds, il n'y avait donc pas lieu de confondre les terres qu'ils apercevaient avec les îles du groupe des Canaries, quelle que fût la distance qui les séparât.

C'était donc des terres autres que celles des îles Fortunées qui se montraient à leurs regards étonnés, et ce n'était, en effet, ni plus ni moins que les monts Apalaches de l'Amérique que l'on apercevait du haut de cet observatoire colossal.

Le doute n'était pas permis d'après le calcul fait par un des voyageurs qui connaissait parfaitement cette partie de l'Amérique. Aussi, ses compagnons s'extasièrent devant ce grandiose spectacle, qui leur mettait sous les yeux la vue du continent découvert par Christophe Colomb, à une distance de près de mille lieues.

Cette vision splendide était due à un mirage des plus merveilleux.

Les effets de cette réfraction extraordinaire sont produits par le vent humide de l'ouest-sud-ouest qui règne dans cette partie de l'Océan. Ce jeu des réfractions terrestres, dont les phénomènes sont d'ailleurs très connus, se révélait là, pour la première fois peut-être, dans des proportions véritablement insolites et qui paraîtront incroyables, quand on saura que de la cime d'une montagne élevée comme le pic de Ténériffe, l'œil ne peut embrasser qu'une surface de cinq mille sept cents lieues carrées, et que le rayon visuel de l'horizon du pic s'étend à peine à une distance de cinquante lieues. Or, apercevoir les monts Apalaches de l'Amérique, situés à mille lieues, était assurément le plus émouvant et le plus merveilleux résultat de réfraction qui jamais se fût produit.

Les monts Apalaches, connus aussi sous le nom d'Alléghanys, sont situés dans l'Amérique du nord, et s'étendent des frontières de la Géorgie au cap méridional de l'embouchure du Saint-Laurent. Cette chaîne se dirige du sud-ouest au nord-est. Sa longueur est de mille six cents kilomètres. Sa distance du rivage de l'Atlantique est de quatre-vingts kilomètres.

Le phénomène de la *fée Morgane*, dans le golfe de Naples; le *spectre* du *mont Broeken*, dans le Hartz; et les apparitions du *spectre solaire* sur le Righi, en Suisse, sont tout simplement des mirages.

Lors de l'expédition d'Egypte de 1798, notre armée française allant d'Alexandrie au Caire, fut, tous les jours, témoin de cette curiosité naturelle, dans les déserts sablonneux du delta, où les habitations sont placées sur des éminences, afin de se soustraire à l'inondation annuelle du Nil. Vers midi, chaque village semblait à nos soldats comme enveloppé d'un grand lac, dont la surface ondoyante réfléchissait l'image des maisons. Mais ce lac s'éloignait à mesure que l'on s'en approchait, pour disparaître bientôt complètement, et se reproduire ensuite un peu plus loin autour d'un autre village, dès qu'on s'en trouvait convenablement rapproché.

Singulier amusement de la nature, dans un pays privé d'eau, et sous les yeux d'une armée mourant de soif!

Donc, les sables des déserts ont aussi leurs mirages, et il est important de s'en éloigner, afin de ne pas courir à sa perte.

Les glaces ont également l'étrange illusion des mirages, tout comme les déserts et les océans.

Tout récemment, à Buctonche, dans la Nouvelle-Ecosse, on put jouir d'un remarquable effet de mirage produit par la glace. Une portion de l'île du Prince-Edouard, qui se trouve à quatorze milles de la ville précitée, apparut suspendue dans les airs. Cette île semblait si rapprochée que l'on pouvait, à l'œil nu, distinguer les maisons, les rues et les places, et même, avec une bonne lunette, reconnaître des animaux et des véhicules en mouvement.

En-dehors des dangers auxquels s'exposent les explorateurs dans la traversée des déserts, il n'est rien de plus poétique et de plus curieux à voir que le long défilé d'une *caravane* qui sillonne les sables, pour s'acheminer vers un but déterminé. On peut parfaitement comparer cette longue procession de chameaux, de dromadaires, de chevaux et de mulets, à un serpent gigantesque qui déroule ses anneaux sur les sables d'or des solitudes africaines.

Dans les villes assises sur les limites du désert se réunissent et s'attendent les pèlerins, les explorateurs, les trafiquants qui doivent s'aventurer dans les profondeurs du Sahara, ou des déserts de l'Arabie. En composant ainsi une réunion nombreuse, afin de voyager de conserve, on a pour motif de se donner mutuellement des secours dans les périls et les besoins de toute sorte auxquels on sera bientôt exposé. On appelle ces agglomérations de voyageurs *kafilahs*, ou caravanes, du mot *kéravan*, ambulant, expressions arabes qui rendent assez bien la marche des caravanes.

Cette manière de voyager a été usitée de tout temps en Asie et en Afrique : elle remonte jusqu'aux siècles des patriarches.

Abraham et Loth marchaient en caravanes composées de leurs nombreux serviteurs et de leurs immenses troupeaux de bétail de toute espèce.

Jacob ramena de Harau, par caravane, jusqu'à Mambré, ses jeunes femmes Lia et Rachel, et ses servantes Bala et Zelpha, montées sur des chamelles, et suivies de légions d'animaux domestiques et de valets.

Ce fut à une caravane de marchands arabes que Joseph fut vendu par ses frères.

Mahomet, avant de se faire prophète, conduisait d'Arabie en Syrie les caravanes de ses oncles et celles de la veuve Kadidjah, qu'il épousa ensuite.

Les fonctions de conducteur de caravane n'ont rien que d'honorable en Orient. Ce conducteur porte le titre de *tchehar-wa-dar*, guide de quadrupèdes : il a sous lui des esclaves qui chargent, déchargent, font boire et paître les animaux confiés à leurs soins.

Le départ d'une caravane est annoncé par le tintement des sonnettes suspendues au cou des chameaux, des mulets et des chevaux, afin d'empêcher qu'ils ne s'égarent pendant la route. Pour le même motif, on attache tous ces animaux l'un à l'autre par la queue. Chameaux et mulets portent les marchandises et les bagages. Ils sont aussi la monture des femmes qu'on y renferme dans des *hewdedj*, sorte de tente en osier garnie de courtines et de houppes de laine ou de soie, afin de les dérober aux regards des hommes. Les voyageurs vont à pied ou à cheval : tous ont des armes, poignards, pistolets, revolvers, fusils à deux coups, etc., car, en outre des bêtes féroces de ces latitudes, les déserts ont aussi leurs voleurs, Maures et Bédouins, et leurs hordes de sauvages. Quand tout est prêt et que les bêtes de somme sont chargées, le conducteur donne le signal d'avancer à ceux qui sont en tête, et toute la file se met successivement en marche. Alors que la kafilah est en route, elle se tient serrée le plus près possible. Les caravanes vont à petites journées, comme nos troupes qui marchent par étapes. Les étapes de chameaux sont de huit lieues tout au plus, en raison de la chaleur et de la distance des puits creusés dans les déserts. Pendant les trop grandes chaleurs, les caravanes se reposent le jour et ne marchent que la nuit, éclairées de distance en distance par des hommes porteurs de torches. Chaque jour, dès l'aurore, on reprend le même ordre que la veille.

Rien de plus étrange que le campement d'une caravane.

En arrivant à l'endroit où l'on doit s'arrêter, chacun dépose ses ballots ou ses bagages dans les lieux indiqués par ce conducteur. On en forme une demi-lune au centre de laquelle on place les tentes, lits, divans, et les provisions, et l'on tend à l'entour, à la distance de neuf à dix pieds environ, une corde de crin qui empêche la confusion des effets. On attache à cette corde les chameaux et les mulets, en face des marchandises qu'ils doivent porter le lendemain, et on place des sentinelles chargées de veiller à la sûreté des uns et des autres. Alors des feux s'allument, et chacun selon son goût et son caprice fait cuire du riz, du blé, du café, etc. Le repas une fois pris, les pipes font les frais du reste de la soirée. On fume, on cause, on raconte : on raconte beaucoup, surtout les Arabes, grands conteurs s'il en fut.

Les journées se suivent et se ressemblent, à moins qu'une tempête, le simoun, ou toute autre circonstance imprévue n'amène quelque drame, dont je ne vous redirai pas les péripéties. Combien, hélas! ont commencé ce genre de voyage sous d'heureux auspices, et qui cependant n'en voient pas le terme. Combien qui forts, robustes et bien portants, après quelques jours de fatigue et de chaleur, succombent, ou sont tués par le simoun, ou dévorés par les lions, les tigres et les panthères!... Et combien sont les victimes des terribles Tibbous et des Touaregs.

Pourtant, je dois dire que, de loin en loin, la vue est agréablement reposée, dans certains déserts seulement, le désert de Libye par exemple, par des oasis, dont une suite nombreuse, située sur la côte orientale de l'Afrique, se dirige vers la Méditerranée, parallèlement au Nil.

Figurez-vous le désert, cette grande et vaste mer, dont les vagues, d'un rouge fauve comme la crinière d'un lion, semblent mobiles et frémissantes, sous la réverbération des feux et des vapeurs qui s'élèvent des sables brûlés par le soleil depuis les premiers jours de la création jusqu'à présent. Que le vent s'élève, non pas le vent frais de nos vallées, mais un vent semblable à l'air qui s'échapperait d'une ardente fournaise, soudain un brouillard rouge obscurcit le ciel, ensanglante l'astre du jour : les voyageurs sont contraints de fermer la bouche, sous peine d'étouffer en respirant cette fine poussière de feu; ils ferment les yeux qu'elle aveugle; leur peau se couvre de rugosités; leur poitrine devient haletante; leurs genoux se dérobent sous sa pénible étreinte ; il ne reste plus qu'à mourir. Alors le désert change d'aspect ; une montagne de sable se forme où s'ouvrait une dépression de terrain, le ciel prend une teinte pâle comme le plomb qui blanchit... Mais qu'une voix vienne à signaler une oasis, l'espoir renaît dans tous les cœurs, et chacun se précipite vers le point fortuné qu'il contemple avec amour et bonheur.

Une *oasis* est pourtant tout simplement une petite source, et rien n'offre un aspect plus triste que la faible et souffreteuse végétation qui s'étend autour de ce maigre filet d'eau qui jaillit de terre. Mais il suffit de cette fontaine misérable qui suinte dans un lit desséché pour donner une existence maladive à de rares buissons rabougris et noueux, à des plantes étiolées, parmi lesquelles bruissent des myriades d'insectes : aussi les infortunés voyageurs accourent près de cette source, et ces arbustes épineux deviennent leur salut en les protégeant contre le simoun.

Le désert n'est donc point partout nu et aride : çà et là, apparaissent de ces oasis. Quelques-unes même ne sont pas qu'une pauvre fontaine : il en est qui offrent un petit coin de la terre promise.

Les plus remarquables de ces oasis sont l'oasis du sud ou *El-Wah-el-Kébir*, nommé aussi l'oasis de Thèbes, qui a vingt-quatre lieues de longueur sur une largeur de trois à quatre, et qui est habitée par les Arabes, dans le désert de Libye. Puis la petite oasis, près du lac Mœris, en Egypte, qui renferme plusieurs sources chaudes et froides.

Vient ensuite l'oasis de *Dar-Four*, composée de plusieurs oasis, groupées en un cercle allongé.

Après elle se présente *El-Kassar*, qui forme une vallée fertile entourée de rochers, dont les versants intérieurs se terminent en collines couvertes de bois de palmiers et arrosées par des sources nombreuses.

Puis succède *El-Hair*, dont le centre ombragé de cerisiers produit d'abondantes récoltes de riz et de blé.

Enfin, apparaît *Siwah*, la célèbre oasis de Jupiter-Ammon ou brûlant. Au milieu de cette oasis, couverte de moissons et de riches prairies ombragées par des bois d'orangers et de palmiers, s'élève, sur le sommet d'un rocher semblable à une forteresse, la ville de Siwah. Les pierres de ses maisons proviennent des débris du temple antique de Jupiter, dont les ruines imposantes témoignent encore de sa splendeur première. On y rencontre de nombreuses catacombes remplies de débris de momies.

Ces oasis forment la grande voie que la nature a ouverte au commerce des peuples de l'Afrique : l'histoire nous les signale comme constamment suivies par les nations d'autrefois. Elles sont, de nos jours, les postes où viennent se reposer les caravanes qui traversent le désert.

La nature semble avoir voulu dédommager l'Afrique de ses vastes solitudes stériles, en la peuplant d'une multitude d'espèces d'animaux de forme et de grandeur différentes. On prétend qu'il y existe cinq fois plus de quadrupèdes qu'en Asie, et trois fois plus qu'en Amérique. L'énorme hippopotame, le redoutable crocodile, la giraffe à taille de géant, le rhinocéros à deux cornes et l'ichneumon sont propres à l'Afrique, ainsi que les plus grandes espèces d'antilopes, d'hyènes, de chakals, de tigres et d'éléphants. Elle possède aussi le géant des oiseaux, l'autruche habitante des déserts, et le serpent nommé boa-constrictor. On y trouve aussi les lions, les panthères, les léopards, les onces, les zèbres, les buffles, les hérissons, etc. Enfin elle est riche en oiseaux, dont la plupart se distinguent par les plus riches couleurs.

A l'occasion de ces divers animaux, je vous dois quelques histoires de chasse, car, dans les déserts, on est plus ou moins en face de dangers imminents qu'il faut repousser à tout prix, en les bravant, ou d'occasions superbes qu'on ne peut laisser échapper.

C'est un de mes amis, un Nemrod des mieux taillés s'il en fut jamais, qui va prendre la parole.

— J'étais dans le sud de l'Afrique, me disait-il, en Hottentotie, accompagné de quelques noirs dont j'avais apprécié l'adresse et la douceur. Arrivé dans la vallée de *Soete-Melk*, un Hottentot, m'arrêtant tout-à-coup, car je marchais le premier, me dit qu'il aperçoit un bouc bleu. Le *bouc bleu*, tout simplement une gazelle, était couché, ajoute le brave noir. Je porte les yeux vers l'endroit qu'il me désigne, et ne vois rien. Il me prie alors de rester tranquille et de ne faire aucun mouvement, m'assurant de me rendre maître de l'animal. Aussitôt, il prend un détour et se traîne sur les genoux. Je ne le perdais pas de vue, mais je ne comprenais rien à ce manége nouveau pour moi. A ce moment la gazelle se lève et broute tranquillement sans s'éloigner de sa place. Je la prends d'abord pour un cheval blanc, car de l'endroit où j'étais resté elle me semblait de cette couleur. Je fus détrompé lorsque je vis ses cornes. Cependant mon Hottentot se traînait toujours sur le ventre. Il s'approche de si près et si promptement que mettre l'animal en joue et le tirer fut l'affaire d'un instant. La gazelle tomba du coup. Je ne fis qu'un saut jusqu'à elle, et j'eus le plaisir de contempler à mon aise la plus belle et la plus rare des gazelles d'Afrique.....

Elle était d'un bleu léger, tirant sur le gris : le ventre et l'intérieur des jambes étaient d'un blanc de neige, et sa tête surtout se montrait tachetée de la même couleur de la façon la plus charmante.

Une autre fois, ayant placé mon petit camp à côté d'un kraal de Gonaquois, voisins des Hottentots, lequel kraal se composait d'une vingtaine de huttes en forme de ruches d'abeilles, je remarquai dans certains arbres de la forêt voisine un oiseau magnifique, que les Gonaquois nomment *touraco*. Sa couleur était du plus beau vert; une belle huppe de la même couleur, bordée de blanc, ornait sa tête. Ses yeux d'un rouge vif étaient entourés de sourcils d'une blancheur éclatante, et enfin ses ailes du plus beau pourpre changeant en violet, suivant ses attitudes. Tous ses mouvements étaient gracieux.

Malheureusement ce touraco, perché toujours à l'extrémité des plus hautes branches, ne se trouvait jamais à la portée de mon fusil. Enfin j'en vis un cependant, sautillant de branche en branche, s'éloignant fort peu, mais semblant se moquer de moi, car il me conduisit fort loin. Impatienté de son manége, je lui lâchai mon coup hors de portée. Il tombe néanmoins et ma joie fut inexprimable. Le plus fort n'était pas fait, il s'agissait de m'en emparer. Où était-il tombé ? Pendant que je cherche à travers les broussailles, furetant, me piquant, m'irritant, tout-à-coup la terre s'enfonce sous moi, et je disparais, le fusil à la main, dans une fosse de douze pieds de profondeur. L'étonnement et la douleur de ma chute prennent alors la place de la colère. Je me vois au fond de l'un de ces piéges que les Gonaquois tendent aux bêtes féroces et particulièrement aux éléphants. Revenu à moi, je songeai aux moyens de me tirer d'embarras, trop heureux de ne m'être pas empalé sur le pieu très aigu que ces braves gens plantent au milieu de ces trous. J'avoue qu'il ne me plaisait nullement de passer la nuit dans ma chausse-trappe : de sorte que, ne pouvant en sortir malgré tous mes efforts pour escalader les bords de la fosse, je m'avisai de décharger maintes fois mon fusil. Grâces à Dieu, je fus entendu de mon petit camp, et mes gens arrivèrent tous armés jusqu'aux dents, me croyant poursuivi par quelque bête féroce. Je me tirai du piége à l'aide d'une corde : mais je jurai de me venger sur un éléphant...

Mon touraco était perdu, mais je m'en procurai par la suite autant que j'en voulus, et je vous ferai voir tout-à-l'heure le plus magnifique de tous ceux que je tuai...

Cette fois j'étais plus loin dans les terres de l'Afrique, et je campais au beau milieu d'une horde de Namaquois, devenus mes amis, grâce aux mille petits objets dont je leur avais fait don, et qu'ils prisent énormément. En quittant leur kraal, un matin, sous la conduite du chef et de deux femmes, je songeais à mes *éléphants*, lorsque je reconnus les traces d'une troupe de ces animaux qui avaient dû passer le jour même. Je ne la perdis pas de vue un seul moment. Après quelques heures de fatigue, notre marche étant entravée par des halliers, nous gagnâmes un espace assez étendu, où se montraient seulement quelques arbrisseaux et des taillis. Là, nous nous arrêtons. Un des Namaquois qui était monté sur un arbre pour observer, me fait signe en mettant un doigt sur la bouche de garder le plus profond silence. Ensuite il m'indique avec le doigt le nombre d'éléphants qu'il aperçoit. Il descend alors et me conduit à travers les broussailles, d'où il me met en présence de l'un de ces énormes animaux. Nous nous touchions presque, mais à cause de sa couleur semblable à celle des rochers, je ne l'aperçois pas. J'étais sur un petit tertre, au-dessus de l'éléphant même, qui ne bougeait pas. Vainement le chef me le montrait du doigt, je portais ma vue plus loin. Enfin un léger mouvement frappe mes regards. La tête et les défenses de l'animal qu'effaçait son énorme corps se tournèrent vers moi avec une expression d'inquiétude. Sans perdre plus de temps, je vise la bête et lui envoie mon coup au milieu du front. Il tombe mort... Le bruit en fit sur-le-champ détaler une trentaine qui s'enfuirent à toutes jambes. Rien n'était plus amusant que de voir le mouvement de leurs grandes oreilles qui battaient l'air en proportion de leur vitesse.

Je prenais plaisir à les examiner lorsqu'il en passa un dans notre voisinage : il fut tiré par mon domestique. Au sang qu'il répandait, je jugeai qu'il était dangereusement blessé. Il se couchait, se redressait, retombait : mais, comme nous le poursuivions, il se relevait encore et fuyait. Au quatorzième coup qu'il reçut, l'animal devint furieux, et, comme j'étais le premier derrière lui, en se retournant soudain, ce fut vers moi qu'il s'avança. Je me mis à fuir à mon tour : mais l'éléphant gagnait sur moi. Plus mort que vif, abandonné de mon monde, je me blottis contre un gros tronc d'arbre renversé. Effrayé lui-même des cris de mes gens, la bête s'arrêta fort à point. Pendant qu'il s'arrête et écoute, je lui adresse une balle dans la culotte. Alors il disparut à mes regards, laissant partout, sur son passage, des preuves certaines du cruel état dans lequel nous l'avions mis.....

Un jour, j'arrive chez les *Metelebès*, où mon attention se porte sur un arbre gigantesque, une espèce de figuier dont le feuillage toujours vert était parsemé de toits coniques semblant appartenir à des maisons en miniature. Je m'en approche et je reconnais que cet arbre est habité par plusieurs familles de Bakones. Ce sont les aborigènes du pays. J'y monte à l'aide d'entailles pratiquées dans le tronc, et je compte jusqu'à dix-sept de ces habitations aériennes, sans parler de trois autres qui n'étaient pas terminées. Arrivé à la plus élevée, à trente pieds du sol, au moins, je pénètre dans l'intérieur... Du foin qui jonche le plancher, une lance, une cuiller et un grand bol plein de sauterelles en forment tout l'ameublement. Comme je n'ai rien pris de tout le jour, je demande à manger à une femme qui est assise à la porte avec un enfant. Elle m'accorde ce que je sollicite. Alors d'autres femmes de la tribu, grimpant de branche en branche, arrivent des huttes voisines pour me contempler à l'aise. Je visite ensuite, à mon tour, les autres cabanes, celles qui sont assises sur les branches principales. Rien de plus simple que la construction de ces habitations. On n'a pour but en les plaçant ainsi sur un arbre que de se mettre à l'abri des lions, qui abondent dans la contrée.

Quelque temps après, j'étais dans la Sénégambie, et sur les bords d'une rivière où j'eus l'occasion d'admirer les beaux arbres appelés mangliers, et de voir les huîtres suspendues aux branches des tamariniers qui se baignent dans les eaux, tandis que partout ailleurs on les détache des rochers.

Là aussi j'eus occasion de remarquer un baobab ou pain de singe. Cet arbre n'avait guère que soixante pieds de hauteur, mais son tronc était d'une grosseur démesurée, car sa circonférence était de soixante-cinq pieds, et son diamètre de vingt-deux. Du tronc partaient des branches dont quelques-unes s'étendaient horizontalement et touchaient la terre par leurs extrémités. Chacune de ces branches aurait pu égaler en grosseur un des arbres monstrueux de notre Europe.

Une autre circonstance étrange me frappa. Alors que le soleil était à son zénith et qu'il resplendissait de tous ses feux, soudain la nuit se fit, car l'astre du jour se trouva complètement éclipsé par un nuage des plus épais. Ce nuage, qui ne pouvait être causé par l'atmosphère puisqu'elle est très rarement obscurcie dans la saison chaude, provenait d'un nuage de sauterelles élevées de deux cents mètres au-dessus du sol et couvrant un espace de plusieurs lieues, où elles répandaient comme une pluie de ces insectes qui s'y arrêtaient pour se reposer, puis reprenaient leur vol. Ce nuage était apporté par un vent d'est assez fort qui heureusement le poussa dans la mer. Mais pendant leur court séjour sur terre, les sauterelles avaient consommé toute la végétation et même jusqu'aux roseaux secs des couvertures des cases de nègres. Du reste, la sève des arbres devait réparer bien vite les pertes qu'ils avaient faites. En tombant à terre, les excréments de ces innombrables petits êtres produisaient l'effet de la grêle. Je fus témoin que les naturels se faisaient un régal de cet insecte ravageur.

Je suivais encore du regard le nuage voyageur allant s'engloutir dans les vagues, lorsqu'il arriva à mes oreilles une sorte de hennissement qui n'était pas précisément celui du cheval, et qui provenait des eaux de l'embouchure de la Gambie, dont cependant j'étais éloigné d'un quart de lieue. Je m'en rapprochai, et je vis jouant autour de deux ou trois navires quelques *hippopotames* ou chevaux marins, qui paraissaient à la surface du fleuve. Je ne vous ferai pas le portrait de cet amphibie, vous l'avez vu à notre Jardin des Plantes. Mais je trouvai très curieux de m'assurer si cet animal monstrueux et sauvage, comme on me l'avait dit, était sensible aux charmes de la musique. Je fis jouer d'une sorte de galoubet par plusieurs nègres, qui marchaient sur le rivage, et en effet les hippopotames suivirent les musiciens sur toute l'étendue de leur humide empire, s'avançant si près de terre que l'eau qu'ils lançaient de leurs bouches arrivait jusqu'à nous. Je les trouvai timides et inoffensifs, et à cause de cela je n'en tuai point.

De la Sénégambie, j'avais ordre de me rendre dans le Dar-Four. J'organisai mes gens en caravane, avec chameaux, mulets et chariots traînés par des bœufs. Je ne vous raconterai pas les pénibles difficultés de ce voyage, mais je vous dirai que cette caravane en marche offrait un spectacle unique, je pourrais dire magnifique. Avant d'atteindre les terrains plats du désert, les sinuosités qu'elle était obligée de faire en suivant les détours des rochers et des buissons, lui donnaient continuellement de nouvelles formes, et ce point de vue variait à chaque instant. Quelquefois elle disparaissait entièrement à mes regards, puis, tout-à-coup, du haut d'un tertre, je découvrais à vol d'oiseau dans le lointain mon avant-garde qui s'avançait lentement vers le sommet d'une montagne, tandis que le corps général, qui suivait sans tumulte, n'était encore qu'à mes pieds.

Ce fut dans ce trajet que je me trouvai, un soir, en face d'un troupeau de sept *girafes*. Sept girafes! c'était une bonne fortune dont je voulus profiter. Cinq de mes gens, à cheval, s'écartèrent à droite et à gauche pour essayer de les cerner. Mes chiens étaient tenus en laisse, car ils eussent effrayé ces géants de la solitude. Bientôt, malgré le silence avec lequel nous avancions, les girafes entendirent le bruit de nos pas, et nous les vîmes quitter les arbres et fuir à travers le désert. Pendant quelques instants, elles gagnèrent du chemin sur nos chevaux : mais les chasseurs les épouvantèrent si bien par leurs cris, que peu à peu leurs bonds commencèrent à se ralentir. La plus jeune, qui ne paraissait âgée que de quelques mois, fut séparée de ses compagnes, je parvins à l'atteindre et je la fis tomber d'un coup de carabine.

Eh bien! le croiriez-vous? je fus ému d'une profonde douleur en voyant morte cette admirable créature de Dieu... Je me reprochai les angoisses que devait endurer sa pauvre mère, et il fallut me rappeler que j'agissais au nom et dans les intérêts de la science pour me pardonner ce que je regardais comme une mauvaise action.

— Maintenant, je retire la parole à mon ami le chasseur, et puisque je vous ai fait l'esquisse des déserts et des oasis de l'Afrique, **mes** chers lecteurs, je rends cette même parole au capitaine Varnier, qui se charge de vous entretenir de l'Asie.

— C'est dans l'Inde que se trouvent les *jungles*, me disait-il un soir. Je vous ai dit quelle formidable nature est celle de l'Inde. Ne vous représentez donc pas les jungles comme un désert de l'Afrique, une plaine immense toute semée des paillettes d'or du sable. Non, dans l'Asie, le créateur des mondes a mieux fait les choses.

Voici le tableau des jungles à l'heure de l'aube :

Le soleil ne paraît pas encore, mais déjà l'incommensurable solitude s'inonde de cette lumière qui resplendit avant l'astre, à l'horizon de l'aurore. Des arbres gigantesques, capitonnant sans nombre cette plaine sans limites, semblent d'orgueilleux courtisans qui, debout et immobiles, attendent respectueusement l'approche de leur souverain. De merveilleux aspects de nature se présentent de toutes parts et vous sourient; les jungles déroulent sur tous les points leurs longues tresses de blondes rizières, comme une jeune fille sa chevelure : de délicieux petits fleuves, ainsi que des écharpes blanches, sillonnent la verdure. Des collines charmantes ondulent en tout sens, décorées de splendides tiges d'aloès épanouies comme des bouquets de fiancées. L'horizon se drape dans ces vaporeuses prairies, comme dans une robe de cachemire à mille fleurs. Mais à l'approche du flambeau rutilant qui fait jaillir la lumière, alors que l'espace grandiose tressaille sous les embrassements du ciel, et que les brises dans les arbres, le remous sur les fleuves, les douces voix des cascades, le chant des oiseaux, l'hymne des vallées, des collines et des fleurs entonnent un sublime concert au premier rayon qui rutile sur cet Eden, on voit ici, et loin sous le dôme des clairières, aux carrefours des bocages, et dans les longues trouées des avenues, d'horribles monstres, la gueule ensanglantée, qui s'éloignant à regret de leur curée nocturne, se hâtent de regagner leurs tanières, comme s'ils comprenaient que leur présence trouble la majesté de ces lieux et nuit à la sérénité du lever royal du soleil. Car, hélas! les jungles n'ont pour hôtes que des hordes de tigres, des bandes de lions, des légions d'éléphants, des troupeaux de rhinocéros et d'affreux reptiles de vingt coudées.

Un jour, continue magistralement le bon capitaine, je me trouvais dans ces jungles et j'étais en extase devant ces arbres se découpant avec grâce, devant ces fleuves coulant avec béatitude, devant cette inépuisable nature de l'Inde écartelée de verdure et de roches sauvages, ne songeant, certes, au moins dans ce moment, ni aux hyènes, ni aux reptiles, ni aux éléphants, véritables maîtres de cette incomparable région, fille de la mer et du soleil.

Vers le soir, m'étant mis à tirer quelques coups de fusil, je fis lever un petit animal que mon chien poursuivit jusque dans un fourré dont il n'osa sonder la profondeur. Je pénétrai moi-même dans l'épaisseur du buisson, frappant de côté et d'autre pour écarter les branches, qui me coupaient le passage. Je ne vous dirai pas de quelle stupeur je fus saisi, lorsque, parvenu au centre du fourré, je me vis face à face avec un énorme lion. Son mouvement, dès qu'il m'aperçut, ses prunelles ardentes fixées sur moi, son cou tendu, sa gueule à demi béante et le sourd rugissement qu'il laissa échapper, semblaient présager ma perte. Je me crus dévoré. Le calme courageux de mon chien me sauva. Il tint l'animal en arrêt et le fit hésiter entre la fureur et la crainte. Je reculai doucement jusqu'au bord du buisson : mon admirable chien imitait tous mes mouvements, serrant de près mes jambes et résolu sans doute à mourir avec moi. Je regagnai la plaine, en regardant de temps en temps si le lion me suivait. La nuit étant tout-à-fait venue, je ne pouvais pas précisément m'assurer du fait : mais je n'entendais aucun pas sur les feuilles et les herbes sèches. Lorsque je fus à une certaine distance, je me rassurai et j'allais marcher alors d'un pas plus délibéré, quand... je vois à quelques pas, sur mon côté droit, comme deux charbons qui brillaient dans l'obscurité, et puis mon chien s'arrêtant se met à baisser la tête en avant... Cette fois je n'avais pas à hésiter, il fallait tirer, et bien tirer, ou périr, car c'était le lion qui, ayant fait un détour, venait me prendre en flanc. J'ajustai l'animal sans tarder, et visant entre les deux yeux luisant comme des escarboucles, je lâchai mon coup de fusil très heureusement chargé à balle. L'explosion fut terrible, mais le rugissement qui lui répondit ne fut pas moins effroyable. Pourtant les deux charbons s'étaient éteints, le lion devait être mort. Mon chien m'en donna la preuve, en allant droit au but... Je le suivis, le lion se tordait dans les dernières convulsions de sa courte agonie. Il était monstrueux. Depuis l'extrémité de la queue jusqu'à la moustache, il portait sept pieds trois pouces...

Ce fut dans ces jungles que, pour l'unique fois de ma vie, je fus témoin d'un combat acharné dont il serait difficile de donner les détails. C'était entre cinq rhinocéros contre sept éléphants qu'il fut livré : jamais péripéties plus dramatiques ne frappèrent mes yeux.

Vous savez que le *rhinocéros*, dont le nom est formé de *rhin*, nez, et de *kéras*, corne, parce qu'il a une corne sur le nez, appartient au genre des pachydermes, est lourd et massif, difforme et de grande taille. Sa force est extraordinaire. Mais l'éléphant, muni de ses deux défenses, est peut-être aussi vigoureux. Ces deux sortes d'animaux ne s'aiment que médiocrement, et quand ils se rencontrent dans les jungles, ils se battent à outrance. Le plus souvent le pachyderme l'emporte sur le proboscidien, ce qui fait supposer qu'en définitive le rhinocéros est plus vaillant que l'éléphant. Ceux que je vis lutter dans leur solitude marécageuse, le firent avec une fureur que la plume ne saurait rendre. Quatre éléphants furent percés d'outre en outre par la corne des premiers; les seconds ne purent éventrer qu'un seul de leurs ennemis.

Je vis également dans ces jungles un éléphant blanc, phénomène si rare que les Indous le regardent comme divin. Un éléphant blanc est regardé dans ces contrées comme au-dessus de tout prix, et l'on ne peut rendre un plus éminent service au roi de Siame que de lui en offrir un, quand on peut le prendre. C'est là le vrai trésor des princes. Celui que je rencontrai venait d'être trouvé dans une fosse par des Birmans, et ils le conduisaient triomphalement à la cour.

Toutefois l'épithète de *blanc* donnée à ces éléphants souffre quelque restriction. Cet animal est une variété moins fréquente dans son espèce, c'est simplement un albinos, offrant toutes les particularités de cette production, qui s'écarte des règles communes de la nature. Mais ce qu'il y a de remarquable dans ces éléphants, c'est que leurs yeux sont naturels et sains, qu'ils supportent très bien la lumière et ses dégradations jusqu'à l'ombre, et se portent sur les objets au gré de l'animal. Leur iris est blanc comme celui de tous les chevaux, bœufs, lapins albinos, etc. Aussi je ne signalerais point cette particularité, si je n'avais vu plus tard un éléphant qui avait absolument l'œil de l'albinos humain.

Dans le temps où le roi de Perse, au faîte de son pouvoir, était l'unique possesseur de quelques éléphants blancs, on présentait leur nourriture à ces animaux sacrés dans des vases de vermeil. Lorsqu'ils se promenaient ou allaient s'abreuver, ils étaient précédés par des musiciens qui jouaient de divers instruments, et quand ils revenaient de la rivière, un officier du roi leur lavait les pieds dans un bassin d'or. Ils avaient à leur service des hommes titrés. Tous les ambassadeurs étrangers s'empressaient de leur faire des présents en étoffes de soie ou de mousseline. Leur demeure, attenant au palais du roi, se composait d'une longue galerie ouverte, supportée par de nombreuses colonnes. A l'extrémité de cette galerie apparaissait un grand rideau de velours noir, brodé en or, qui dérobait ces prétendus dieux aux regards du peuple, tandis que celui-ci déposait dévotement ses offrandes devant ce rideau. Leurs pieds de devant étaient attachés par des chaînes d'argent, et ceux de derrière par des menottes d'or. Leur lit était une sorte de matelas couvert en drap bleu, sur lequel était étendu un tapis d'une étoffe plus douce ayant pour surtout de la soie cramoisie. Leurs harnais étaient de la plus grande magnificence : l'or, les diamants, les rubis, les émeraudes y étaient prodigués. Leur boîte à cracher, les bagues et les bracelets dont on les surchargeait étaient garnis des plus belles pierres précieuses. Etaient-ce là d'heureux éléphants ! Et néanmoins, soyez-en sûrs ces pauvres dieux regrettaient bien leurs jungles.....

Actuellement, j'ajoute que si un aéronaute pouvait rendre immobile sa nef fragile et la faire stationner, comme un observatoire aérien, au-dessus de notre globe, alors qu'il tourne sur son axe dans son mouvement quotidien, parmi les splendeurs de notre Europe, il découvrirait au nord, non plus des saharas et des déserts de sables, non plus des jungles aux magiques perspectives, mais des landes et des steppes, autres aspects de nature, autres vastes solitudes, dont je dois vous dire quelques mots.

Entre landes et steppes il y a cette différence que les premières, s'étendant sous un ciel doux et clément, se couvrent de bruyères, d'ajoncs, de mille plantes parasites, et quelquefois de pins ou de genévriers, tandis que les secondes, s'étalant fort au large, comme un océan que rien ne captive, sous un climat rigide, âpre et froid, n'offrent aux regards que sol ingrat, marécages humides, roches brisées, troncs rabougris, mièvre végétation, malédiction et chaos.

En langue russe ou slave, *steppe* veut dire plaine stérile. Figurez-vous en effet une mer consolidée, sur laquelle l'horizon se montre, à droite, à gauche, en avant, en arrière, partout, sous une même apparence de désespérante uniformité, de lugubre monotonie. Semez sur ces nappes sombres d'un sol plat et improductif, par intervalles inégaux, des broussailles rampantes, de chétifs mélèzes, de malingres bouleaux, des arbustes lépreux; jetez ici et là des roches dont l'érosion a saupoudré le sol de leurs débris; couvrez ces funèbres plaines de frimas et de neiges, pendant huit longs mois de l'année, ou bien dorez-les des rayons tremblottants d'un pâle soleil pendant les cent vingt autres jours, et vous aurez une steppe.

Dans cette solitude, pas un être vivant! A peine quelques oiseaux, quelque coq de bruyères; à peine quelques rennes rapides, ou de ci de là des élans fugitifs! Cinq jours, dix jours, vous arpentez d'un pied léger les immenses déserts que couvre un gazon rougi, sans nulle vigueur, et peut-être, enfin, sur ses dernières limites, rencontrerez-vous des hommes petits, mal proportionnés, gros de tête, grêles de jambes, les épaules difformes, le teint basané, le nez écrasé entre deux yeux enfoncés dans leurs orbites. Quelle race? Samoyèdes et Tartares. En guise de vêtements, ces misérables n'ont que des peaux de bêtes fauves. A leurs côtés, assises sur des pierres brutes, à l'entrée de leurs trous encapuchonnés d'un toit de branches sèches, accroupies ou debout, voyez des femmes de même aspect, allaitant leurs enfants avec amour, car la maternité éprouve partout les mêmes tendresses, et alors vous aurez entrevu le tableau que je ne puis qu'esquisser.

L'Amérique, elle aussi, possède des déserts, car on peut bien donner ce nom à un espace inhabité, grand comme dix fois notre France, n'est-ce pas ? Immenses plaines de quarante lieues d'étendue, toute de sable blanc, tel que la neige des steppes; terres stériles, couvertes des laves sorties jadis de bouches volcaniques; vastes régions saupoudrées, à une profondeur de six pouces, de sel, du sel le plus blanc, brillant comme une poussière fine de diamants, larges de quinze et vingt lieues et comptant jusqu'à trente de longueur; incommensurables contrées où croissent des arbustes étiolés, aux feuilles blanchâtres; tel est, dans le nord du Nouveau-Monde, le grand désert de l'Amérique. Mais ce sahara a pour équateur la longue chaîne des montagnes Rocheuses qui le coupe en deux parties égales. Et puis, en outre des cimes majestueuses de ces montagnes dont l'arête aiguë déchire le ciel, il est encore dans les limites de ce désert d'autres montagnes dont les formes bizarres reproduisent ici les toits des longues files de maisons; là des cônes isolés qui surgissent à l'horizon comme des coupoles d'édifices; ailleurs des pics élancés comme de gigantesques pyramides; et souvent aussi des aiguilles effilées, des crêtes dentelées que blanchissent et font briller au soleil des neiges éternelles et les lances acérées de glaciers aériens. Sur leurs rampes escarpées sont entassés d'énormes blocs de granit décharné, et se creusent d'effroyables précipices. Partout le vert foncé, le bleu, l'ocre, le noir même, zèbrent ces éminences de leurs couleurs les plus vives, et fréquemment on croirait voir des montagnes d'or, d'argent ou de bronze.

Ces déserts ont leurs rivières, les unes qui roulent leurs eaux transparentes sur de larges couches de sables rutilants; les autres qui s'infiltrent dans les terres en murmurant, et reparaissent ensuite à fleur de terre, à dix lieues plus loin. Celles-ci, véritables méandres, sillonnent le plus capricieusement le sol, en promenant des ondes qui ont la couleur du sang; celles-là lèchent la base de montagnes de roches partagées en mille aiguilles superposées, dont les érosions viennent entraver leur cours et lui opposer des digues qui la tiennent dans un murmure sans fin.

Combien de lacs se dissimulent dans des anfractuosités de collines tellement escarpées que le pied de l'homme ne peut les escalader, car elles s'élèvent à pic à plus de mille pieds de hauteur. De ces lacs, il en est qui couronnent le sommet des éminences les plus abruptes et y manifestent le phénomène du flux et du reflux, le plus inexplicable des mystères de cette contrée capricieuse.

Souvent, du haut de ces rochers qui affectent les formes les plus originales et les plus curieuses, on voit sauter d'étages en étages et de pointes en pointes, en s'enfuyant sur les pics les plus aigus, des troupeaux de bigornes, ou passer comme des armées en déroute des légions de daims et d'élans, car ces contrées sauvages sont la patrie de tous les plus étranges animaux de la création. C'est là qu'on trouve l'armadillo, le carcajou, la moufette, le wolverenne, le racoon, l'opossum, le tapir, la vigogne, le gymnote, la sarigue, le jaguar, le coyote, le couguar, et les caïmans, et les serpents à sonnettes, et le mocasson, et les orioles, et les caravanes de buffles, et les troupes de chevaux sauvages.

Aussi ne vous étonnez pas si je vous apprends que dans ces déserts de l'Amérique vivent et demeurent dans la solitude sans fin de ces régions les batteurs d'estrade, les trappeurs, les chasseurs, en un mot, qui se séparent du reste du monde pour y guetter les bêtes fauves, y tendre des piéges aux castors, s'y approvisionner de magnifiques fourrures et en faire le trafic avec les comptoirs créés à cet effet sur les confins des pays civilisés. Cette vie du désert a quelque chose qui charme, en effet, et nombre d'Européens qui cependant ont joui des plaisirs de la vie de nos grandes villes, mettent leurs délices dans les scènes grandioses et les drames, quelquefois terribles, de ces vastes solitudes. En effet, lorsqu'on a respiré les senteurs aromatiques de ces plaines que l'Américain appelle *savanes;* que, pendant de longues nuits, on a écouté le murmure du vent dans les arbres millénaires, les hurlements des bêtes féroces dans les prairies; que l'on a foulé aux pieds les herbages de ces déserts inexplorés; que l'on a savouré cette admirable et prodigue nature, sans art assurément, mais où le doigt de Dieu a écrit son chiffre en caractères indélébiles; quand enfin on a pu jouir de ces tableaux sublimes qui devant tout voyageur surgissent à l'imprévu, alors on s'éprend d'amour, d'amour passionné pour ce monde inconnu, si plein de mystères et d'étranges péripéties; on répudie les mensonges et les fourberies de la civilisation; on éprouve des émotions pleines de charmes indicibles; et, ne reconnaissant pas d'autre maître que ce Dieu devant lequel on se trouve si petit, on oublie tout, tout, pour vivre à jamais de la vie nomade, de la fièvre du désert.....

A chaque pas, il est vrai, on peut craindre de se rencontrer ici ou là avec des faces tatouées de blanc et de bleu, de rouge ou de vert, d'affreux sauvages, Têtes-Plates ou Nez-Percés, Peaux-Rouges ou Pieds-Noirs, mais on lutte alors d'adresse et de fourberie, car rien au monde ne peut donner idée de la fécondité d'esprit et des ressources inimaginables de ruses de ces singuliers et redoutables habitants des solitudes du Nouveau-Monde.

Il me faudrait des heures, que dis-je? des jours entiers... pour vous raconter leurs tours d'adresse afin de surprendre les *blancs,* comme ils disent, ou plutôt les *visages pâles,* et... les scalper!...

Scalper?... c'est faire autour du crâne, avec un couteau pointu bien effilé, une jolie petite incision sur le cuir chevelu. L'incision faite, la main du sauvage saisit la chevelure, enlève cheveux et peau, et le crâne reste dénudé, rouge, violacé, sanglant, horrible à voir... Le misérable scalpé est chauve à tout jamais, s'il en revient, car souvent on meurt des suites de cette opération cruelle. Combien de pauvres jeunes filles de colons, de pionniers, etc., ainsi découronnés, qui meurent dans d'inexprimables douleurs...

Donc, une nuit, je m'étais égaré dans une forêt du désert que la lune éclairait vivement. Ses rayons projetaient sur le dais de sombre verdure, qui s'étendait à perte de vue, une nappe lumineuse, ondoyant comme les vagues de la mer, puis s'infiltrant çà et là par les interstices des arbres, sur les mousses des bois, de manière à y étendre une charmante guipure de reflets d'argent, mille fois brisée par les branches des sassafras, des sumacs et des palétuviers. Tout-à-coup, dans une clairière, je vois un feu dont l'éclat rougeâtre forme un étrange contraste avec la pâle lueur de la lune, et prête aux lianes pendantes l'apparence de torsades de métal sortant de la fournaise. Mais ce qui me frappe davantage, ainsi que deux officiers, mes compagnons du moment, ce sont les formes truculentes qui s'agitent autour des flammes de ce boucan, qu'entretiennent leurs sqaws.

Je reconnais alors des Apaches, des Comanches, des Navajoës, etc., vingt tribus de ces Peaux-Rouges, aborigènes de ces contrées, qui, chassés constamment de leurs wigwams par les blancs, repoussés toujours vers l'ouest, dans une réunion générale et par un serment solennel en présence du Grand-Esprit, contractent alliance et se liguent pour battre en brèche l'envahissement des visages pâles. Infortunés! voués désormais à la destruction, comment pourront-ils jamais lutter contre la brutalité, la colère, la cupidité de leurs agresseurs? Vainement ces Indiens, si habiles à suivre leurs ennemis à la piste sans laisser eux-mêmes trace de leurs mocassins, si ardents à prendre la file indienne pour dissimuler leur présence, si prompts à frapper de leur casse-tête et à demander à leurs rifles la vie de leurs adversaires, fument ensemble le calumet de la paix afin d'entrer résolument, tous ensemble, dans le sentier de la guerre : ils doivent être, ils seront vaincus, décimés, puis détruits jusqu'au dernier par la civilisation qui s'empare du désert.

Vrai! sous leur harnais de guerre, avec leurs étranges costumes aux vives couleurs, leurs visages tatoués et leurs cheveux tressés, ornés de plumes de vautour et relevés sur le sommet de la tête, comme pour défier le scalp des blancs, ces sauvages Indiens sont beaux, autant qu'ils sont effrayants.

Donc, chaque jour on les détruit, car les établissements qui se forment sur la limite du désert, en avançant toujours pour l'entamer et se livrer à la culture, et en refoulant de plus en plus ces Indiens condamnés à la destruction, voient souvent leurs filles, leurs femmes et leurs jeunes hommes scalpés de la sorte par les tribus qui font invasion sur le territoire des colons : ne frémirez-vous pas davantage ?...

Ecoutez des scènes un peu moins tristes.

Une fois, en avançant à l'extrémité du désert, le ciel se voila soudain d'une épaisse poussière et il me sembla voir toute une armée en déroute qui arrivait en courant. C'était un roulement majestueux et rapide tout aussi retentissant que celui du tonnerre. Je sus bientôt à quoi m'en tenir. De ce nuage de poussière je vis émerger la tête énorme d'un *buffle* noir, et je reconnus qu'il était suivi de peut-être dix mille de ces animaux, effrayés par je ne sais quelle cause, mais fuyant, ainsi qu'il arrive souvent, sous la conduite de leurs chefs, pour aller ailleurs chercher des pâturages. Le dur sabot de cette horde qui se précipitait comme une avalanche vivante faisait trembler la terre sous sa course furibonde, écrasait tout, broyait tout sur son passage. Ce fut à grand'peine que je pus me mettre hors de la ligne qu'elle suivait.

Une autre fois, j'entendis assez près de moi des cris que je reconnus appartenir à un geai bleu. Ce cri avait quelque chose de particulier. Je m'approchai, et je vis alors se glissant lentement sur le sol, et rampant sur les feuilles, un immense serpent à sonnettes. Le corps jaunâtre de ce hideux reptile, ponctué de pustules noires, laissait voir des écailles brillantes qui semblaient un rayon de soleil. C'était le terrible *crotalus horridus*. Le monstre faisait osciller sa tête plate comme celle d'un cygne, effleurait les feuilles de sa langue rouge, et par moments fixait l'oiseau qui voletait au-dessus de lui. Arrivé au pied d'un arbre, il s'enroula comme un câble au repos, et reposant la tête sur les anneaux de son corps cylindrique, il parut s'endormir... Mais bientôt ses mâchoires s'ouvrirent démesurément, ses crocs chargés de venin se montrèrent, ses yeux lancèrent des feux, et son corps tout entier se souleva et s'abaissa. Il fascinait le geai, qui, n'en pouvant mais, s'engouffra dans la gueule du crotalus. Celui-ci ferma ses mâchoires et parut se livrer aussitôt au travail de la digestion. Le spectacle n'était pas fini. Voici que, du haut du même arbre je vois comme une liane qui se balance au gré de la brise. C'était un autre serpent, le serpent noir, le *boa-constrictor*... Il s'agita quelque temps en silence, comme une corde qui cherche la perpendicularité, puis, rapide comme la pensée, il s'élança sur le serpent à sonnettes et l'enveloppa de ses noirs replis. A ce moment, commença une lutte sans description possible. Mais le constrictor était plus énergique; d'ailleurs toute sa puissance étant dans la pression de ses anneaux, comme son nom l'indique, il se roulait et se déroulait, enlaçant le corps du crotalus et le comprimant de toute la puissance de ses muscles... Aussi, peu à peu les mouvements des deux combattants devinrent de plus en plus lents, puis ils cessèrent tout-à-fait. Le serpent à sonnettes était mort... Certes! je ne laissai pas le constrictor jouir de sa victoire, je lui envoyai une balle qui lui brisa le crâne.....

Je voudrais vous parler des *chevaux sauvages*, de ces fiers descendants de quelques cavales importées, jadis, par les caravelles espagnoles dans le Nouveau-Monde, lors de sa découverte, car alors l'Amérique ne possédait point de chevaux, elle si riche en tant d'autres animaux. Oui, je voudrais vous entretenir de cet admirable quadrupède, prodige de la nature par son intelligence et sa forme élégante. Figurez-vous ceci : Des bandes innombrables de ces nobles chevaux, plus admirables encore à l'état de liberté, sillonnent le désert de leurs immenses caravanes indomptées. Soumis à un chef, le plus beau, le plus altier d'entre eux, ils le suivent et lui obéissent. Partout où il court, ils se précipitent. Son hennissement sonore est la trompette qui les guide. Se dirige-t-il vers tel ou tel point, au plus léger soupçon d'un danger, ils volent à sa suite, en faisant trembler le sol sous leurs sabots précipités et redire aux échos des montagnes le bruit de leur marche retentissante. Sont-ils poursuivis par les Indiens ou les colons, ils s'élancent comme l'ouragan. Les taillis s'agitent, les hautes herbes ondulent, de sourds roulements s'échappent de tous leurs naseaux émus, c'est la *caballeria* sauvage qui passe au loin, semblable à une trombe. Et on peut voir les têtes magnifiques de ces beaux animaux qui se dressent, se cabrent et sautent, leurs yeux allumés, leurs crinières hérissées.

Voyez-vous le désert, maintenant; voyez-vous les saharas, les savanes, les llanos, les pampas?... Et dites-moi si Dieu n'y est pas aussi grand que dans les plaines, que dans les montagnes, que dans les contrées les plus civilisées?

CHAPITRE XI.

Ce qu'on appelle falaises. — Leurs aspects poétiques. — Ce qu'on nomme dunes. — Les dunes du Mexique. — Origines des îles. — Ce que notre imagination voit dans une île. — Grandeur de Dieu sur mer. — L'Océan vu le soir, au coucher du soleil. — Effets de mer. — Apparition des Antilles. — Comment les îles grandissent peu à peu aux regards. — Le pétrel. — Illusion produite par des tortues. — Approche des îles Malouines. — Le duel de deux baleines. — Où les pingouins sont pris pour des moines. — Perspectives de la Terre de Feu. — Île Juan Fernandez, séjour du vrai Robinson. — Île de Pâques. — Silhouette des îles Sandwich. — Le volcan de Mowée. — Profils des îles Marquises. — Les beautés de Taïti. — Physionomie sauvage des îles Pomotou. — Contraste des îles des Navigateurs. — Sumatra et la formidable nature. — Le requin. — Trésors de Bornéo. — Le bombax. — Une fleur sans rivale. — Une nuit au milieu des serpents. — Drame entre ciel et terre. — Les îles flottantes.

Quand l'explorateur arrive du large, aspirant vers la terre qu'il a quittée depuis longtemps, et où les pensées de son esprit et les affections de son cœur l'ont rappelé bien des fois, les falaises et les dunes de la patrie sont pour lui de l'aspect le plus poétique.

Les blanches falaises lui semblent des portiques aux mille colonnes, qui s'ouvrent joyeusement pour le recevoir, et les dunes aux reflets d'or des observatoires du haut desquels observent son approche et l'attendent ceux qui l'aiment et qu'il chérit.

Pour moi, des plages de Boulogne ou de Dieppe, des côtes de la Normandie ou de la Bretagne, du pont des embarcations de la Manche ou des steamers de l'Atlantique, j'aime à contempler ces entassements de roches escarpées, taillés en précipices sur les bords de la mer, et au pied desquels la vague vient avouer son impuissance et se rappeler que Dieu lui a dit : « Tu ne viendras pas plus loin ! »

Ce nom de *falaise* vient de *falesia*, tour élevée. En effet, de loin, on dirait une ceinture de hardies fortifications dont la terre s'est entourée pour se protéger contre le flot envahisseur.

Qu'elles sont ardues à gravir les falaises de Normandie, avec leurs escarpements de cent, cent cinquante et deux cents pieds d'altitude! Ces rochers, composés de couches calcaires entremêlées de silex, se détruisent rapidement par l'action des eaux pluviales et marines. La partie calcaire se délite et se dissout facilement dans les flots. Quant aux parties siliceuses, roulées et arrondies par les lames, elles forment ces masses de *galets* qui couvrent les côtes et encombrent certains ports, nos ports de la Manche, par exemple.

Oui, j'aime à voir ces falaises élancées rutiler aux feux du soleil; mais j'aime aussi à les contempler sous les doux rayons de la lune. Je crois voir alors de longues processions de fantômes enveloppés de suaires, qui s'agitent aux chants de la voix solennelle des vagues irritées. Quelle vision que celle des sublimes spectacles de la terre! J'aime à voir leur sommet onduler sur l'azur du ciel, et sur leurs crêtes aiguës s'estomper en gris les édifices sacrés que la piété des marins a érigés, afin d'appeler un regard protecteur de la Vierge sur leurs périlleuses navigations : Notre-Dame de Grâce, Notre-Dame de Bon-Secours, Notre-Dame de la Garde, etc., etc. N'est-ce pas un tableau des plus émouvants, celui de ces pauvres pèlerins échappés à la tempête, et qui, pieds nus, la tête découverte, en larmes, suivis de leurs familles, montent lentement en saintes théories jusqu'au sanctuaire de Celle qu'ils ont invoquée, en l'appelant l'Etoile de la mer, *Stella maris*, pour la remercier et lui offrir leurs *ex-voto* ?

Oh! un peuple qui a la foi et qui prie, vaut un peut mieux, j'imagine, qu'une tourbe en révolte qui nie Dieu, respue toute autorité, et se livre à la démence des passions!

J'ai lu quelque part que le mot *dunes* dérive de *dun*, mot celtique que nous retrouvons souvent dans les expressions conservées des Gaulois, nos pères, et qui signifiait *montagne*. On dit aussi que ce mot voulait dire *vagues*, et que les Flamands ont appelé dunes les collines de sable de leurs rivages, à cause de leur ressemblance avec les vagues de la mer. Quoi qu'il en soit, nous donnons ce nom aux petits monticules de sable ou de coquilles brisées qui semblent servir de borne extrême aux rivages de l'Océan, sur les côtes plates, comme dans nos landes. Les dunes forment de petites chaînes adossées le plus ordinairement aux terrains couverts et moins abaissés qui les suivent dans l'intérieur des terres, et leur configuration varie avec celle des mêmes terrains.

Les dunes sont produites par le vent de la mer, qui, en balayant la plage, emporte dans sa course les sables et les matières légères déposées par les flots, et qu'il laisse retomber dès qu'il perd sa force, ou qu'un obstacle l'arrête. Aussi la direction générale d'une masse de dunes est celle du vent dominant dans la contrée.

En Gascogne, les dunes s'étendent jusqu'à huit kilomètres dans les terres. En Angleterre, dans le Norfolk et le Suffolk, les dunes ont recouvert plusieurs villages dont on voit encore les clochers. Dans plusieurs localités, on est parvenu à arrêter la marche des dunes en y faisant des plantations, notamment de pins, comme dans nos landes.

C'est au milieu des dunes de sable mouvant que l'on peut étudier les invisibles oscillations de l'atmosphère, car leur surface s'ondule comme celle de la mer lorsqu'une légère brise soulève de petits flots. Mais, plus constante que ce dernier élément, elle ne reprend pas son premier poli dès que le vent a cessé. Elle conserve l'empreinte de la plus récente vibration qui l'a altérée. Quand un tourbillon, une trombe de vent, vient fondre sur ces dunes, il les laboure et les bouleverse profondément; quelquefois même, il enlève une colline entière dans les airs, et va la jeter plus loin en crevant avec sifflement. Il y a danger pour le voyageur que ce phénomène surprend : il risque d'être aveuglé ou étouffé dans les sables.

Un jeune officier qui a fait l'expédition du Mexique m'a raconté et dépeint les impressions qu'il a subies au sujet des dunes de cette contrée. Il a vu, sur divers points de la côte du Mexique, terre basse, sablonneuse, déserte, dont l'aspect grisâtre est à peine varié par quelques arbres rabougris, mais surtout à la Vera-Crux, il a vu des dunes entières enlevées soudainement par le vent.

La Vera-Crux est bâtie sur une plage demi-circulaire d'un mille environ de rayon, et élevée de quelques pieds seulement au-dessus du niveau de la mer. Sa circonférence est occupée par un double rang de dunes au milieu desquelles croupissent les eaux pluviales. Ces dunes forment une enceinte qui arrête les brises du large et concentre dans la ville les miasmes infects qui rendent son séjour très dangereux. Elles sont appuyées à de vastes forêts.

Le matin, quand la nature dort encore sous un voile bleuâtre, si le ciel est sans nuages, on distingue la cime lointaine des Cordillières suivant une ligne sinueuse parfaitement tranchée, et d'un bleu plus foncé que l'azur. Tandis que le pic d'Orizaba, éclairé le premier des rayons du soleil, s'élance comme une énorme pyramide de diamants et d'émeraudes, plus bas, au premier plan, apparaissent les dunes, dont la surface est sillonnée de petites lignes onduleuses, dernières traces de la brise qui a expiré la veille au milieu d'elles. Alors, dès que la terre s'échauffe aux feux du soleil, la brise s'avance lentement de la haute mer, efface les légers sillons des dunes du jour précédent, y empreint de nouvelles ondulations, et quand le vent acquiert de la violence, tout l'horizon s'enveloppe d'un épais bandeau de sable qui tourbillonne dans tous les sens.....

J'en ai dit assez sur les dunes et les falaises. Disons-leur adieu maintenant, car il s'agit de nous embarquer sur la frégate l'*Aventure*, de notre ami le capitaine Varnier. En voyageant quelque peu sous sa direction, que de choses n'aurons-nous pas à voir, à étudier et à connaître !

Dans l'ouvrage qui a pour titre : *les Cieux, la Terre et les Eaux*, vous avez vu de quelle manière se forment les îles :

1° Par le fait des cimes de certaines montagnes sous-marines s'élevant au-dessus du niveau des eaux, et offrant la surface de leurs plateaux à la possession de l'homme ;

2° Par les éruptions volcaniques sous-marines, entassant et élargissant leurs déjections et leurs scories, jusqu'à produire des îles habitables décorant la superficie des mers de leur luxuriante verdure ;

3° Enfin, par les émergences d'innombrables polypiers, dont les assises, s'exhaussant dans la durée des siècles, produisent des *attoles* ou îles à coraux, assez larges pour recevoir des peuplades entières.

Mais dans le *Livre d'or*, je dois achever de vous instruire à l'endroit des îles, des archipels, des îles sorties du sein des eaux sous nos yeux, de nos jours, et des magnificences des mers, en vous les montrant au point de vue du pittoresque et de la nature particulière à chacune de ces îles.

De ces îles, votre imagination a fait souvent les oasis de l'Océan. A merveille! Vous les avez transformées en de véritables Edens, et vous voudriez vous y voir portés par des vagues bénies, pour y vivre à la façon de Robinson Crusoé.

Une île verdoyante, aux mornes abruptes émergeant de grands bois, aux vallées fleuries, aux cascades frémissantes, aux lacs argentés, exercent un tel prestige, qu'on se prend à y voir le plus délicieux séjour, dût-on y passer ses loisirs sous un rancho, un ajoupa, ou toute autre hutte, au milieu des simples productions d'une nature primitive.

Certes, je l'avoue, je le proclame, Dieu est grand sur terre ; mais il est encore plus grand sur mer! L'Océan, voyez-le, puisque notre navigation commence, l'Océan, calme et verdâtre, agite ses flots avec une molle cadence. Dès le lever de l'aube, un vent léger a dissipé le manteau de brume qui couvrait l'horizon. Puis, comme pour saluer l'astre du jour annonçant sa marche triomphale, les vagues ont commencé à se dresser, fières et écumeuses. Les voici qui battent les flancs de la frégate de coups secs et mats. Et, maintenant que le soleil se montre, ses feux se trouvent répétés par les mille facettes des flots, dont ils dorent la crête, et qu'ils changent en panaches de diamants et de rubis.

Ce soir, ce sera un bien autre spectacle.

Que le soir est beau sur mer, quand les dernières lueurs du jour saluent le vaisseau et font se dessiner en noir sur le rideau de pourpre de l'occident, comme une immense toile d'araignée, toutes les parties du navire : mâts, cordages, et jusqu'aux moindres agrès! Que le soir est beau, quand, sur cette mer sans limites, on voit se lever une à une, scintiller, briller et se réfléchir dans le miroir des eaux les belles constellations des cieux !

Qu'elle est splendide, la nuit, lorsque, à l'heure du crépuscule, depuis le moment où s'éteint le flambeau du jour, jusqu'à l'instant où la lune se lève à l'horizon, tel qu'un bouclier d'or, on voit le sillage du bâtiment resplendir d'étincelles phosphorescentes, et des milliers de poissons lumineux argenter au loin les lames, comme des éclairs furtifs, et la couvrir d'une sorte d'armure d'acier.

Certes, l'Océan est une merveille, comme les cieux, car il représente l'infini, l'immensité de son Créateur et Maître. Aussi, à cette heure que vous voici debout sur le pont de la frégate, portez vos yeux sur les vagues qui se déroulent à perte de vue. Admirez comme elles se soulèvent, s'affaissent, se soulèvent encore pour s'affaisser de nouveau. Eaux et cieux ne font qu'un. L'horizon n'a point de bornes. Ne croit-on pas entrevoir Dieu qui plane dans l'espace et commande aux éléments? Oui, assurément; aussi on prie et l'on adore!

Mais alors, qu'il émerge au loin une île, qui, semblable à un léger nuage d'abord, se transforme ensuite peu à peu en un bouquet d'arbres, puis en nef de verdure d'où s'élancent des pitons, des collines, des montagnes, et enfin où se montre un rivage que capitonnent une ville et des villages, oh! en ce moment heureux, avec quel enthousiasme on revoit la terre, et que cette île paraît belle.

En effet, l'apparition des îles sur la surface des mers est véritablement magique; le capitaine va nous le dire.

— Je me souviens toujours de mon approche vers la terre d'Amérique, par le même chemin qu'avait suivi Christophe Colomb. C'était mon premier voyage sur mer, et j'avais souffert de la traversée. Tout-à-coup, je vois se dessiner et trembloter dans l'espace comme des mouettes fugitives qui, de leurs ailes blanches rasaient la lame fort au loin. C'étaient les gracieuses *Antilles*.

Le tableau qu'elles m'offrirent était ravissant. Gris et vaporeux, leur groupe s'éclairait bientôt aux premières lueurs du jour. Elles nous apparurent alors comme des gerbes de fleurs marines écloses pendant la nuit. En se reflétant sur la grève de leurs côtes, le soleil les enveloppait d'une ceinture d'or. Graduellement elles devinrent plus visibles, et l'on put enfin distinguer leurs mornes chauves et leurs flancs boisés. La sombre verdure de leurs arbres gigantesques faisait contraste avec les vives couleurs de leurs maisons peintes et des habitations aux toits rouges qui perçaient à travers l'épais feuillage. Des oiseaux s'élançaient des pics aigus comme pour venir à la rencontre du navire. Ils confondaient leurs cris tantôt aigres, tantôt doux et sauves, comme les nuances de leurs plumages, avec les rudes et joyeuses chansons de nos matelots.

Ainsi parle maître Varnier. Mais, pour cela, nous n'arrivons pas aux Antilles.

Un jour, dans une chasse aux environs de Paris, je tuai quelques petits oiseaux dits *pétrels de Leach*. Le pétrel de Leach habite particutièrement l'île de Saint-Kilda, l'une des Hébrides. Il visite accidentellement les côtes de France et d'Angleterre. Ce qui avait amené ces pétrels jusqu'aux environs de Paris, c'était une affreuse bourrasque. Riche de mon butin, je fis empailler quelques-unes de mes victimes, afin d'attester mon succès. J'appris alors que les pétrels ont des mœurs très remarquables.

Doués d'un vol puissant et rapide, les pétrels franchissent en peu d'heures des distances considérables. Ils fréquentent généralement les mers où ils trouvent leur nourriture. Pendant que les autres oiseaux fuient les tempêtes et les orages, les pétrels se plaisent au milieu des vagues soulevées; ils bravent les vents et les flots en fureur; ils semblent se jouer à travers les éléments déchaînés. Ils ont des doigts palmés et jouissent de la faculté de se tenir sur les flots agités, d'y courir même avec une grande vitesse et une extrême facilité. C'est même cette faculté qui, en rappelant la légende de saint Pierre marchant sur les eaux, leur a valu le nom de pétrel, *Petrus*, Pierre.

Ce ne sont pas des pétrels que je vais vous signaler sur les vagues que nous sillonnons, chers lecteurs. Mais voici le matelot en vigie qui annonce, sous le vent, une quantité considérable de petits îlots mobiles qui suivent les ondulations de la mer, se rapprochent entre eux, forment une masse compacte, puis se séparent, flottent, disparaissent à la vue entre les vagues, et apparaissent de nouveau. Ces îlots se montrent à une distance de douze cents mètres du navire. Ordre est donné de laisser arriver vers eux, et nous quittons la route pour nous approcher de cet archipel flottant.

A merveille. Ces îlots paraissent s'animer et se dérober à la poursuite de la frégate qui cingle vers eux. Enfin, tel est le mot de l'énigme : ce sont des myriades de *tortues* qui nagent à fleur d'eau, sur une surface de deux mille mètres. Ces tortues ne comptent pas moins, elles-mêmes, de un mètre et plus. Chose singulière! sur la carapace du plus grand nombre de ces chéloniens, est perché un oiseau que l'on rencontre fréquemment dans certains parages, l'*épervier marin*. Il a des ailes d'une envergure très développée. Il quitte souvent la terre et entreprend de longs voyages. Se sent-il fatigué, il se perche sur les îlots, les rochers, et même sur les objets flottants qu'il rencontre, témoins nos tortues.

Nous sommes à peine à quelques mètres de cet archipel étrange, que les tortues disparaissent sous l'eau, et les éperviers, s'élevant dans les airs, décrivent avec leurs longues ailes d'immenses spirales et tourbillonnent autour de nos mâts avant de s'enfuir.

— Jugez du très intéressant spectacle que présentent les îles au navigateur qui fend la plaine liquide de son audacieuse carène... reprend le capitaine Varmer.

Ici, sur les flots d'azur de l'Atlantique austral, assez près de l'Amérique du sud, émergent insensiblement des vagues, semblables à de légers nuages blanchâtres, les côtes basses des *îles Malouines*. On peut deviner leur approche, car on voit planer, sur les mâts et les vergues de la frégate, l'oiseau messager des tropiques, étalant son plumage aussi blanc que la neige, et faisant ouïr son cri aigre, aussi monotone que celui de la *mauve*. Et puis des poissons-volants, des bonites, jouent à la surface des flots. Des milliers de mollusques animent les vastes solitudes de ces parages. Enfin, souvent le navire est entouré de monstrueux cétacés. On voit que baleines et cachalots sont rarement effrayés, car ils nagent majestueusement à la portée du pistolet. Toutefois, en cet endroit même, une fois, je fus témoin d'un duel étrange, entre des animaux de cette race colossale.

Je contemplais donc, un jour, une baleine majestueuse qui faisait jaillir l'eau par ses évents, comme si elle eût voulu récréer mon équipage et moi-même de ce curieux spectacle. Tout-à-coup, la mer s'entr'ouvre, et sur la blancheur de ses lames agitées, je distingue deux masses noires qui viennent à notre rencontre, s'éloignent, se rapprochent encore, le tout avec une violence sans nom.

Quel n'est pas notre étonnement de reconnaître deux énormes *baleines* dont il est difficile de peindre l'agitation insolite. En effet, les deux monstres, après avoir pris du champ, comme des chevaliers de tournois, fondent l'un sur l'autre et se frappent coup sur coup de leur tête et de leur queue. L'eau fortement secouée par l'ébranlement rapide de ces masses formidables jaillit de tous côtés à une grande hauteur. Après une lutte acharnée, chacune de ces baleines bat en retraite fort au loin, et, après avoir repris haleine en jetant l'eau par ses évents, chacune d'elles revient aussi avec une vitesse de locomotive de cinquante à soixante milles à l'heure. Ainsi courant l'une sur l'autre, le choc est terrible. Les deux géants des mers semblent d'abord étourdis; mais peu d'instants après, la bataille recommence corps à corps. Nous les voyons se dresser au-dessus des flots, bondir à des distances de vingt-cinq à trente pieds, puis se ruer avec rage et impétuosité tête contre tête. Sur une grande surface la mer est rougie du sang des deux combattants... Ce singulier duel dure au moins deux heures. Enfin, une des baleines reste sans mouvement, et l'autre gagne le large...

Le lendemain matin, mon lieutenant vint m'apprendre que l'on voyait l'un des deux monstres étendu mort sur la plage des Malouines. Déjà nombre d'oiseaux de mer s'abattaient sur sa dépouille. Sous les becs aigus, l'huile jaillissait des corps de la baleine. C'était particulièrement des *pingouins*, cet animal stupide, appuyé sur une patte, comme un invalide sur sa jambe de bois; des *becs-scies*, autre oiseau de mer à plumage bleu ; des sarcelles, des plongeons, des hirondelles, des albatros, des mouettes, des alcyons. Mes matelots firent la guerre à ces oiseaux gourmands, mais le plus grand nombre, et surtout les pingouins, se laissaient tuer plutôt que de céder un pouce de terrain et un lambeau de chair.

Lorsqu'on touche aux Malouines, îles découvertes par des navigateurs de Saint-Malo qui lui ont donné leur nom, on voit qu'elles se composent de montagnes peu élevées, de collines onduleuses et de vastes plaines. Mais on remarque bientôt que l'homme a déserté les rivages de cet archipel, souvent brumeux. Pourtant, on avise enfin de longues files de blanches nonnes et de moines aux manteaux bleus, qui, dans leur immobilité cénobitique, paraissent s'intéresser aux manœuvres des matelots. L'illusion dure peu ; en effet, ces processions sans mouvement ne sont autre chose que des rangées de ces mêmes pingouins, cités plus haut, dont le ventre est blanc et le dos bleu, et qui, le bec ouvert, guettent le poisson de la grève pour s'en saisir et le dévorer.

Bientôt, en doublant le cap Horn, dans la brume du sud, continue l'ami Varnier, on aperçoit à distance la *Terre de Feu*, aux pitons aigus capitonnés de neiges éternelles, aux collines doucement inclinées vers l'Océan et couvertes de la plus riche verdure. Mais voici l'ombre du tableau : Quels affreux naturels dans cette île ! Pendant la nuit, des feux nombreux allumés sur la côte, et de jour, des sauvages hideux qui courent à toutes jambes, vous convient à vous approcher. Donnez-leur cette satisfaction, et vous trouverez de misérables insulaires, nus ou sans autre vêtements que des peaux de loups marins trop petites pour les envelopper. Les femmes surtout vous repoussent par leur laideur. Elles portent sur leur dos leurs enfants si bien accrochés qu'elles se jettent à la nage et vont jusqu'au fond de l'eau, avec ce faix vivant, chercher leur nourriture ordinaire, à savoir des coquillages et des poissons.

Quand on pénètre dans le grand Océan équinoxial ou Pacifique, et que le navire est porté par les vagues d'or de cette immense nappe d'eau, après l'île *Juan Fernandez*, qui servit de retraite solitaire à l'Ecossais Alexandre Selkirk, abandonné par son bâtiment, et qui y vécut pendant quatre ans à la façon de Robinson, dont, par parenthèse, il fournit l'admirable type à Daniel de Foë, on voit bientôt poindre à l'horizon une île dont le sol s'élève de beaucoup au-dessus des flots et va, d'assises en assises, former des montagnes qui menacent les cieux.

On est alors à *Vaï-Hou*, à l'*île de Pâques*, si vous aimez mieux.

Ce qui frappe tout d'abord c'est que la plage, nonobstant son élévation, descend en pente douce, et permet de contempler des statues colossales, des pyramides, d'étranges monuments de toutes formes, mystérieux édifices signalant peut-être un antique *moraïs* ou cimetière, sur lesquels l'archéologie n'a pas dit encore son premier mot.

Ma frégate l'*Aventure* touchait à cette île en 1859. Nous vîmes bientôt le rivage émaillé d'hommes et de femmes fort étonnés et ne sachant trop que penser de notre apparition. Alors quelques pirogues se détachèrent de l'île, et l'une d'elles vint même jusqu'à mon vaisseau. Le sauvage qui la montait ne fit aucune difficulté de monter à bord. D'abord on lui fit don d'une pièce de toile et de rassades ou verroteries. Il mit le tout à son cou, en compagnie d'un poisson sec qui s'y trouvait déjà. Cet insulaire, entièrement nu, était tatoué de la façon la plus bizarre. Il était grand et robuste, et sur sa peau noire, le bleu, le blanc, le rouge et le vert tranchaient admirablement. Ses oreilles pendaient jusque sur ses épaules. Il semblait vif et gai : ses gestes mêmes exprimaient la plaisanterie. Je lui fis servir du vin, mais au lieu de le boire, il le jeta au nez des matelots. Ceux-ci l'habillèrent ensuite de vieux vêtements, et couvrirent sa tête d'un chapeau. Vainement on lui servit à manger : il ne put employer ni cuiller ni fourchette, il lui était plus commode de manger avec ses doigts. Quand il se fut bien repu, on lui fit entendre de la musique. Les instruments le mirent en joie, aussi dansa-t-il à divertir l'équipage ; le soir venu, il fut difficile de le décider à descendre dans la pirogue.

Quand, à notre tour, nous allâmes à terre, les sauvages de cette île de Pâques firent quelque difficulté pour nous laisser prendre de l'eau fraîche dont nous avions besoin. Il ne fallut pas moins que deux ou trois coups de fusil pour les mettre à la raison. Mais lorsqu'ils virent tomber mort l'un des leurs, ils s'enfuirent dans les bois. Tous ces insulaires avaient le corps bariolé de dessins fantastiques d'oiseaux, d'animaux, d'arabesques ou de raies : les femmes, d'un visage expressif, s'étaient peint le visage d'un rouge très vif et fort éclatant. Elles portaient une pagne rouge et blanche, et leur tête était coiffée d'un chapeau de roseaux tressés avec assez de soin.

Je ne puis vous faire ici la géographie de l'océan Pacifique, mais si vous me suivez sur la carte, vous trouverez très aisément les points que je signale à votre attention.

En remontant vers le nord-est, mon admiration en face de la mer sur laquelle se reflète un soleil implacable, et des îles qui, çà et là, émergeaient des vagues embrasées, comme d'immenses émeraudes serties dans l'or le plus pur, allait toujours croissant. Mais l'apparition de l'*archipel des îles Sandwich*, vertes à leur base, blanches de frimas à leurs sommets, et cependant couronnées des feux d'un volcan formidable, ne put qu'amplifier mon extase.

La physionomie de l'*île Mowée*, surtout, était ravissante. J'en fis longer la côte à l'entour. Je voyais l'eau se précipiter en cascades de la cime de quelques montagnes, et descendre à la mer, après avoir arrosé les cases des Indiens. Leurs huttes étaient si multipliées qu'on aurait pu prendre un espace de trois à quatre lieues pour une seule *aldée* ou village. Mais il faut dire que toutes ces cases sont sur le bord de l'Océan, dont les montagnes sont du reste très rapprochées. Telle de ces montagnes ne compte pas moins de huit cents pieds de plus que notre Mont-Blanc. A la vue de ma frégate, cent cinquante pirogues se détachèrent de la côte et vinrent à nous. Mais notre vitesse était telle que les pirogues se remplissaient d'eau le long de notre bord. Aussi les sauvages étaient-ils obligés de larguer la corde que nous leur avions jetée. Alors ils se mettaient à la nage. Nous prîmes le parti de nous arrêter, et en peu de temps nous fûmes amis avec eux.

Je profitai de cette bonne disposition des Indiens, pour aller visiter le volcan ; et plusieurs d'entre eux exprimèrent le désir de me guider, ce que j'acceptai volontiers.

Ce volcan a nom *Maunaloa*. L'éruption s'était manifestée par un petit point enflammé, à une hauteur de plus de quatre mille mètres. L'embrasement s'était répandu avec une effrayante rapidité et avait donné naissance à un courant de lave qui, avec ses replis, ses détours et ses sinuosités, atteignait une longueur de vingt-quatre lieues, et une largeur de cinq kilomètres. Quant à sa profondeur, elle était de cent mètres. Je commençai à gravir, vers le soir, pour visiter le Maunaloa.

Un peu avant le coucher du soleil, mes guides me firent traverser le courant que nous avions suivi pendant six heures, et, peu de minutes après, les feux resplendirent à nos yeux à travers les bois. Nous nous trouvions seulement à quelques mètres du redoutable flot embrasé qui descendait vers le village d'Hilo. La grandeur de la scène que j'eus alors sous les yeux défie toute description, et, pendant un moment, je demeurai muet et immobile. Nous étions à droite, c'est-à-dire sur le bord sud du courant, et à trois kilomètres environ au-dessus de son extrémité. Là, il brillait de l'éclat le plus intense et poussait son flot liquéfié du côté d'une épaisse forêt, dernier obstacle qu'il eût à vaincre pour parvenir jusqu'à la mer.

Sur toute la largeur du courant, plus d'une lieue, aussi loin que l'œil pouvait apercevoir, on distinguait des feux innombrables, feux de substances végétales. Des arbres énormes, qui s'étaient maintenus plusieurs heures ou même un jour entier au milieu de cette mer de feu, s'abattaient devant nous et à nos côtés, et partout on voyait brûler, à la surface de la lave, les troncs de ceux qui étaient tombés auparavant. Il est impossible de donner une juste idée de cette scène inimaginable.

Voici cependant, à peu près, ce qui se passe sous mes yeux :

Le grand tourbillon de feu du haut de la montagne déverse son flot de minéraux incandescents dans un conduit souterrain qui s'étend à une profondeur de vingt à soixante-quinze mètres à la base de la montagne. Sous ce passage voûté, la matière en fusion se presse contre les parois de sa prison avec une irrésistible puissance jusqu'à ce qu'elle se soit frayé un débouché dans la plaine. Là, la lave se répand sur le sol, présente une surface de dix à quinze kilomètres d'étendue, et dépose des masses immenses qui se durcissent et se solidifient peu à peu. Au-dessous de cette agglomération prodigieuse, il se pratique nombre de canaux, faisant mille détours, qui conduisent la matière en fusion jusqu'à l'extrémité du courant, à près de trente lieues du cratère qui l'a vomie.

Le soir de notre arrivée, je campai avec plusieurs de mes officiers et mes guides sandwichiens, à trois mètres du courant de lave, sur la rive sud, comme je l'ai dit. Protégés là par un arbre à large coupelle, nous nous assîmes sur un tertre d'environ un mètre au-dessus du flot igné qui coulait à nos pieds. Nous restâmes éveillés jusqu'au matin. Pendant toute la nuit, la scène fut d'une magnificence inexprimable et d'une sublimité terrible. Le soir et le matin, nous nous servîmes de la lave en fusion pour faire bouillir notre thé et faire rôtir nos tranches de jambon. Un arbre énorme s'abattit à trois mètres de nous pendant la nuit, et, au point du jour, lorsque nous quittâmes celui qui nous avait abrités, le feu venait de le saisir. A chaque instant, du reste, les vignes sèches, les herbes parasites et les feuilles d'arbres immenses prenaient feu, et les flammes, s'élevant à une hauteur de vingt à trente mètres, jetaient de toutes parts une multitude de flammèches qui étincelaient au milieu de l'obscurité comme des myriades de mouches de feu.

Mais un spectacle auquel nul autre ne pouvait être comparé est le suivant : sous des milliers de points de la croûte solidifiée déjà, le courant inférieur, accumulant sans cesse de nouvelles matières en fusion, soulevait la couche supérieure en tumulus de toutes formes et de toutes grosseurs; et ces cônes ainsi élevés crevaient soit à leur sommet, soit sur leurs côtes, et de nouvelles laves sortant des ouvertures couvraient d'un flot embrasé la couche refroidie, sur une étendue de plusieurs mètres...

Plusieurs phénomènes remarquables et intéressants au plus haut point caractérisaient cette grande éruption du volcan d'Havaï. Un des plus frappants était l'absence de cette violence qui accompagne d'ordinaire les éruptions du Vésuve et d'autres volcans.

Je quittai, ravi et terrifié, le Maunaloa, et jamais je n'oublierai les profondes émotions et les vives impressions que je dus au spectacle magique et terrible qu'il déroula sous mes yeux.

La navigation de l'*Aventure* me conduisit ensuite vers de nouveaux parages, et à chaque pas c'étaient de nouveaux prodiges et des visions merveilleuses. Ainsi, ayant tourné la proue vers le sud, je descendis en droite ligne à travers les *archipels des Marquises*, de *Pomotou* et de la *Société* ou *Taïti*. Là, dans chacune des îles qui les composaient, j'avais sous les yeux de splendides régions semées de collines, hérissées de montagnes sourcilleuses, coupées de vallons fortunés diaprés de verdure, émaillés de fleurs, plantés de myrtes, de palmiers, de cocotiers, de bananiers, de cèdres, de térébinthes. Aucune vapeur ne cachait l'éther bleu, et le soleil projetait ses rayons les plus fauves sur l'orbe heureux de la terre dont nous occupions le point culminant. Des rivières brodaient de leurs lames d'argent les ombreuses vallées, les prairies sinueuses et les clairières de hautes et luxuriantes forêts. Partout il y avait de ces aspects qui charment et dont rien ne trouble l'harmonie par des contrastes trop heurtés. Des troupes d'oiseaux, foulques au plumage bleu, savias à gorge jaune, ouaras aux ailes rouges bordées de noir, goëlands blancs, mérops incarnats, courlis verts, gélinottes des bruyères, palombes des palétuviers, poules-sultanes, albatros, pétrels, cormorans, oiseaux des bois, oiseaux des grèves, oiseaux des lacs, voltigeaient par milliers à l'entour des îles.

L'imagination la plus riante se représenterait difficilement des sites plus agréables que ceux occupés par les villages de ces archipels. Toutes les huttes étaient bâties sous des arbres à fruit qui y entretenaient une fraîcheur délicieuse. Elles étaient situées au bord d'un ruisseau descendant des montagnes, et le long duquel était pratiqué un sentier qui s'enfonçait dans l'intérieur des terres. Ces cabanes, faites généralement de branches d'arbres entrelacées, étaient assez grandes pour loger plusieurs familles. Elles étaient ornées de jalousies que l'on pouvait lever du côté du vent et fermer du côté du soleil. Ses noirs insulaires y dormaient sur des nattes très fines, fort propres et parfaitement à l'abri de l'humidité.

A *Taïti*, par exemple, je suis allé plusieurs fois me promener dans les vallées et la plaine : je me croyais transporté dans le jardin d'Eden. Je parcourais de vastes étendues de gazon, couvertes des plus beaux arbres et coupées de petites rivières qui entretiennent une fraîcheur exquise. Un peuple nombreux, à peu près sans voiles, y jouissait des trésors que la nature versait à pleines mains sur lui. Nous trouvions des troupes d'hommes et de femmes assis à l'ombre des vergers. Tous nous saluaient avec amitié, et ceux que nous rencontrions dans les chemins se rangeaient à côté pour nous laisser passer. Partout nous voyions régner l'hospitalité, le repos, une joie douce, et toute les apparences du bonheur.

La hauteur des montagnes qui occupent le centre de Taïti est surprenante, eu égard à l'étendue de l'île. Loin d'en rendre l'aspect triste et sauvage, elles servent à l'embellir, en variant à chaque pas les points de vue et en présentant de riches paysages couverts de toutes les productions de la nature, cocos, bananes, fruits à pain, ignames, curassols, giraumons, cannes à sucre, indigo, etc.

Aux *îles Pomotou*, autre aspect plus sévère, sauvage même, mais riche et beau dans son ensemble. La mer y brisait fortement le long de la côte escarpée, et nous y voyions, à l'heure du crépuscule, moment de notre arrivée, des feux qui s'allumaient sur le rivage. Puis, quand brilla la lune, elle nous fit entrevoir des cabanes couvertes de joncs, terminées en cône comme des ruches d'abeilles, et construites sous les ramures de cocotiers. Une trentaine de sauvages stationnaient sur le bord de la mer, ayant l'air de nous observer. La couleur de ces hommes était bronzée, ainsi que nous pûmes nous en assurer quand il fit jour, mais ils avaient la poitrine et les jambes peintes en bleu. Leurs cheveux noirs et crépus étaient relevés sur le sommet de leur tête et retombaient ensuite comme un panache. Le nez de beaucoup d'entre eux était percé, et une jolie plume d'oiseau était passée dans cette ouverture de manière à déborder de chaque côté en manière de moustache.

Nouvelle métamorphose de la nature aux *îles Marquises*. Là, véritable et splendide décoration théâtrale. Hautes montagnes, comme toile de fond ; puis accessoires de roches superposées, affectant ici et là les plus capricieux effets de figures, de monuments et de formes fantastiques. Au pied des collines, bois immenses à droite, à gauche prairies vaporeuses ; et enfin, partout, oiseaux de toutes les couleurs, fleurs magiques, plantes colossales. Ce fut dans ces îles que je découvris une cascade d'une beauté sans égale. L'art s'efforcerait en vain de produire dans le palais des rois de notre monde civilisé ce que la nature a jeté dans un coin de ce monde sauvage. J'en admirai les groupes saillants dont les gradations presque régulières précipitaient et diversifiaient la chute des eaux. Il était véritablement curieux de voir cent bassins inégaux recevoir de larges nappes de cristal que des jeux de lumière coloriaient de feux irisés, verdâtres, rouges, bleus, et souvent semblables à des flammes de Bengale. Cette cascade mériterait le plus grand peintre, mais quel pinceau hardi pourrait retracer ces beautés inimitables ?

L'archipel des Navigateurs, que l'*Aventure* rencontre ensuite vers l'ouest, mérite parfaitement le nom qu'il porte, car on ne voit que pirogues allant enfin d'une île à l'autre dans ces parages, et les sauvages naturels de ces îles ne vont jamais à pied d'un village à l'autre. Ces villages sont tous situés dans des anses verdoyantes sur le bord de la mer. Les montagnes qui les dominent sont couvertes jusqu'à la cime d'arbres chargés de fruits, sur lesquels reposent et voltigent des pigeons ramiers, des tourterelles vertes, couleur de rose, etc. J'y ai vu nombre de perruches charmantes, une espèce de merle, et même des perdrix. Les insulaires soulagent l'ennui de leur oisiveté en apprivoisant des oiseaux. Leurs maisons étaient pleines de pigeons ramiers qu'ils échangèrent avec nous par centaines. Ils nous vendirent aussi plus de trois cents poules sultanes du plus beau plumage.

Hélas! pourquoi faut-il dire que, malgré ces loisirs champêtres dignes des patriarches, les naturels des îles des Navigateurs sont anthropophages, comme presque tous les insulaires que nous voyions ailleurs. Aussi, quand je fus en face de *Maouna*, l'une des îles des Navigateurs, je me rappelai, non sans douleur, que sur la plage étincelant au soleil sous mes yeux, à la fin du siècle dernier, ces terribles sauvages avaient cruellement massacré l'infortuné de Langle, second de monsieur de La Pérouse, exécutant alors un voyage de circumnavigation, par l'ordre de Louis XVI.

Il est bien inutile que je vous décrive davantage l'opulence de nature, les sites admirables, les magnificences de toutes les îles de l'Océanie, qu'elles appartiennent à la Polynésie, à la Micronésie ou à la Mélanésie, peu importe. Rien n'égale le luxe de végétation de ces îles innombrables. Toutes, au point de vue des fleurs, des plantes, des arbres, de la verdure, des vallées, des pics, des mornes, des volcans et des montagnes, sont de véritables oasis, dignes d'être chantées par un poète. Mais que ces oasis sont mal habitées! J'y voyais les races noires, les races cuivrées, les races jaunes, se regarder d'un œil farouche. Ici, c'étaient les Zélandais horriblement tatoués, qui égorgeaient les prisonniers faits à la guerre et en rôtissaient les chairs palpitantes pour les dévorer. Là, les farouches insulaires d'*Ombay* brisaient le crâne de leurs captifs à coups de casse-tête pour en absorber la cervelle chaude. A *Fidji* ou *Viti*, les naturels buvaient le sang de leurs victimes, en ouvrant une des veines du cou qui laissait alors jaillir l'affreuse liqueur comme une fontaine. Ailleurs, à *Noukaïva*, les féroces tribus, peintes d'un rouge horrible à voir, piquaient d'arêtes aiguës le cœur de leurs ennemis, afin de les faire mourir lentement. Je vis un des sauvages de Viti, gros et fort, qui, à lui seul, avait dévoré depuis quelques années huit cents cadavres d'ennemis tués dans les combats navals qu'ils se livrent à l'aide de pirogues de guerre, longues et chargées de trente à quarante combattants.

Enfin, en continuant mon voyage, des montagnes bleues, élevant leurs sommets granitiques jusqu'à une hauteur de douze mille pieds, et dont les flancs recèlent l'or et les émeraudes, tandis que les terrains d'alluvion de la côte renferment des rubis et des diamants, m'annoncèrent l'approche des *îles de la Sonde*.

Deux jours après, je jetais l'ancre sur la côte de *Sumatra*.

Si, dans les parages de Sumatra, notre frégate n'est plus entravée dans sa marche par des légions de baleines, presque impénétrables, elle s'y meut au milieu de masses de requins d'un volume prodigieux.

Le *requin* est l'ogre des mers. Aussi, dans l'océan Atlantique, voisin de l'Afrique, alors que la traite des noirs se faisait encore, les vaisseaux négriers étaient-ils toujours suivis de cet animal, attiré par l'espoir de se repaître des cadavres des infortunés morts pendant la nuit, que chaque matin l'on jetait par-dessus bord.

Or, je rencontrai, un jour, un de ces navires, d'où s'échappaient les exhalaisons fétides des cachots dans lesquels étaient enfermés à étouffer, tant ils étaient entassés comme des colis, ces misérables enfants de l'Afrique, destinés à devenir esclaves, et voici ce que je pus apercevoir, comme une vision de l'enfer du Dante :

Le capitaine, ennuyé sans doute de la longueur de la traversée, pour en rompre la monotonie avait imaginé un de ces passe-temps épouvantables que l'imagination seule de ces infâmes forbans pouvait enfanter. Ayant fait choix de l'un des nègres de sa cargaison, il l'attacha au moyen d'une corde passée sous les aisselles, et le fit suspendre à l'extrémité d'une vergue, à vingt pieds au-dessus des lames. Aussitôt les requins d'accourir. Les voilà qui tournent, qui nagent rapidement et qui regardent la proie que l'on expose à leur convoitise. Le pauvre nègre, affolé de terreur, se débat, implorant à grands cris la pitié du tyran. Mais irrités, pour être déçus dans leur espoir de la chute de la victime, les squales commencent à sauter, et chaque bond les élève davantage et les rapproche du patient. Hélas! un premier hurlement se fait entendre, puis un second, puis d'autres encore : les requins atteignent enfin le nègre, et à chaque bond nouveau lui enlèvent d'énormes bandeaux de chair. C'est horrible à dire ; mais, pour moi, ce fut plus horrible à voir. Car le cruel capitaine jouissait là de la volupté sanguinaire qu'il s'était promise. On l'apercevait se frottant les mains et riant à gorge déployée, et tandis que le vaisseau laissait derrière lui un sillage sanglant, le nègre, une créature de Dieu comme nous, le nègre que le paroxysme de la torture rendait muet, morceau par morceau, membre par membre, et dont le visage était convulsionné par la douleur, était lacéré, déchiré, dévoré vivant!... Oh! que j'aurais désiré décocher une balle à ce stupide et féroce bourreau de capitaine!

Il est vrai que les requins ne sont pas toujours à pareille fête ; ils ont aussi, parfois, leur mauvais quart d'heure.

Une autre fois, sous les yeux de mon équipage, un de ces sélaciens, dont le nom de requin vient du mot latin *requiem*, parce que l'attaque de ce poisson ne laisse pas d'espoir et qu'il n'y a plus qu'à chanter un *requiem* pour l'âme de sa victime, un de ces sélaciens, dis-je, fut pris par les gens d'un bâtiment embossé près de ma frégate. Ce ne fut pas sans beaucoup de peine qu'il fut tiré à bord. Afin de le contenir, on dut l'amarrer fortement par la tête et par la queue. Cela fait, on lui ouvrit le corps, long de vingt-cinq pieds, depuis la mâchoire inférieure jusqu'à la queue, et on en retira le cœur, les poumons, le foie et toutes les entrailles, après quoi on rejeta l'animal à la mer. Croyez-vous qu'il était mort? Point. Le squale se prit à nager avec une rapidité telle qu'on le perdit de vue en un moment. Assurément il ne dut pas vivre longtemps, mais il avait conservé tant de force qu'il allait en mer tout comme avant l'opération qu'il venait de subir.

Donc, j'étais à Sumatra, en 1859.

Combien la nature est splendide et pittoresque dans cet archipel équatorial de la Sonde! quelle exubérance de sève! quelle formidable végétation! les merveilleux paysages! Est-il possible que l'architecte de l'univers ait réservé ces régions à des peuplades féroces et sauvages? Eh bien! ne nous en plaignons pas! le climat des îles de la Sonde est fort malsain, et il y règne des fièvres qui déciment la population.

Cet archipel de la Sonde comprend les grandes îles de Sumatra, de Java et de Bornéo.

De loin on voit les longues chaînes de montagnes de *Java*, dont quelques-unes ont été et sont encore des volcans, denteler l'azur du ciel.

De splendides forêts accentuent l'horizon de leurs lignes sombres, et sur le firmament en feu s'estompent leurs énormes coupoles.

Bornéo, la plus grande des îles du globe, est aussi la plus riche. On y trouve l'or à l'état natif, l'argent, les diamants, les pierres précieuses les plus rares. Toutes les splendeurs que la terre recèle dans son sein, se produisent, à Bornéo, sur la surface du sol. Il ne s'agit que de chercher... Et, en cherchant, faut-il veiller attentivement sur les rencontres inattendues que l'on peut faire : sauvages d'abord, puis bêtes féroces de toute espèce.

Sumatra est une grande île malaisienne que le détroit de Malacca sépare de la pointe la plus méridionale de l'Inde.

Sauf certains ports où viennent attérir les navires qui cabotent dans l'Archipel, cette île n'est guère fréquentée par les voyageurs. L'intérieur du pays, que protègent déjà de hautes montagnes volcaniques et des forêts impénétrables, est habité par des nations farouches, guerrières, jalouses de leur indépendance et tant soit peu anthropophages. Aussi, sauf un petit nombre d'Anglais intrépides que le risque d'être dévorés tout crus n'a point arrêtés, nul ne pénètre dans les régions centrales, qui resteront inconnues jusqu'à ce que les Hollandais soient parvenus à rendre plus maniables ces êtres rebelles à la civilisation. Toutefois, Sumatra, au premier aspect, offre l'attrait pittoresque et les richesses naturelles qui peuvent exciter l'admiration du voyageur. La mer qui l'entoure est clémente et belle pendant la plus grande partie de l'année; de nombreuses rivières venues des montagnes du centre forment une quantité de hâvres sûrs, et, nonobstant l'équateur, le climat n'est point par trop brûlant, grâce aux chaînes qui parcourent le pays.

Plusieurs de ces montagnes sont des volcans en ignition. Aussi renferment-elles des métaux précieux et notamment de l'or. De vastes lacs entretiennent des eaux fraîches qui ne tarissent jamais. Le feu et l'eau y sont d'une grande beauté, comme vous voyez. Ajoutons que dans les forêts abondent les arbres les plus précieux pour la teinture et l'ébénisterie. Au premier abord, la vie paraît douce et facile sur cette terre féconde, sous ces opulents ombrages, au milieu des fleurs et des arbres odoriférants.

Mais Sumatra fait payer bien cher ses splendeurs et sa fertilité.

Ses volcans causent fréquemment d'effroyables tremblements de terre, qui renversent les habitations les plus solides de ses deux plus grandes villes, *Padang* et *Benkoulen*. Les rivières si fraîches sont hantées par de monstrueux crocodiles qui s'emparent du passant trop familier. Les forêts vierges regorgent de buffles sauvages, d'éléphants, de tigres, et d'autres monstres plus terribles encore. Mille reptiles dangereux, parmi lesquels se trouvent le boa python et le venimeux cobral, se glissent dans les cultures, tandis que les habitations elles-mêmes sont envahies par ces nuées d'insectes qui, dans les climats des tropiques, semblent créés tout exprès pour martyriser l'espèce humaine.

Des arbres, des serpents et des bêtes fauves, un mot seulement. Ce sont les grandes curiosités de l'île.

Parmi les arbres de Sumatra figure le *bombax*. Le bombax est un de ces végétaux gigantesques dont rien dans nos régions septentrionales ne saurait donner une idée. Il est en effet le rival du fameux baobab de l'Afrique, le plus grand arbre du monde. Son élévation est telle qu'une flèche lancée par le plus vigoureux archer n'en saurait atteindre le faîte. Sa tête semble se perdre dans les nues, et il faut bien des siècles pour que ce géant des bois atteigne toute la puissance de végétation et de développement que lui accorde la nature. Ses feuilles sont longuement pétiolées, ses fleurs blanches, et leur calice tubulé compte cinq dents. Son fruit est enveloppé d'un magnifique duvet et forme une capsule à cinq valves et à cinq loges. Le bois du bombax est léger, très cassant, et son tronc est recouvert d'une écorce verdâtre parsemée de tubérosités épineuses. L'utilité de cet arbre est grande, car on fait des coussins et des meubles avec son duvet, qu'on ne peut filer parce qu'il est trop court; on tire de l'huile de ses feuilles et on mange les semences torréfiées.

Pendant que l'on renouvelait les provisions de ma frégate, ce qui devait durer un certain temps, je me livrai à l'exercice de la chasse, dans les clairières d'une forêt arrosée par la belle rivière de l'Indragiri. Il m'était facile de faire collection des oiseaux les plus remarquables par leurs formes et leur plumage. Aussi je leur faisais une guerre acharnée, lorsque l'un d'eux, atteint par mon fusil, tomba de branche en branche, et disparut dans des touffes d'arbustes en fleurs. Je m'élançai pour le saisir... Mais voici que j'ai à peine le temps de l'entrevoir : il est englouti soudain dans la gueule d'un énorme serpent. C'était le *cobra*.

Le cobra est l'un des plus affreux serpents de Sumatra. Un cou effilé, une tête longue et aplatie, sont les caractères de cette sorte de reptile. Des couleurs brillantes sont aussi un pronostic des plus dangereux, elles indiquent que le cobra se met en fureur et se prépare à vous attaquer. Je n'attendis pas l'arrivée du monstre, que ma présence colorait de ses feux, et je le tuai d'un coup de baguette, qui lui brisa la colonne vertébrale.

Je pénétrai alors plus avant dans la forêt, et j'errais à l'aventure, lorsque, tout-à-coup, au détour d'un hallier, je vois à mes pieds une fleur magnifique, colossale, qui appelle toute mon attention. Elle est d'un blanc violacé. Chacun de ses pétales a pour le moins un pied de long, tandis que la fleur elle-même compte plus de dix pieds de circonférence. Elle repose sur le sol, sans feuilles pour en faire ressortir le brillant éclat, sans tige apparente pour la porter. Mais si la nature lui a prodigué la grandeur, l'élégance et la beauté, elle lui a refusé le parfum. Le *krouboul* exhale en effet une odeur repoussante.

J'admirais encore ce phénomène de botanique, lorsqu'un bruit de feuilles sèches me fait tourner la tête, et je vois alors... rampant vers moi, le plus... énorme et le plus terrible tigre de la forêt... Le coucher en joue est pour moi l'affaire d'un instant. Mais l'animal, à ce geste, se cache soudain dans un épais fourré. De là s'échappe la basse profonde du grognement qui précède toujours l'attaque de cette bête fauve... Tout-à-coup, le magnifique animal s'élance vers moi de son buisson. Je n'ai pas une minute à perdre, et de nouveau j'abats ma carabine à la hauteur de sa tête, en faisant face de mon coup droit. Mais la balle effleure seulement son crâne et va se loger assez profondément, sans le blesser bien sérieusement, dans les chairs, à la naissance de l'oreille. Arrêté d'abord par cette blessure, le tigre revient sur moi, plus furieux. Je lui envoie, presque à bout portant, mon coup gauche en pleine poitrine. A si petite portée, ma balle lui fait bien une blessure mortelle; mais l'élan de la bête féroce a été si impétueux que, grâce à l'étincelle de vie qui lui reste encore, il me heurte avec une violence inouïe, et me fait rouler avec lui du haut d'un talus d'environ quinze pieds. Je sens la chaleur de sa gueule voisine de ma tête, dans cet horrible mouvement de descente rapide. Aussi arrivons-nous ensemble au fond du ravin...

Là, je l'avoue, je m'évanouis... Quand je reprends mes sens, je me trouve couché sous mon redoutable adversaire raide mort, son énorme tête sur mon bras gauche, couvrant mon visage de son sang. Après bien des efforts, je parviens à me dégager ; mais, en essayant de me relever, je sens que j'ai un pied cruellement foulé. Impossible de marcher !... Et la nuit vient... Elle tombe avec une extrême rapidité, ainsi qu'il arrive dans les régions tropicales. Les ténèbres succèdent au crépuscule... Que vais-je faire? Il ne me reste qu'un parti : monter, si possible, dans un arbre, y passer la nuit, et mes gens ne me voyant pas rentrer, viendront au jour, et après m'avoir trouvé, car j'ai un signal convenu avec eux pour me faire rencontrer, ils me transporteront dans une litière improvisée...

Bref, je parviens à grimper sur un gros arbre au-dessus du ravin, et je me perche comme je puis sur ses branches, de manière à éviter une chute, si je parviens à m'endormir. Or, je devais être endormi en effet depuis trois ou quatre heures, quand je suis réveillé par des cris de détresse qui s'élèvent du pied de l'arbre sur lequel je suis embusqué. Je frotte mes yeux, je regarde en bas, et je deviens alors le témoin d'une scène horrible que je n'oublierai jamais, et dont le souvenir me remplit encore aujourd'hui d'un indicible effroi.

Un Malais, un indigène, était là, au-dessous, dévoré tout vivant par des serpents. Oh ! quel horrible spectacle ! La lune, qui s'était levée pendant mon sommeil, et qui était alors dans son plein, jetait une telle clarté, qu'on se serait cru au milieu du jour. Ses rayons se réfléchissaient sur un marais voisin, et ce marais semblait mis en mouvement par d'affreux reptiles. Ils s'avançaient en effet, attirés par les cris de la victime, en colonne serrée et bigarrée de toutes couleurs. Ils rampaient sur l'herbe, ils s'approchaient de la proie commune, dont les gémissements les conviaient à la curée. Leurs queues s'agitaient et brillaient. Je les entendais siffler et ramper ; oui, j'entendais le bruissement des feuilles, le froissement des branches et le clapotement de l'eau des marais, à mesure qu'ils s'avançaient vers leur lugubre festin.

Hélas ! les premiers reptiles, qui avaient trouvé le Malais endormi sans doute, l'enlaçant de leurs anneaux formidables, lui dévoraient les joues de leurs larges mâchoires. Déjà plus d'yeux, plus d'oreilles. L'infortuné gémissait encore et se démenait sous un dernier souffle de vie. Un serpent noir, plus gros que les autres, un des derniers venus, mit fin à ses convulsions, en enfonçant sa tête jusque dans la bouche du martyr. Une douzaine d'autres de ces affreux animaux rongèrent les entrailles ; d'autres encore s'attaquèrent aux chairs des pieds et des jambes. On eût dit des vautours, ou plutôt des démons.

Cependant, pantelante, s'agitant encore, je voyais la pauvre proie se soulever une dernière fois. J'essayai de remuer, d'armer mon fusil, de faire feu sur la masse, nonobstant la terreur qui me paralysait et me glaçait. Je tirai enfin. Un énorme serpent, tout gonflé de chair humaine, roula sur le cadavre. Aussitôt, pour mettre le comble à l'horreur, les serpents plus petits se jetèrent sur lui pour le dévorer à son tour, attirés sans doute par l'odeur de la chair dont il était repu. Je remarquai surtout un de ces reptiles, mince, long, à tête plate, tachetée de noir, qui plongeait et replongeait avec une sorte de joie féroce son dard bifurqué dans les entrailles du Malais. Il ne resta bientôt plus une parcelle de chair ; le cadavre devint un squelette blanc, comme taillé artistement par le ciseau d'un habile sculpteur.

Cette scène était horrible, n'est-ce pas? Elle le devint davantage encore.

Voici qu'un gros serpent noir allait avaler un dernier lambeau de chair, lorsque les autres se précipitent sur lui pour le lui ravir Aussitôt le serpent noir court à mon arbre, il s'élance autour du tronc, il grimpe rapidement, suivi par toute l'armée des reptiles. Il s'enlace de branche en branche ; les sinuosités de son corps ressemblent à une chaîne métallique enserrant le tronc de ses nœuds... Il approche ; ils approchent tous... Je me sens perdu!... Soudain, je tire mon couteau de chasse, d'un coup je détache la tête du grand serpent noir, qui précisément, venant de m'apercevoir, pousse un sifflement sans nom... La tête tombe, le corps glisse de ramure en ramure, et il entraîne dans sa chute les autres serpents qui se poursuivaient. A la clarté de la lune, je puis voir la tête coupée du monstre agitant encore son horrible mâchoire, et répandant sur le sol des gouttes de sang mêlées à un poison jaunâtre...

A l'approche du jour, le silence se fait, car les reptiles sont retournés à leur marais. Deux heures après le lever du soleil, j'étais hêlé par cinq de mes matelots qui, sur mon ordre, ne s'approchèrent que le sabre au poing. Le soir, je me retrouvais à bord de ma frégate et je bénissais Dieu de m'avoir sauvé!

Chaque île de l'Océanie est un immense bouquet de verdure et de fleurs. Pourquoi faut-il que ces régions, que la nature semble avoir rendu si fortunées, ne renferment que des monstres parmi les naturels, et des monstres parmi les animaux? Un jour, espérons-le, la civilisation changera cette disposition des choses.

Comme contraste, et il est frappant, les *îles Auckland*, situées plus au sud, dessinent sur un ciel gris leurs récifs nus, tristes, crépusculaires et silencieux. Tout au plus quelques *phoques* et des marsouins animent-ils quelque peu le rivage.

A propos de phoques, lions de mer et veaux marins, disons que, jusqu'à présent, nous ne connaissons ces animaux que pour les voir en captivité, maussades et maladifs. Mais rien n'est récréatif et amusant à voir comme le phoque, libre, en mer. Il se laisse flotter inerte, semblant mort, les yeux fermés, le corps vertical, ne laissant émerger que le bout de son nez. Il est ainsi poussé par le courant, et vient doucettement échouer sur les berges de la côte.

Il en est de même du *morse*, qui, jadis, se montrait fort ami de l'homme, mais que l'homme, par ses cruautés, a éloigné désormais, et qui s'enfuit à son approche.

Je cesserais de parler des îles, dit, en terminant, le capitaine, si je ne voulais ajouter quelques mots sur certaines curiosités relatives à des îles d'un autre genre, et qui ne sont pas sans intérêt.

Il s'agit des *îles flottantes*.

Mais y a-t-il réellement des îles flottantes, créées par la nature et voguant au caprice des ondes?

Cette question ferait sourire de pitié le moindre de nos savants, et pourtant l'imagination des anciens, si éprise du merveilleux, a volontiers adopté cette fiction des Grecs, comme elle en avait admis tant d'autres.

D'après eux, Délos, sortie du fond de la mer, aurait été le jouet des vagues jusqu'à ce qu'une main divine l'eût fixée à la place qu'elle occupe maintenant.

Pline parle de l'île flottante du *lac de Cutilie*; Sénèque de celles de l'Italie; Pomponius Mela et Théophraste de celles de la *Lydie*.

Le peuple naïf de Taïti, que nous visitions tout-à-l'heure, croit que le grand esprit *Eatou*, après avoir traîné plusieurs jours leur île au travers des déserts de l'Océan, la cloua un beau soir là même où nous l'avons vue.

Les îles flottantes seraient-elles donc une de ces chimères qui ne se trouvent que dans les contes de fées?... Pas le moins du monde.

Un jour, ayant quitté l'*Aventure* pour aller étudier les magnificences et les ruines intéressantes du Mexique, je me dirigeai vers la capitale. Un splendide panorama se déroulait devant moi, à mesure que j'avançais dans le pays. Une immense surface de verdure, dont le plan n'était coupé ni de buissons ni de collines, se perdait à des distances infinies. Sur différents points de cette nappe d'émeraudes scintillaient les larges feuilles d'argent de lacs endormis, et, entre les émeraudes et les feuilles d'argent se dressait une ville sans rivale. A l'entour, au loin, très au loin, se dessinait la bordure bleuâtre de montagnes hardies aux croupes dentelées. C'étaient d'énormes môles de granit amoncelés, dominés par des pics de formes étranges. Mes yeux s'arrêtaient sur la ville avec une vive curiosité : je distinguais le profil des maisons, bien qu'éloignées encore. Elles avaient des toits en terrasse, et, à certains endroits, de grands temples et des tours majestueuses les dominaient, tandis que des canaux entrecoupaient les rues. C'était Mexico que j'avais sous les yeux. Les dômes et les coupoles réfléchissaient des teintes d'ambre, et la beauté de l'éther embrasé rendait plus imposant encore ce féerique et grandiose spectacle.

Cependant j'avais atteint les lacs. Des groupes de cygnes sauvages, de hérons ou de grues bleues nageaient sur les eaux ou plongaient dans le remous des rives. Tout-à-coup des accords harmonieux se font entendre, et je vois poussées par les brises du soir une île, puis deux, puis six, puis davantage encore, qui flottaient légèrement sur la surface de l'un de ces lacs qui m'entouraient. Une foule nombreuse de Mexicains, dans les costumes du pays, et de Mexicaines, dans des toilettes charmantes, couvraient le sol de ces îles flottantes, larges, sveltes pourtant, et d'un aspect enchanteur. Chacune d'elles était un véritable jardin entouré de haies de rosiers, capitonné de parterres, et renfermant l'élégant kiosque de l'Indien préposé à sa garde. Les suaves parfums qu'exhalaient au loin les milliers de fleurs qui émaillaient ces îles fugitives, l'eau qui caressait mollement leurs flancs couverts d'herbes parasites retombant comme de larges franges, la brise qui les poussait et les promenait au gré de ses caprices, les chants des femmes et les sublimes harmonies de la musique; tout se réunissait pour prêter un charme inexprimable à ces petites oasis.

Il paraît que l'air frais qu'on y respire, le soir, les fait rechercher avec délices par les habitants de ces climats brûlants. Ainsi que j'en fus témoin, des flottilles de pirogues promènent tout le peuple mexicain à l'entour, et certes, tout Européen qui, comme moi, aura pendant quelque temps habité la vieille Anahnac, se rappellera toujours avec émotion les heures qu'il aura passées au milieu des *chinampas* fleuries, c'est le nom que l'on donne, à Mexico, à ces îles flottantes.

J'ai vu, depuis, que M. de Humboldt, dans son voyage en Amérique, a visité de même ces îles et qu'il leur donne ce même nom de chinampas. Elles sont de deux sortes : les unes mobiles et que l'on voit voguer à l'aise sous le vent d'une rive à l'autre des lacs ; les autres fixées au rivage, auquel elles ont adhéré à mesure que le lac d'eau douce les a retenues. Ces dernières, qui sont en très grand nombre, sont converties en de vrais jardins potagers. D'après le savant Allemand, la nécessité aurait forcé, vers la fin du XIVe siècle, les environs des lacs de Mexico à se réfugier sur ces quelques îles flottantes : c'est là qu'ils se seraient mis à l'abri de leurs ennemis. Vous avez vu qu'elles ont maintenant une destination **toute d'agrément.**

Si donc on peut appliquer le nom d'îles flottantes à quelques mottes de terre d'une vingtaine de mètres de longueur, semées d'herbes et de plantes que l'eau porte et promène dans son cours, qui se réunissent, s'agglomèrent, se condensent, et finissent par former une surface assez vaste, je reconnais qu'il en existe. Ainsi j'en ai vu de telles en Italie, à Tivoli, dans la campagne de Rome, sur un petit *lago di aqua solfa;* en Amérique, sur la rivière de Guayaquil, et même en France.

Oui, en France. On peut voir en effet quelques îles flottantes sur un lac du voisinage de Saint-Omer. Un géographe moderne, M. Letellier, a vu dans ces îles un phénomène digne d'être placé au nombre des merveilles du monde.

CHAPITRE XII.

L'île aux bijoux, Ceylan. — Ses magnificences. — Ses richesses. — Ses perles, larmes de la mer. — Gemmes et pierres précieuses de l'Orient. — La perle de Jules-César. — Lollia Paulina vêtue de perles. — Ce que Cléopâtre faisait d'une perle. — La pêche aux perles. — Les mangeurs de terre de Ceylan, etc. — Ses bêtes féroces. — Ses reptiles. — Le serpent cobra. — Ses insectes admirables. — Le corail. — Le corail tout à la fois animal, végétal et minéral. — Comment on pêche le corail. — La nacre. — Drames de la mer. — Monographie de la pieuvre. — Horrible aspect de cette affreuse bête. — Les pieuvres du Hâvre. — Le regard sinistre de ce céphalopode. — Pêche d'une pieuvre de six mètres. — Monographie du crocodile. Une aventure dans la Guinée.

Nous ne quittons pas la mer encore, chers lecteurs. Je rendrai tout-à-l'heure la parole au capitaine Varnier, qui voudra bien nous entretenir de la pêche des perles, de certains drames de l'Océan, et nous conduire sur son vaisseau jusques aux limites du monde, c'est-à-dire aux deux pôles, dont les prodiges méritent bien notre examen.

Mais, auparavant, j'ai à vous faire connaître une île qui n'a même pas été nommée dans l'exploration précédente, et qui, cependant, à elle seule, vaut la terre entière. En effet, ses fécondes entrailles promettent et donnent à l'homme tout ce que, ailleurs, il est obligé d'aller chercher dans bien des contrées du globe.

Cette île est *Ceylan*, la *Tapobrane* des anciens, cette terre prodigue que les Hindous appellent *l'île aux bijoux*.

Le fait est que l'on trouverait difficilement une région envers laquelle la nature se soit montrée autant inépuisable.

Des montagnes de la forme la plus charmante, de poétiques vallées, d'admirables plaines, des lacs, des torrents, des cascades, un sol d'une richesse inexprimable, tout est là, dans cette île de Ceylan, et tout s'y présente sous les aspects les plus pittoresques, avec un ciel d'un azur délicieux, sous un soleil jamais voilé, au sein d'une atmosphère toujours saturée de parfums. N'est-ce pas là une contrée idéale, la plus fortunée, où l'on voudrait vivre et mourir? Mourir! Que dis-je? il semble que l'on ne doive pas mourir dans un tel paradis!...

Je n'en indique pas toutes les magnificences, car je ne dis mot des flots vermeils qui font à cette île une ceinture de corail, ni des perles que l'on pêche sur ses côtes, ni des gemmes ou pierres précieuses mêlées à ses sables et à ses galets, etc.

Corail, perles, diamants, rubis, améthystes, émeraudes, topazes, saphirs, etc., etc., toutes les splendeurs viennent un peu de partout, mais surtout, mais beaucoup de l'île de Ceylan.

Du *diamant*, je n'ai pas à revenir sur son origine, sa composition, sa nomenclature. Je puis seulement citer les plus fameux diamants du monde par ordre de grosseur. Ce sont : Le *Nizam*; l'*Etoile du sud*, brut; le *Chah*; le *Grand-Mogol*; l'*Orloff*; l'*Etoile du sud*, taillé; le *Sancy*, que possède l'Angleterre; le *Régent*, qui est à la France; le *Ko-hi-nooz*; le *Grand-Duc de Toscane*; le *Pacha d'Egypte*; le *Diamant bleu de Hopa*; le *Recoupé*, et *tutti quanti!* Leurs noms indiquent à qui ces diamants appartiennent.

Sur les *gemmes* ou *pierres précieuses*, j'ai à vous apprendre que le célèbre *écrin de Mithridate*, roi de Pont, indépendamment des rubis, des topazes, des émeraudes, des opales, des onyx, des diamants, etc., renfermait un nombre incalculable de bagues, d'anneaux, de pendants d'oreilles, de cachets, de chaînes, etc., du travail le plus exquis. Aussi cet écrin figura-t-il dans le triomphe de Pompée.

On y vit aussi un *échiquier* garni de toutes ses pièces composées des gemmes les plus rares;

Puis trente-trois splendides *couronnes en perles*;

La fameuse *vigne d'or d'Aristobule*, du prix de deux millions quatre cent mille francs;

Le *char d'or et de pierreries*, de *Darius Codoman*;

Le *manteau d'Alexandre-le-Grand*, brodé des pierres précieuses les plus admirables;

Le *diadème*, le *sceptre*, le *trône*, l'*épée*, les *armes du roi Mithridate*, d'une telle richesse, qu'elle dépasse toute estimation.

En admettant comme vrai tout ce que l'antiquité nous raconte sur l'inimaginable quantité de gemmes, perles, etc., que possédaient les princes de l'Asie, et, après eux, les Romains, on peut se demander si, de nos jours, les gisements de ces gemmes sont épuisés et ce qu'est devenue cette masse énorme de merveilles. Leur spoliation en est généralement attribuée à l'invasion des barbares.

Eh bien! d'où provenaient ces étonnantes richesses? En partie de l'Inde, mais aussi en partie de Ceylan, le gisement le plus étendu de l'Asie.

Mais ce qui fait la gloire de Ceylan, ce sont ses *perles !*

Ce nom de perle vient de *perula*, dit le vieux Ménage; de *Berlen*, prétendent les Allemands; de *pernula*, affirme Pline l'Ancien; de *pitula*, veut Saumaise, et, selon d'autres, du mot celtique *perlezen*. En tout cas, la perle est une substance calcaire, liée par un ciment albumino-gélatineux, et figurée sous une forme plus ou moins globuleuse ou ovale, que l'on trouve dans plusieurs sortes de coquilles, et principalement dans l'huître. La perle est donc une maladie de l'huître, maladie qui met sept ans à se développer. Si le coquillage n'est pas pêché alors, l'animal meurt et la perle se perd.

Plus la perle est grosse, plus elle a de valeur. Mais il faut aussi qu'elle soit de demi-transparence, c'est-à-dire opaline ou laiteuse. Elle doit être aussi régulière dans sa forme, que l'on considère comme parfaite lorsqu'elle offre une sphéricité complète.

La perle est peut-être, de tous les ornements recherchés par les femmes, celui qui rehausse davantage les attraits de la beauté chaste et modeste. Mais, hélas! pour donner satisfaction à la coquetterie féminine, les chères dames ne se doutent guère des périls et des tortures que doivent endurer les pêcheurs de perles.

Les anciens appréciaient les perles plus encore que les peuples modernes.

César fit présent à Servilie, mère de Junius Brutus, d'une perle qu'il avait achetée au prix de un million deux cent mille francs.

Le luxe de Lollia Paulina, femme de Caligula, fut porté à la dernière puissance. Pline la vit, dans un festin, entièrement couverte de perles et d'émeraudes, que le mélange des couleurs rendait encore plus éclatantes. Sa tête, ses cheveux, son cou, ses oreilles, sa poitrine, ses bras, ses mains et ses pieds en étaient surchargés. Estimation faite, ce trésor était de huit millions de francs.

Néron, l'exécrable Néron, offrit à Jupiter-Capitolin, l'*Ara Cœli* actuel, à Rome, les prémices de sa barbe, dans un vase d'or enrichi de perles du plus grand prix.

J'imagine que nombre des gemmes qui décorent certaines églises de Rome, et que j'ai vues dans la basilique de Saint-Paul *extra-muros*, à la Chartreuse de Pavie, à Saint-Ambroise de Milan, etc., doivent avoir appartenu à cette Lollia Paulina, aux Césars de Rome, aux monarques de l'Asie, etc. Elles sont là un peu mieux placées qu'entre les mains de ces personnages plus ou moins dignes de réprobation.

Qui n'a entendu parler de la prodigalité de Cléopâtre, la reine d'Egypte? Dans le premier repas que cette princesse offrit à Antoine, elle lui fit présent, non-seulement du riche ameublement de son *triclinium*, mais elle y joignit tout le service de table, qui était d'or, et tous les vases également en or enrichis de pierreries magnifiques, qui ornaient le festin. Ensuite elle remit au général romain la plus rare des chrysolithes, dont les anciens faisaient le plus grand cas. Enfin, à un autre banquet, la belle Egyptienne fit dissoudre dans la coupe remplie de vin une perle d'une valeur énorme, cent vingt-cinq mille francs de notre monnaie, et elle l'avala d'un trait.

Or, je vous l'ai dit, perles et chrysolithes, pierreries et métaux précieux, l'île de Ceylan offre généralement tous ces trésors à qui sait les trouver et les prendre.

Comment donc se fait-il que vous viviez si nonchalamment sous votre ciel brumeux, chers lecteurs, au milieu de nos villes enfumées, dans ces contrées d'Europe où la nature se meurt, suffoquée par la civilisation? Vite donc! préparez vos valises... Foin de Paris et de la France! En route pour Ceylan!... Mais la place est prise, hélas! Les Anglais ont su apprécier cette île magique, eux, les larrons de tout ce qui est riche, de tout ce qui est grand et beau! Aussi s'en sont-ils emparés, comme ils ont pris l'Inde, comme ils ont pris la Nouvelle-Hollande, comme ils ont pris la Zélande, etc.

Après tout, la médaille a son revers. Et si une île aussi fortunée semble un Eldorado, ce n'est qu'une trompeuse apparence, le leurre d'un instant, car cette incomparable fécondité dans le règne minéral et végétal a bien son correctif dans le règne animal. Ces Champs-Elysées de l'Asie sont hantés par des légions de démons. Le genre humain y est représenté par de hideux sauvages qui ne vivent que de boulettes d'argile mêlée d'oxyde de fer, et que pour cette raison l'on nomme *géophages* ou mangeurs de terre. L'imagination se refuse à trouver, sous un si beau ciel et au milieu de sites aussi enchanteurs, des êtres affreux, stupides, dégradés, comme les naturels de Ceylan.

Quant aux animaux autres que ces misérables insulaires, sachez que les moins redoutables sont les crocodiles, les léopards, les panthères, le serpent cobra, et beaucoup d'autres. On y trouve aussi des gazelles élégantes et de massifs éléphants. Ce qu'on y admire le plus, ce sont les oiseaux les plus ravissants par leurs délicieuses couleurs. Mais dans cette région tropicale, la terre, l'eau, les jungles, les rochers, l'air que vous respirez, l'eau que vous buvez, la maison que vous habitez, tout est infesté de myriades de reptiles microscopiques, de mouches, de moustiques, de fourmis-lions, de scolopendres, d'insectes qui ne vous laissent ni paix ni trêve. Aussi, croyez-moi, ne quittons point notre bonne et belle France; remercions Dieu de nous l'avoir donnée, et gardons-nous d'habiter Ceylan!

Donc les tribus indigènes de Ceylan sont géophages. Mais ce ne sont pas les seules peuplades qui mangent de la terre. Dans certaines îles de l'Océanie, dans l'Australie, le haut Orénoque, c'est-à-dire en Amérique, il est des naturels qui en font leurs mets de prédilection.

D'ailleurs tous les goûts sont dans la nature. Les Chinois ne mangent-ils pas des vers de terre... avec une inexprimable satisfaction? Les Romains, ce peuple si voluptueux, si puissamment civilisé, ne faisaient-ils pas un régal de ces mêmes vers?

Mais laissons là les Romains, les Chinois, les sauvages Indiens et leurs goûts dépravés, et revenons aux perles.

Notre curieux capitaine de frégate a vu comment on les extrait du sein de la mer, et c'est lui qui va nous expliquer et nous raconter la *pêche aux perles.*

— Quelques jours avant l'ouverture de la pêche, nous dit-il, ceux qui doivent y prendre part se rendent sur la côte occidentale de l'île de Ceylan, où la plage est inculte. La veille, on n'y voyait qu'une seule habitation, celle destinée au propriétaire de la pêche; mais en quelques heures, à l'entour, s'élèvent des huttes innombrables. Quelques pieux entrelacés de bambous, grossièrement recouverts de feuilles de cocotier, forment tout le matériel de ces huttes, et cependant ces demeures éphémères abritent jusqu'à cent cinquante mille travailleurs, surveillants, bateliers, etc. Les spéculateurs arrivent en foule de toutes les parties de l'Inde, et, au milieu de cette variété infinie de costumes et de langages, l'œil et l'oreille sont également dépaysés. Cet immense marché s'étend sur le rivage à plus de deux lieues, et présente l'aspect le plus pittoresque. Au centre de ce vaste tohu-bohu se trouve réservé un espace vide où se tient le propriétaire. C'est dans cette enceinte que l'on dépose les huîtres, que l'on abandonne à l'action du soleil. Elles s'y dessèchent et s'y putréfient rapidement, et il devient facile alors d'en extraire les perles.

Les bancs d'huîtres perlières se trouvent à quinze milles en mer. Le signal pour le départ se fait tous les soirs, à minuit. Les bateaux, que favorise un vent de terre, s'y portent avec rapidité et y arrivent à la pointe du jour. La pêche commence aussitôt, sur l'explosion d'un coup de canon. Les bancs à exploiter sont marqués par des bouées, et les bâtiments du gouvernement, qui sont de garde, ne permettent pas de pêcher hors de ces limites. Chaque bateau, le patron et le pilote compris, est monté par vingt hommes, au nombre desquels se trouvent dix plongeurs, dont cinq sont toujours à l'eau en même temps.

Afin de descendre au fond de l'eau avec plus de vitesse, les plongeurs mettent le pied dans une sorte d'étrier de pierre attaché à une corde, à laquelle tient un filet. Parvenus à dix ou douze brasses, ils rencontrent le banc. Ils se hâtent alors de remplir le filet de tout ce qui s'offre à eux, puis ils lâchent l'étrier et remontent à fleur d'eau.

Les plongeurs, pauvres gens ! ont à craindre les requins, qui sont très nombreux dans les eaux de Ceylan. Mais il y a toujours sur la côte de vieilles sorcières qui endoctrinent les travailleurs, en se disant douées du pouvoir d'ensorceler ces horribles bêtes, et qui garantissent le plongeur contre tout danger. Vous comprenez qu'une gratification rétribue cette façon d'assurance sur la vie. Aussi se prélève-t-elle sur le salaire de chacun, et les immondes sorcières font de bonnes affaires. Heureusement les accidents sont rares, car les requins sont effrayés sans doute par les agissements perpétuels qui troublent leur domaine.

Cette pêche aux perles est une opération fort pénible. Aussi les plongeurs alternent entre eux depuis six heures du matin jusqu'à dix, que le vent de mer commence à souffler. Signal de retour alors, donné par le canon.

De nombreux parcs de dépôt pour les huîtres perlières, surmontés chacun d'un drapeau de couleur différente, sont établis sur la côte, et c'est là, comme autour du propriétaire, que se fait la foire aux perles. Le marché s'ouvre. C'est tout comme à notre Bourse de Paris : on vend, on achète, on spécule, et nombre d'affaires se concluent. Tel marchand, qui revend, après avoir acheté, se retire avec un bénéfice de quarante à cinquante pagodes, soit trois à quatre cents francs de notre monnaie.

Ailleurs qu'à Ceylan, ce sont de misérables Indiens enlevés à leur gai village, des pêcheurs jetés par un typhon sur les îles Philippines, que l'on emploie pour la pêche des perles.

— En parcourant la plage de Soulou, me raconte encore le capitaine Varnier, je rencontrai un groupe de captifs dans un état de maigreur effrayant. Je m'en approchai pour leur donner du tabac. Ils me regardèrent étonnés, puis je les vis bientôt flagellés par le rotin, plonger au milieu d'une mer infestée de requins et en sortir les yeux injectés de sang, tenant en main l'huître perlière.

Ah ! si nos élégantes filles d'Eve savaient ce qu'un collier de ces belles larmes de l'Océan coûte de souffrance, elles s'en pareraient avec moins de joie !

J'ai fini ce qui touche aux perles. Mais j'ai à vous dire comment se fait l'extraction du corail, cette autre production précieuse du sein de la mer.

D'abord vous savez que le *corail* participe tout à la fois du minéral, du végétal et de l'animal ; il appartient donc aux trois règnes de la nature. Le corail est un polype, en effet ; il végète comme les plantes ; et la matière qui le constitue est un grain fin, compacte, assez analogue à celui des marbres les plus précieux. Aussi, comme eux, est-il susceptible de recevoir le plus beau poli. On vous a suffisamment entretenu du corail dans les *Cieux, la Terre et les Eaux,* du reste ; et, en outre, vous connaissez toutes les nombreuses variétés de bijoux dont le corail est la matière principale. Il est peu de pierres précieuses, malgré leur haut prix, qui soient aussi dignes de la convoitise des filles d'Eve. Et sur ce point, les femmes de l'orient surtout, dont la chevelure est d'un si beau noir, savent apprécier le corail.

Mais ce que vous ne savez peut-être pas, c'est que l'on trouve les arborescences élégantes du corail à partir d'une médiocre profondeur dans ces eaux, jusqu'à plusieurs centaines de pieds dans la Méditerranée, et principalement sur les côtes de Barbarie. Or, pour extraire le corail de son gisement, on fait descendre dans la mer une manière de drague formée de branches de fer disposées en croix horizontale. Elle accroche, puis elle arrache, et enfin remonte les ramifications recherchées. Une fois à la lumière du jour, la substance calcaire, dans son état de fraîcheur, apparaît recouverte d'une chair vivante, mince, évidemment organisée. Cette chair est celle de l'animal procréateur du squelette qu'il enveloppe. En se desséchant à l'air, elle devient une couche friable, formée d'autres couches concentriques, striée, et d'un rouge éclatant, parfois rose seulement, et c'est là le corail le plus apprécié en Europe, et quelquefois aussi blanchâtre.

Il nous reste à connaître une dernière substance également précieuse, qui provient également du sein de la mer. C'est la *nacre*, mot qui vient de l'arabe *nakar*, qui signifie coquille. En effet, c'est dans les coquillages nommés *turbos, haliotides, mulettes, anadontes* et *pintadines,* que l'on trouve la plus riche de cette substance animalisée, dure, éclatante, blanche ou argentée, et qui reflète un agréable mélange de couleurs, particulièrement le pourpre et l'azur.

Cette substance charmante doit le brillant éclat qui en fait tout le mérite à de petites couches d'air excessivement ténues, qui restent enfermées entre les couches calcaires et transparentes dont elle est composée, et qui sont secrétées par le collier et le bord du manteau de certains mollusques.

C'est encore à Ceylan, dans l'Inde et dans les eaux du Japon que l'on extrait la nacre des coquilles bivalves, aplaties et légèrement concaves, dont l'intérieur est d'un blanc éclatant, sauf que la partie nacrée est bordée par une ligne bleuâtre, enveloppée elle-même par une bande jaune verdâtre un peu large.

Vous savez que l'on fait un grand usage de la nacre de perle dans les ouvrages de marqueterie, de tabletterie fine, de bijouterie, etc. Làdessus je n'ai rien à vous apprendre.

Mais ce que je dois vous dire, c'est que, pour se procurer ces trésors et ces merveilles des entrailles de l'Océan, afin d'en faire l'ornement de la belle moitié du genre humain, continue le capitaine Varnier en poussant un profond soupir, l'autre moitié, la laide moitié du même genre humain, les travailleurs de la mer en un mot, sont exposés souvent aux plus grands dangers, et parfois y perdent la vie.

Ainsi, j'ai vu maintes fois de ces pauvres gens qui se livrent aux ouvrages de la mer, inopinément saisis, torturés, martyrisés par des pieuvres...

J'en ai vu... atteints, emportés, lacérés, déchiquetés par des crocodiles...

D'abord, savez-vous ce que c'est que la pieuvre?

Figurez-vous l'être le plus bizarre, le poisson le plus fantastique, et cependant le plus réel et l'un des plus dangereux. Une forme grisâtre oscille dans l'eau ; c'est gros comme le bras et long d'un demi-mètre environ. Cette forme ressemble à un parapluie fermé, qui n'aurait pas de manche. Attention ! cette loque avance vers vous petit à petit. Soudain elle s'ouvre, comme s'ouvre un parapluie, et huit rayons s'écartent brusquement autour d'une façon de lune... qui a des yeux. Ces rayons sont les tentacules de la bête ; ils ont vie et mouvement, certes! Il y a du flamboiement dans leurs ondulations. On peut comparer cette lune à une roue. Déployé, le monstre a de un à deux mètres d'envergure. C'est un horrible, un effroyable épanouissement, car l'exécrable pieuvre, c'est le nom de ce poisson, se jette sur vous; oui, cette hydre harponne l'homme. Ses tentacules s'appliquent sur sa proie, s'y cramponnent, y adhèrent sans qu'on puisse l'écarter, sucent le sang, recouvrent la peau, enserrent le membre, s'y nouent avec ses rayons et l'enlacent de ses longues bandes glacées. En-dessous, cette lune, blanche par-dessus, est jaunâtre. Rien ne peut rendre cette inexplicable nuance poussière : on dirait une bête faite de cendres qui habite l'eau. Elle est araignée colossale par la forme, et caméléon par la coloration. Irritée, elle devient violette. Chose répugnante, ce corps est mou, visqueux, froid, froid comme du marbre... Et puis, ce regard terne, ces deux yeux glauques, la bouche inerte de cet animal, tout vous repousse, vous effraie, vous domine!...

C'est un corps mou, ai-je dit, et cependant la pieuvre est de tous les animaux le plus formidablement armé. Et, quand elle saisit l'homme de ses huit tentacules, on comprend qu'elle lui donne le vertige. La coquille de ce mollusque est réduite à deux grains coniques de substance cornée, placés dans l'épaisseur de leur peau dorsale. La force de leurs bras est extraordinaire, et cette puissance est augmentée par ce fait que ces bras, ou tentacules, font l'office de ventouses nombreuses, chaque tentacule étant muni de plusieurs suçoirs.

La pieuvre nage difficilement, et c'est pour cela qu'elles se trouvent de préférence près des côtes.

— J'interromps ici la diatribe de mon ami Varnier, pour dire à mon tour :

La pieuvre n'est autre que le *poulpe* des marins, ce *frutto di mare*, comme disent les Napolitains, qui, sur le quai de Santa-Lucia, le mangent avec bonheur, violacé par la cuisson en plein air, et immonde à voir. Mais, à chacun ses goûts !

A l'exposition maritime du Havre, de 1868, le point le plus visité était certainement une vaste reproduction de la grotte de Fingal, dont on avait fait un superbe et grand aquarium. Là, j'ai pu suivre des yeux les élévations de pieuvres microscopiques, et ces vilaines petites bêtes n'étaient pas sans intérêt. Elles m'amusèrent beaucoup, et je puis affirmer qu'elles tiendront ce qu'elles promettaient déjà, car elles ne cessaient de harceler certains poissons inoffensifs, en attendant qu'elles harcelassent les hommes.

Sur les rivages de la Méditerranée, une fois que je prenais un bain de mer, une pieuvre s'attacha soudain à ma jambe gauche. Heureusement elle comptait à peine quinze pouces de diamètre : néanmoins j'eus toutes les peines du monde à m'en débarrasser, et à jeter au loin cette affreuse arachnide.

La pieuvre est le *krakan* des légendes, c'est-à-dire tout ce que l'imagination la plus échevelée peut rêver de plus laid et de plus sinistre.

— La pieuvre pullule dans l'Océan et la Méditerranée, reprend le bon Varnier. Les petites ne s'éloignent pas des côtes, les grandes se réfugient dans les eaux les plus profondes. Toutes se nourrissent de coquillages, crabes et poissons. Rusées au possible, elles se blottissent dans des trous, étendent leurs membres au-dehors et guettent leurs victimes, ainsi que des voleurs de grand chemin. La proie s'avance-t-elle? la pieuvre la saisit, la flagelle, l'enlace, l'étouffe avec ses rayons, la déchire et la dévore.

Le savant M. d'Orbigny raconte qu'il a vu des pieuvres, abandonnées par la marée avec de nombreux poissons désappointés comme elles, en faire un horrible massacre, sans les manger, et les étouffer afin de passer sur eux leur violente colère.

La pieuvre appartient au genre céphalopode. Tout est original chez elle. D'abord elle expulse le résidu de ses digestions par un orifice voisin de la bouche. Place excentrique s'il en fut ! Ensuite, elle marche la tête en bas, tout comme les clowns. On en voit dans l'océan Pacifique qui font des sauts de géant. Quelques-unes s'élancent jusque sur le pont des navires. D'autres passent par-dessus.

Ces céphalopodes ont un regard fixe fort peu agréable. Leurs yeux brillent dans les ténèbres de la nuit, comme ceux des chats, car la pieuvre est nocturne et crépusculaire. Ils pondent des œufs en grappes que les pêcheurs appellent *raisins de mer*. Ils possèdent une poche remplie d'une liqueur noire; cet animal est-il menacé? il lance aussitôt cette encre qui trouble l'eau et facilite la fuite de la pieuvre.

Un jour un de mes officiers se baignait dans le voisinage d'Alger, quand une grosse pieuvre avança ses bras gluants et l'étreignit à la jambe de telle sorte qu'il perdit pied et allait périr, si des matelots ne s'étaient empressés de le secourir. Quelques gouttes de vinaigre des Quatre-Voleurs prêtées par une élégante de la plage firent avoir raison du monstre.

C'était le 30 novembre 1861. Un navire de France, l'*Alecton*, se rendait à Cayenne. On se trouvait un peu au-delà des îles Madères. La mer était houleuse, le ciel gris. Tout-à-coup la vigie cria : Attention à babord devant! quelque chose d'informe remuait sur l'eau. Les hommes de l'équipage s'évertuèrent à deviner quel était ce débris flottant. L'un trouvait que c'était rougeâtre comme un bout de mât; l'autre prétendait qu'on voyait un paquet d'herbages de mer. Un troisième entrevoyait des pattes. Un contre-maître affirmait être en présence d'un animal. Cependant le brick approchait. Le commandant, appelé, regarde et reconnaît un céphalopode géant. La machine augmenta de vitesse, puis elle stoppa à quelque distance du monstre. Aussitôt, on chargea des fusils, on prépara des harpons, on disposa des nœuds coulants. Mais le céphalopode n'était pas si naïf qu'on eût pu le supposer. Il regarda le navire en amateur, d'abord; puis il essaya de fuir... Alors une décharge l'ayant fait plonger, il passa sous le navire et reparut à l'autre bord. Vainement on le harponna. Les balles ne l'effrayèrent pas davantage. Atteint, il plongeait comme pour se laver, puis remontait à la surface. Ses grands bras s'agitaient ainsi que des ailes de moulin à vent : il reculait, il avançait. Le brick suivait ses mouvements. Bref, cette chasse dura trois heures. On résolut d'en finir. Qu'on envoyât une chaloupe, il pouvait l'enlacer et la faire sombrer. Les harpons ne pouvaient rien sur sa chair, dans laquelle ils pénétraient et ressortaient. Les balles le perforaient sans le tuer. Un nœud coulant fut employé. Bien dirigé, cet engin saisit la masse gluante de l'animal. On le hissait déjà, quand un mouvement fit retomber le céphalopode, coupé en deux par la corde, dans les profondeurs de la mer. Mais on put en saisir une portion notable de vingt kilogrammes.

Cette pieuvre monstre mesurait six mètres de longueur, sans compter ces huit bras formidables hérissés de ventouses qui rayonnaient de sa tête. Ses yeux énormes étaient fixes, effrayants à voir. Sa bouche, en bec de perroquet, était grande de cinquante centimètres. Son corps en fuseau, mais très renflé vers le centre, offrait une masse de deux mille kilogrammes. Ses nageoires, situées à l'extrémité postérieure, s'arrondissaient en deux lobes charnus d'un fort volume.

Il paraît assez croyable que ce mollusque énorme était ou malade ou épuisé par une lutte quelconque lorsqu'il rencontra l'*Alecton*. A en juger par sa taille, il aurait dû lancer un baril de liqueur noire ; mais il venait sans doute d'épuiser sa provision. De semblables céphalopodes ne sont pas rares dans les grands océans du centre du globe.

Céphalopode signifie *qui a les pieds autour de la tête,* j'oubliais de vous le dire.

Les *poulpes* ou *pieuvres*, les *argonautes*, les *calmars*, les *nautiles*, les *ammonites*, les *seiches*, sont des céphalopodes.

C'est avec la teinture noire que lancent les seiches, que l'on prépare la *sépia*, employée dans les peintures à l'aquarelle.

Un dernier drame de la mer !... ajoute le capitaine Varnier. Il s'agit cette fois du *crocodile*.

Le crocodile, du genre des reptiles, a le museau oblong et déprimé, les dents inégales, les quatrièmes d'en bas passent par des échancrures de la mâchoire supérieure, ce qui le distingue des caïmans.

On trouve le crocodile en Asie, dans le Gange, et en Afrique, dans le Nil et sur les côtes. Mais, sur le Nil, on ne le rencontre plus que dans la haute Egypte, où il fait très chaud. Sa taille atteint de vingt-cinq à trente pieds. Il pond deux ou trois fois, à des distances très rapprochées, une vingtaine d'œufs à coque blanchâtre, qu'il enterre dans le sable, à quelques pouces de profondeur. Il exhale une odeur de musc qu'il communique aux eaux qu'il fréquente et que conserve sa chair, quand il est mort. Cependant les nègres la mangent volontiers, et ses œufs, qui ont la même odeur, sont un mets assez recherché. Cet animal énorme, vivant sur les confins de la terre et des eaux, étend sa puissance sur les habitants de la mer et sur ceux que nourrissent ses rivages. Le crocodile est donc amphibie ; néanmoins, c'est dans l'eau qu'il jouit de toute sa force et qu'il se remue avec agilité, malgré sa lourde masse, en faisant entendre souvent une sorte de murmure confus. S'il a de la peine à se tourner avec promptitude, à cause de la longueur de son corps, c'est toujours avec la plus grande vitesse qu'il fend l'eau devant lui pour se précipiter sur sa proie. Lorsqu'il est à terre, il est plus embarrassé dans ses mouvements, et par conséquent moins à craindre. Aussi, pour lui échapper, doit-on courir en cercle sans cesse.

Le crocodile fréquente de préférence les grands fleuves dont les eaux surmontent les bords, et qui, couvertes d'une vase limoneuse, offrent en plus grande abondance les testacés, les vers, les grenouilles, les lézards, etc., dont il se nourrit. C'est dans ces terrains fangeux que, sali par la boue, il attend, immobile, le moment favorable de fondre sur ses victimes. Sa couleur, d'un vert sombre de bronze, piqueté et ponctué de brun, d'un vert jaunâtre en-dessous, sa forme allongée, son silence, trompent les poissons, les oiseaux de mer, les tortues et même les hommes. Il s'élance aussi sur les moutons, les porcs et même les bœufs. Lorsqu'il nage en suivant le cours de l'eau, il arrive souvent qu'il n'élève au-dessus de l'eau que la partie supérieure de la tête. Dans cette attitude, qui lui laisse la liberté des yeux, il cherche à surprendre les grands animaux, et quand il en aperçoit qui s'approchent pour boire, il plonge, va jusqu'à eux en nageant entre deux eaux, le saisit par les jambes et l'entraîne au loin pour le noyer.

Mais, ô prodige, il est un oiseau charmant, de la grosseur d'un merle, du plumage d'un chardonneret, qui a le privilége d'être l'ami du crocodile. Il faut avouer que cet oiseau rend service au reptile. Quand celui-ci voit le volatile en question, il ouvre béatement son énorme gueule et tire quelque peu la langue. L'oiseau s'abat sur cette langue, y picore à l'aise, enlevant les vers, etc., qui peuvent nuire au crocodile; puis, bien repu, s'éloigne en chantant, et recevant comme actions de grâces les grognements de satisfaction du monstre.

Or, il y a sept ans, je m'étais arrêté dans le golfe de Guinée, en face du territoire de ce brutal souverain noir du Dahomey, qui, au mépris de la loi naturelle et de toute autre loi, ose faire le trafic de ses sujets, sous le nom réprobateur de *traite des noirs*.

Une belle nuit, tandis que tout chacun était plongé dans un profond sommeil, sur ma frégate, on entendit à côté du navire la chute d'un corps pesant dans l'eau.

— Un homme à la mer! cria le matelot de quart.

Et aussitôt les dormeurs, dont le plus grand nombre avaient tendu leurs hamacs sur le pont, à cause de la chaleur, s'éveillèrent, en se demandant qui avait pu tomber dans l'eau.

La lune était pleine et le ciel si pur, que l'on distinguait presque aussi bien que dans le jour les objets environnants. Tous les matelots s'étaient précipités vers le bord de la frégate et cherchaient du regard ce qui pouvait motiver l'alerte donnée. Ils virent alors à la surface de l'anse un point noir qui avait l'air de flotter vers la rive. Evidemment c'était la tête d'un homme, et, à en juger d'après les ondes qui accompagnaient les mouvements précipités qui battaient l'eau, il était certain que le nageur se hâtait de fuir...

Pourquoi fuir? Etait-ce parce que j'avais défendu d'aller à terre, par prudence, les nègres du rivage pouvant faire un mauvais parti à mes hommes?

Quoi qu'il en fût, on vint me prévenir. J'accours. Mon second voulait lancer une balle au misérable récalcitrant; mais j'arrêtai ce zèle intempestif.

Aussitôt, nous remarquons que des rides se dessinent, d'autre part, à la surface de l'eau. Elles décrivent une diagonale et semblent se diriger de manière à rejoindre les ondes produites par le fuyard. Mais alors une tête apparaît à l'endroit où nous remarquions ces rides, et nous apercevons..... un monstre dont la couleur est sombre et le corps allongé.

— Un crocodile! un crocodile! s'écrie-t-on de l'*Aventure*.

A peine ces paroles sont-elles prononcées que l'amphibie, un monstre de trente pieds! qui s'est rapproché de sa victime, s'élance comme un trait, laisse voir au clair de lune son dos couvert d'écailles luisantes, saisit la cuisse du nageur entre ses puissantes mâchoires, et plonge subitement.....

Un cri déchirant s'échappe des lèvres de l'infortuné que le crocodile entraîne au fond de l'abîme, cri suprême qui retentit dans les bois, dont les échos le prolongent... Il vibre encore à nos oreilles, que les bulles d'eau teintes de sang, qui montent à la surface de l'eau, indiquent seules l'endroit où a disparu l'infortuné.....

Hélas! le fugitif n'est autre qu'un vieux nègre, employé à mon bord depuis plusieurs années, et qui, se trouvant en face de sa terre natale, d'où jadis il a été arraché à sa mère et à sa femme, pour devenir esclave après avoir subi les tortures de la traite, n'a pu résister au bonheur d'aller revoir sa case, son village et les siens..... Il s'est échappé, afin de gagner la côte, et il est devenu la proie du crocodile!...

Deux heures après cette sanglante tragédie, tout l'équipage, après avoir causé de l'horrible catastrophe, était retourné au hamac et profondément endormi. Le silence régnait de nouveau sur l'*Aventure*. Pour moi, appuyé sur le bordage, je me livrais aux réflexions les plus tristes. Mon imagination frappée revoyait toujours l'affreux spectacle et le hideux reptile déchirant sa victime. J'entendais le cri pantelant d'angoisse de cet homme, coupable seulement d'avoir voulu revoir son pays! Et cependant rien ne bruissait plus autour de moi, pas une feuille que le vent fît trembler; pas un murmure dans l'air. On eût dit que la nature elle-même, terrifiée par le drame, se trouvait réduite à un silence absolu... Mais la mort était là, et je souffrais!

CHAPITRE XIII.

Effets du froid. — Le froid en Russie. — Certains hivers à Paris. — Les puits gelés. — Une foire sur la Tamise. — Comment la cavalerie française s'empara d'une flotte. — Un palais de glace à Saint-Pétersbourg. — Ce que l'on trouve dans les glaces de la Sibérie. — Voyages aux deux pôles. — Spectacle incomparable donné par les glaces de la mer Polaire australe. — Expédition vers le pôle boréal. — Innombrables îles de glace affectant toutes les formes. — Banquises colossales. — Visions magiques de nefs, frontons, édifices, vieux manoirs, etc., de glace. — Choc de ces banquises colossales. — Effets de neige et de froid. — Où le navire est saisi par la gelée. — Hivernage. — Jours crépusculaires. — Visite des ours. — Horrible hiver. — Une hutte sur les glaces. — Nuit de plusieurs mois. — Voyage à pied sur la mer Polaire. — Comment on arrive chez les Esquimaux. — Prosopographie des naturels. — Villages de neige. — Etranges habitations. — Où l'on voyage en traîneaux traînés par des chiens. — Comment on atteint le pôle. — Apparitions fantastiques. — Aurore boréale. — Mirage sans pareil. — Où le soleil reparaît. — Retour. — Conclusion.

Le froid de l'hiver sévit avec violence. Les grands nuages gris remplacent l'azur du firmament.

> Vous savez de quels cieux ces brumes sont venues ?
> Ce sont les fleurs de pourpre et d'argent de l'été.
> Elles viennent d'en haut : ces brumes ont été
> Les nues !

Nous sommes très sensibles au froid, nous Français, et cependant nous avons beaucoup moins à souffrir des rigueurs de l'hiver que les autres peuples de l'Europe.

A Moscou, par exemple, aujourd'hui, le thermomètre marque vingt-six degrés au-dessous de zéro; et, à Tornéa, capitale de la Laponie russe, au point extrême du golfe de Bothnie, on compte près de quarante degrés.

Cet écartement *au-dessous* de zéro est égal, en chiffres, à celui que donne, *au-dessus*, la plus forte chaleur des Indes et du Sénégal.

Lorsqu'on sort des maisons, dans ces froides contrées, le nez est immédiatement gelé, et on sent dans les poumons comme des aiguilles qui piquent. Pendant la durée de ce terrible froid, les yeux ne peuvent supporter sans voile la vibration de l'air, malgré le peu de lumière qui adoucit l'éclat de la neige. Si l'on voyage, il faut se couvrir de fourrures de la tête aux pieds, et le bonnet de martre qui descend jusque sur les épaules est percé de deux trous, auxquels on adapte des verres de lunette. Sans cette précaution, on risquerait de perdre la vue. On est dévoré d'une soif ardente, comme dans les déserts brûlants, et l'eau ne pouvant s'obtenir à cause de la glace qui est épaisse à une profondeur de six mètres, on est obligé d'emporter une assez grande quantité de la plus forte eau-de-vie. C'est la seule liqueur qu'il soit possible de tenir assez liquide pour la boire, et encore faut-il la porter sur soi. Mais il arrive souvent qu'en approchant les lèvres du flacon, elles s'y collent, y gèlent, ainsi que la langue, et se déchirent lorsqu'on les arrache.

Chaque famille reste au coin de son feu, dans sa maison soigneusement close et abondamment fournie de vivres et de bois, pour six ou sept mois. Mais les vitres des fenêtres se brisent lorsqu'elles ne sont pas garanties par des planches, et si les mains restent nues pour toucher les boutons de fer ou de cuivre des portes extérieures, elles sont aussitôt brûlées, comme si elles saisissaient un métal ardent. Ouvre-t-on un instant la porte ? le froid du dehors convertit immédiatement la vapeur chaude de l'intérieur en une neige qui vous tombe sur la tête, comme à ciel ouvert.

Très heureusement, l'atmosphère est presque toujours calme... Sans cela, lorsque l'air s'agite, le froid, avivé par le vent, deviendrait insupportable, et ceux qui s'y exposeraient périraient en peu d'instants.

Du reste, Tornéa est la ville la plus septentrionale de l'Europe. Elle est à deux mille quatre cents kilomètres de Paris, en remontant toujours vers le nord, et le froid s'explique.

Paris n'a jamais vu le thermomètre descendre plus bas que vingt-trois degrés et demi au-dessous de zéro. C'est déjà quelque chose, allez-vous me dire, et je serai de votre avis : mais un pareil froid est rare dans nos contrées.

De 1788 à 1789 on eut à subir dans notre France un des plus cruels hivers dont nos annales fassent mention. La gelée dura cinquante jours. La neige s'éleva à une hauteur de soixante-quatre centimètres, et la glace en compta soixante d'épaisseur. Les puits gelèrent, même les plus profonds, et les caves ne purent empêcher le vin le plus généreux de se congeler. La Seine, la Garonne, le Rhône furent pris dans presque tout leur cours. La glace devint si épaisse sur le Rhin que des voitures lourdement chargées traversèrent le fleuve d'une rive à l'autre pendant toute la durée du froid. En Angleterre, la Tamise gela également, et pendant les fêtes de Noël, on tint une foire sur la glace de ce large courant d'eau. On vit le grand Belt se congeler de même, de sorte que ce bras devint une route praticable pour les équipages. A Rome, à Constantinople, ailleurs encore, la neige persista longtemps dans les rues. Ce fut pendant ce terrible hiver que notre bon roi

Louis XVI vendit toute son argenterie, et madame Elisabeth ses bijoux, afin de secourir les pauvres. A Versailles et à Paris, de grands feux furent entretenus sur les places publiques pour les malheureux, aux frais de la famille royale.

Mais cependant le thermomètre ne descendit qu'à vingt-deux degrés; et quand il descendit à vingt-trois et demi, comme je vous le disais tout-à-l'heure, ce fut en 1795. Ce mémorable hiver sévit dans l'Europe entière. Il ne dura pas moins de quarante-deux jours, à Paris. La glace saisit l'Escaut, le Mein, le Rhin, la Seine : et, comme nous étions en guerre sur tous ces points, nos corps d'armée traversaient constamment ces fleuves, avec leur cavalerie et leurs trains d'artillerie, canons, caissons, etc. Le général Pichegru fit même lancer sur la mer de Hollande, prise également, des détachements de cavalerie et d'artillerie qui, traversant le Texel, s'emparèrent de la flotte hollandaise saisie par les glaces. Une flotte prise par des hussards français, ce serait chose curieuse à raconter, si l'on n'était habitué à voir faire à nos soldats les choses les moins possibles et les plus extraordinaires.

On pourrait supposer que, par des froids d'une telle intensité, la vie animale devient impossible et que la nature est à l'état de mort. Il n'en est rien.

Les Anglais ayant envoyée deux navires, l'*Hékla* et le *Gruger*, en expédition vers les pôles, on dut s'arrêter dans la baie de Winter-Harbour. Là, sur la côte, les équipages purent tuer quantité de rennes, beaucoup de lièvres et de canards, et même trois bœufs musqués. Il y eut parmi les matelots des hommes qui, parfaitement enveloppés de fourrures, purent se promener alors que le thermomètre marquait quarante-six degrés au-dessous de zéro. Seulement il était essentiel que le vent ne soufflât pas, car alors le visage éprouvait une vive douleur, et il en résultait un affreux mal de tête.

Le capitaine Parry, qui commandait cette expédition, s'étant avisé de faire verser de l'eau chaude, à l'aide d'un passoir, du haut du grand mât, cette eau tomba sur le pont sous forme de grêle. Il était fort dangereux de toucher à peau nue un métal quelconque, car aussitôt l'épiderme s'y collait d'une telle manière que la chair était enlevée si on se hâtait trop de l'arracher. Un renard, pris en un piége de fer, ayant voulu mordre l'instrument de son supplice, eut la langue gangrenée. Néanmoins aucun matelot ne perdit de membres : les ongles seuls tombèrent presque tous. Un artilleur, ayant pris sans précaution des objets en cuivre qui se trouvaient entassés dans une hutte bâtie sur le rivage et à laquelle le feu fut mis par mégarde, eut les mains gelées. Mais alors, quand il eut plongé les mains dans l'eau, cette eau se congela immédiatement à leur seul contact.

Le mercure, ce liquide que vous voyez dans nos baromètres, se congèle et devient solide. Qu'on en fasse une balle, elle percera une planche épaisse d'un pouce. Bien plus, que l'on fasse solidifier de l'huile d'amandes douces et qu'on en compose également une balle, ce projectile aura la puissance de briser une porte qu'on lui opposera.

Le mercure solidifié produit, comme le fer, l'effet d'un corps brûlant sur la main qui le touche : qu'on le retire immédiatement, une cloche blanche surgit sur la peau.

Cela s'explique ainsi : Un corps excessivement froid altère les organes de la même manière qu'un corps excessivement chaud. L'objet est-il très froid? c'est l'accumulation de la chaleur extérieure sur l'organe qui l'attire. L'objet est-il très chaud? c'est la rapide soustraction de notre calorique naturel qui produit les mêmes lésions sur les organes.

A l'endroit des curiosités que les glaces peuvent offrir, je vous dirai que dans les hivers les plus longs et les plus rudes, la glace n'acquiert jamais au-delà d'une épaisseur limitée, et au-dessous, à une certaine profondeur, on trouve l'eau à une température de quatre degrés.

Lorsque, en 1863, la Tamise gela au point que les voitures se promenaient sur la glace, la Société Royale de Londres fit prendre la mesure de l'épaisseur de la glace, et on la trouva de onze pouces anglais, qui représentent deux cent soixante-dix-huit millimètres de notre mesure.

En 1740, on construisit à Saint-Pétersbourg, sous le règne de l'impératrice Anne, avec de la glace, une salle longue de cinquante-deux pieds, large de seize et haute de vingt, et l'on constata que la glace retirée de la Newa pour cet édifice avait trois pieds d'épaisseur. Six pièces de canon, également taillées dans la glace, et deux mortiers avec leurs affûts et leurs roues, tous de glace, défendaient l'entrée de ce palais diaphane. Ces canons furent chargés comme des pièces ordinaires, et l'on tira à soixante pas sur une planche épaisse qui fut percée de part en part, sans que les canons éclatassent.

On prétend que la glace d'une rivière peut porter un homme, si elle est épaisse de deux pouces; un cavalier armé, si elle en a trois; une compagnie de soldats, si elle est forte de quatre ou cinq; et une armée, si elle est épaisse de trente pouces.

En d'autres termes, voici la résistance qu'offre la glace suivant son degré d'épaisseur, d'après de très nombreuses expériences. Il est entendu qu'il s'agit de la glace portant sur l'eau qui l'a formée, et non de la glace restée en suspension, ce qui arrive sur un canal dont le niveau a baissé après la formation d'une croûte de glace.

Quand elle a acquis une épaisseur de quatre centimètres, elle commence à porter le poids d'un homme marchant isolé.

A neuf centimètres, on peut y faire passer des détachements d'infanterie, en espaçant les files de soldats.

A douze centimètres, la glace porte des pièces de huit, mises sur des traîneaux.

A quatorze, des pièces de douze ;

A seize, des pièces de campagne attelées et des charrettes avec un chargement ordinaire ;

A vingt, des pièces de vingt-quatre ;

A trente, elle résiste aux plus pesants fardeaux.

En 1658, Charles X, roi de Suède, franchit le Petit-Belt, avec son armée, sur la glace, pour aller attaquer les Danois.

Dans la campagne de 1795, avons-nous dit, nos escadrons français traversèrent au galop les plaines glacées du Zuyderzée pour s'emparer de la flotte hollandaise saisie par les glaces près de Texel.

Chacun a pu prendre connaissance à ses dépens de l'effet de la congélation de l'eau sur les corps qui la contiennent. Cet effet est prodigieux. Il est tel qu'aucun corps ne peut résister à sa force expansive. Lorsque l'eau qui s'infiltre dans les fissures des rochers vient à se congeler, elle fend quelquefois des masses énormes de pierres, et le proverbe : « Il gèle à pierre fendre ! » exprime un fait physique réel. La gelée des tuyaux de conduite au contact de l'air est fort redoutée par les industries qui s'en servent. Les tuyaux de plomb, ceux surtout tirés à la filière, ont l'avantage de se dilater sous l'effort de l'eau en congelant et de céder sans rompre. Enfin, pendant un hiver vigoureux, qu'un canon soit rempli d'eau et que cette eau se congèle, le canon éclatera infailliblement malgré l'énorme force et la grande épaisseur du bronze.

Vous savez quel usage nous faisons de la glace que l'on conserve dans les glacières, quand est venue l'époque des chaleurs. Quelquefois ces glacières sont au dépourvu, quand l'hiver a été par trop doux. Alors c'est à la Suisse que l'on s'adresse, car ses glaciers sont inépuisables, et le glacier seul de Grindelswald en a fourni en 1863 nombre de milliers de quintaux. Malheureusement si la glace est utile, efficace sous bien des rapports, par exemple dans la thérapeutique et pour la conservation de certaines matières, elle est trop souvent aussi fatale à ceux qui l'emploient mal à propos ou qui en font abus. Que de fois n'a-t-elle pas été funeste ? Que de jeunes et imprudentes personnes, prenant avidement une boisson glacée, au milieu de l'entraînement d'un plaisir animé, ont été saisies au même instant d'un frisson, signe précurseur d'un mal qui devait bientôt les conduire au tombeau.

Encore un mot à l'occasion des prodiges dont la glace est la cause et l'origine, mais un mot du plus haut intérêt.

Le monde scientifique est très ému en ce moment par une découverte qui est bien propre à jeter une nouvelle lumière sur la physiologie des animaux gigantesques qui habitaient notre globe, dans les temps préhistoriques. Il existe dans les hautes régions de la Sibérie d'immenses lits de glace au milieu desquels sont conservés par le froid, non-seulement les squelettes, mais les corps entiers, pourvus de leurs organes à peine altérés, des grands sauriens et des mammifères, dont les ossements, seuls, se retrouvent épars dans les formations des couches géologiques. A chaque fonte du printemps, des centaines de ces cadavres sont mis à découvert, et leurs débris, exhumés de leur linceul préservateur, sont emportés par les eaux qui s'écoulent, sans que les gens du pays s'en occupent autrement que pour en recueillir l'ivoire des dents.

Aussi s'est-il formé une commission de savants pour aller rechercher quelques spécimens de ces animaux antédiluviens, intacts, si possible, et obtenir, soit par la texture de leurs tissus, soit par la conformation anatomique de leurs organes essentiels, des données exactes sur leur mode d'existence, sur leur genre de nourriture, sur leurs mœurs et leurs rapports avec le milieu dans lequel ils vivaient. Dans la solution de ces problèmes gisent des notions que la science ne possède encore qu'à l'état d'hypothèses, et qui ne peuvent manquer d'être pleines d'intérêt.

Mon ami Varnier a si bien pris maintenant l'habitude de vous parler par ma plume, chers lecteurs, qu'il me demande de vous faire le récit d'une *exploration aux deux pôles*. Il fut assez heureux pour la mener à bonne fin, conjointement avec un capitaine anglais, sur un schooner de la marine de S. M. B., l'*Explorator*.

— N'avez-vous pas éprouvé déjà, vous dit-il, le désir de faire un voyage jusques aux pôles, d'aller mettre le pied juste au point où l'axe du globe le fait tourner sur lui-même, comme l'essieu sert de pivot à une roue, et d'étudier alors notre sphère opérant son mouvement diurne, sous votre regard, là, à vos pieds, vous demeurant immobile, tel qu'une statue sur son piédestal?

Moi, je l'avoue, j'ai ressenti bien souvent l'aiguillon de la curiosité à l'endroit de ce spectacle, et l'occasion m'ayant été donnée, je n'ai pas hésité un moment à aller affronter les glaces de ces deux points extrêmes de notre planète terre.

Car, vous ne l'ignorez pas, les deux pôles sont entourés de tels océans de glaces qu'il est bien difficile d'atteindre le point précis où doit gésir l'axe du pôle. En effet, la froidure est excessive dans les deux régions boréale et australe. Mais ensuite, des glaçons monstrueux, affectant toutes les formes, se dressent en face de l'investigateur, comme un obstacle à peu près insurmontable.

Néanmoins, j'ai eu le privilége d'exécuter heureusement cette double pérégrination. Nous y avons souffert, mais aussi la science y a gagné, et nos impressions ont été à nulles autres pareilles. Je vais essayer de vous en rendre compte.

Quand un navigateur explore les mers, et que, du nord il se rend vers le sud, et *vice versâ*, au moment où il approche de l'équateur, l'aiguille de sa boussole s'agite incertaine et ne reste plus fixe. Mais au moment précis où le navire franchit la ligne équinoxiale, cette même aiguille, dirigée jusque-là vers le pôle dont on s'éloigne, dont l'influence magnétique l'attirait, fait immédiatement conversion et se dirige vers le point opposé, à savoir le pôle que la marche du vaisseau cherche à atteindre, et qui est doué d'une vertu magnétique similaire.

Alors le ciel, sous cette ligne équinoxiale, prend des tons laiteux qui annoncent que l'on navigue dans les eaux brûlantes de la zone torride. Mais ils rappellent aussi que l'on doit redouter les calmes plats de ces parages. En effet, souvent, trop souvent, les vents cessent de souffler, la mer devient unie comme un lac d'huile. Les voiles tombent tristement le long des mâts. Les hommes, vaincus par la nature, laissent reposer les avirons des chaloupes, comme les ailes pendantes d'un oiseau blessé. C'est que le calme plat est une agonie pour le marin.

Nous eûmes à subir cette agonie dans notre expédition vers les mers polaires australes qui fut notre début; et l'équateur nous retint longtemps, comme en un tombeau.

J'étais spécialement chargé, moi, quoique Français, par la *Geographical Society*, de Londres, qui avait apprécié mes services, de chercher les terres, continents ou îles que pouvait nous cacher encore ce mystérieux océan Glacial antarctique.

A mesure que l'*Explorator* s'enfonçait dans les profondeurs inconnues de cette mer, nous nous voyions entourés d'innombrables nuées d'albatros, oiseaux de mer très blancs, longs d'un mètre, mais dont les ailes déployées ne comptent pas moins de trois mètres, et dont le bec est terminé par un crochet qui semble ajouté après coup. C'est bien le plus grand mangeur de poisson qui existe. En outre, un grand nombre de volatiles, du genre des pétrels, de couleur gris bleu, dont l'aile est coupée en travers par une bande de plumes noires, nous suivaient à distance. Nous trouvâmes encore d'autres espèces d'oiseaux, dont les longues files ou processions sur les roches des récifs offraient l'aspect le plus pittoresque. C'étaient des pingouins, rangés en longues lignes, et encapuchonnés, comme des moines ou des nonnes, dans leurs fourrures de plumes blanches et noires.

Enfin, un matin, pour la première fois, nous découvrîmes une île de glace, à notre nord-ouest, et à environ deux lieues au-dessus du vent, une autre masse qui ressemblait à une pointe de terre blanche. Dans l'après-midi, nous passâmes ensuite près d'une troisième qui avait bien deux mille pieds de long, quatre cents de large et deux cents d'élévation. Comme l'eau de la mer peut se congeler, ainsi qu'il est démontré par nombre d'expériences, j'eus la certitude que ces énormes glaçons se formaient dans la mer même. Mais je compris aussi la grande différence qui existe entre la température de l'hémisphère austral et de l'hémisphère boréal. Ainsi, nous étions alors au milieu de décembre, — ce qui répond à notre mois de juin, — et cependant nous trouvions déjà, malgré la chaleur de l'époque, de gigantesques masses de glaces. Le défaut de terres dans les mer polaires antarctiques semble expliquer ce phénomène, car la mer étant un fluide transparent, absorbe les rayons du soleil au lieu de les réfléchir, ce qui permet aux glaces de se former.

Nous avancions donc lentement à travers les glaces, car peu à peu elles obstruèrent notre navigation sur les eaux que nous parcourions avec une certaine difficulté. Tantôt nous étions engagés dans une fausse baie, d'où il fallait rétrograder, tantôt sur les bords d'une plaine immense de glace fixe, dont il était urgent de nous garantir. Nous apercevions des baleines qui se jouaient en courant les unes après les autres, tout en rejetant l'eau par leurs évents, alors qu'elles passaient le long des flancs de mon navire, ou bien nous nous divertissions à voir des morses, des phoques et d'autres animaux, assis sur des glaçons et semblant s'intéresser à la marche du vaisseau. Mais nous étions surtout en contemplation admirative des colosses de glaces au milieu desquels nous n'avancions qu'avec une peine et une prudence infinies.

Ces îles de glaces affectaient toutes les formes. C'était un spectacle grandiose, magique, qui nous effrayait et nous charmait à la fois, que ces montagnes représentant en glace tout ce que nous avions vu sur la terre en marbre, en pierre, etc. Ici, c'était une cathédrale à coupole éclatante, dont le merveilleux cristal était doré par les prismes délicieux d'un soleil mouvant, au milieu d'un horizon vaporeux et profond : on voyait le gothique édifice monter, avec son clocher pointu, pour se perdre dans les nuages, ou abaisser lentement son dôme d'argent jusqu'à ce qu'il devint gris et terne, en se confondant avec les brouillards. Toute cette magnifique illusion était vivante comme la réalité. Là, un vieux manoir dressait sous vos yeux sa masse noirâtre, avec ses tours, ses créneaux, ses hommes d'armes, faisant de vains efforts pour faire parvenir à votre oreille les sons trompeurs du cor de chasse, pour vous parler ou se jeter en bas des tours, ou encore lever devant vous la herse du pont-levis. Ils restaient immobiles dans leur agitation, et disparaissaient tout-à-coup comme par enchantement, avec la princesse persécutée qui semblait vous appeler à son secours et vers qui vous couriez déjà, tout en voyant toujours reculer devant vous la distance qui vous en séparait. Ailleurs, c'étaient des arabesques et des figures bizarres qui se peignaient sur les nuages massifs comme sur des murailles, ou des nuages à franges formant des décors de théâtre. D'autres fois c'étaient de grandes îles couvertes de plaines, de vallons, de forêts, et surtout de montagnes, le tout en cristal étincelant, et dont la surface s'élevait jusqu'à six cents pieds au-dessus des eaux.

Ces blocs et ces masses, grandes ou petites, se montraient innombrables, admirablement ciselées parfois, parfois môles et bastions massifs, cerceaux dentelés, découpés, fouillés à jour par la main de la nature, le plus habile des artistes, galeries féeriques, palais, colonnades aériennes, magnificences architecturales que ne peut se représenter l'imagination la plus heureusement douée. Et cependant qu'étaient ces splendeurs? rien autre chose que des glaces détachées des rivages par une violente tempête et jetées par pièces aux caprices des vagues, sur lesquelles elles se heurtaient, s'écartaient, se rejoignaient, s'entassaient l'une sur l'autre, et souvent finissaient par se briser et s'engloutir.

Aussi étions-nous en extase devant ces merveilles. Il résulta pour nous de curieuses observations de ce spectacle prestigieux.

D'abord nous étions assurés de rencontrer de la glace dans tous les endroits de la mer où nous apercevions une forte réflexion de blanc sur les bords du firmament, près de l'horizon. Ensuite, nous remarquâmes que la glace n'est pas absolument blanche; elle est souvent teinte d'un beau bleu de saphir ou plutôt de béryl, ou algue-marine, variétés de l'émeraude. Cette riche couleur se montrait quelquefois à vingt et trente pieds au-dessus de la surface de la mer, et provenait, suivant toute apparence, de diverses particules d'eau qui s'étaient brisées contre la masse de glace dans un moment d'orage et avaient pénétré dans ses interstices. Nous apercevions aussi, sur les grandes îles, différentes rayures ou couches de blanc de six pouces à un pied de haut, placées les unes par-dessus les autres, ce qui semble confirmer l'opinion de l'accroissement et de l'accumulation successive de ces masses énormes, par la chute des neiges, à différents intervalles.

Je ne vous dirai rien de plus à l'occasion de cette exploration dans la mer polaire australe, qui nous fit découvrir seulement des terres nues, inhabitées, actuellement signalées sur les cartes marines.

Je vous apprendrai seulement que, quand nous quittâmes ces parages fantastiques des glaces, parages bien dangereux, alors que nous retrouvâmes enfin de véritables îles, de belles îles verdoyantes, même celles que peuplaient de noirs et cruels sauvages, nous crûmes revoir l'Eden. Le jour où nous abordâmes à la première qui frappa nos yeux, la *Nouvelle-Zélande*, l'air nous parut délicieux et doux. Des arbres toujours verts offraient un contraste charmant avec la teinte jaune que l'automne répand sur toute la nature. Des bandes d'oiseaux des terres animaient les côtes, et toute la contrée retentissait d'une exquise musique aérienne. De superbes points de vue, dans le style de Salvator Rosa, des forêts primitives toujours intactes, de nombreuses cataractes qui ruisselaient de toutes parts avec le plus délicieux murmure, contribuaient à notre félicité. Nous avions tant souffert sous le pôle antarctique et nous avions eu si froid !

Le lendemain du jour où nous jetâmes l'ancre près de la Nouvelle-Zélande, comme l'*Explorator* mouillait à un peu moins d'un quart de mille de la côte, nous fûmes éveillés par le chant des mêmes oiseaux que nous avions entendus la veille. Leur nombre était incroyable, et ils semblaient se disputer à qui ferait parvenir à nos oreilles les sons les plus agréables. Cette mélodie était de beaucoup supérieure à toutes celles que nous avions eu l'occasion de recueillir jusqu'alors. Elle ressemblait à celle que produiraient de petites cloches parfaitement d'accord ; et peut-être que la distance et l'eau qui se trouvaient entre nous et le lieu du concert ajoutaient à l'agrément du ramage. Nous avons appris des naturels que leurs oiseaux commencent toujours à chanter vers deux heures de l'après-midi, et qu'ils chantent de même toute la nuit, jusqu'au lever du soleil : mais alors ils gardent le silence et se reposent pendant les deux premiers tiers du jour. Ce souvenir charmant ne s'est jamais effacé de ma mémoire.

Hélas ! si la nature du Créateur des mondes nous offrit tant de charmes sur les rivages de la Nouvelle-Zélande et si nous eûmes tant de jouissances à pénétrer dans les magnifiques forêts de cette île opulente, je ne pouvais oublier que ses sauvages habitants avaient cruellement massacré mon compatriote, l'infortuné capitaine Marion, par représailles de l'imprudence d'un autre Français, le capitaine Surville, qui avait précédemment enlevé avec brutalité un de leurs chefs, Nagui-Noui. Pour nous, il n'y eut sorte de bon accueil qu'ils ne nous aient fait. Un matin, un tambour et un fifre ayant appelé sur le pont nos soldats pour les manœuvres, plongés soudain dans un inexprimable ravissement, les Zélandais restèrent muets, et leur admiration fut telle que, la musique s'étant tue, ils firent pirouetter leurs pirogues en battant en cadence les flots de leurs pagaies. Beaucoup de ces naturels étaient noirs, et d'autres cuivrés. Ils avaient les cheveux crépus, le front étroit et bas, point de barbe, mais un horrible tatouage de raies blanches d'une tempe à l'autre : dans l'ensemble c'était un type de cruauté. En effet, ils mangent la chair humaine avec une révoltante avidité.

Après cette exploration de l'océan Glacial antarctique, je dus songer à l'expédition de l'océan Glacial arctique ou mer polaire boréale, dont le commandement m'était confié par la même *Geographical Society*.

Cette fois, en quittant Liverpool, nous cinglâmes vers le nord-est de notre hémisphère, dans la pensée de chercher un passage pour gagner les Indes orientales.

Nous étions à peine engagés dans la direction du pôle boréal, que nous vîmes au-loin des blancheurs qui s'étendaient sur la mer, aussi loin que la vue pouvait porter. Quelques blocs errant à l'aventure, semblaient les avant-postes de cet océan Glacial, car c'était la région des glaces arctiques qui s'ouvrait devant nous.

Bientôt nous pénétrâmes dans ces étonnants parages.

La surface de la mer était tellement chargée de glaçons, que l'*Explorator* était en grande peine pour les écarter de droite et de gauche. L'eau devenait aussi verte que de l'herbe, et, sur les nappes couleur d'émeraude surgissaient, pour s'élancer dans les airs, les produits de l'architecture des glaces les plus capricieux, les plus fantastiques et les plus saisissants. Ces édifices de cristal, teints des couleurs les plus bizarres, selon les fantaisies de l'atmosphère, voguaient en tout sens, lentement, mais avec élégance, ce qui ajoutait à l'effet de ce tableau perpétuellement changeant. Ils affectaient, ainsi que dans l'océan Glacial antarctique, l'élévation hardie, la grâce et la perfection de détails des plus beaux monuments : églises, palais, manoirs, châteaux-forts, campaniles flèches, coupoles, pyramides, obélisques, délicieuses et charmantes retombées de voûtes de l'architecture sarrasine, mauresque, gothique la plus admirable. Sévère et grandiose au-delà de toute expression, ce spectacle remplissait l'âme d'un sentiment indéfinissable.

Il me semblait qu'en regard de ces masses flottantes, brodées à jour, hérissées, capitonnées des sculptures les plus fines, écartelées des arabesques les plus originales, élancées en flèches aiguës, surbaissées en arceaux, retombant en une pluie merveilleuse de pendentifs effilés, il me semblait, dis-je, que nulle part je n'avais éprouvé plus vivement la conviction de ma petitesse, de mon néant. C'était tout un monde nouveau qui se révélait à mes regards, mais un monde inerte, lugubre, affreusement silencieux...

A chaque instant notre navire frappait contre une *banquise*, c'est le nom que l'on donne à ces amas de glaces flottantes. Les bords de ces banquises sont ordinairement bien dessinés, et taillés à pic comme une muraille; mais quelquefois aussi, on en voit de brisés, de morcelés, et formant de petits canaux peu profonds ou de petites criques dans lesquelles peuvent naviguer de légères embarcations. La teinte habituelle de ces glaces est grisâtre; c'est l'effet d'une brume permanente. Mais s'il arrive que cette brume disparaisse et que les rayons du soleil puissent éclairer la scène, alors il en résulte des effets de mirage véritablement merveilleux. On dirait une grande cité se montrant au milieu de frimas, avec ses maisons, ses palais, ses temples, ses édifices, ses fortifications et ses môles. Quelquefois même on croirait avoir sous les yeux un joli village avec des châteaux, des arbres et de riants bocages, saupoudrés d'une neige légère. Le silence le plus profond règne au milieu de ces plaines glacées, et la vie n'y est plus représentée que par quelques pétrels voltigeant sans bruit, ou par des baleines dont le souffle lourd et lugubre vient seul rompre, par intervalles, cette désolante monotonie.

Une nuit, nuit de douloureux souvenir! mon joli brick fut arrêté par une si forte gelée que, tout autour, les vagues et les glaces qu'elles charriaient se convertirent en montagnes inaccessibles, et, le serrant dans leurs puissantes étreintes, le firent craquer avec la même aisance qu'une main d'homme fait éclater une coquille de noix. En effet, le pauvre brick s'ouvrit par le haut, avec un si grand bruit, que tous mes officiers, mes matelots et moi-même, nous nous crûmes au moment de périr. Puis, la neige se prit à tomber et chargea de masses redoutables les remparts de glaces qui le ceignaient. Il advint alors que la grandeur et la violence des glaçons, que les courants superposaient sans fin, pressèrent mon navire à ce point qu'il s'inclina sur le flanc et parut vouloir se diviser en deux. Heureusement nous avions une terre en vue, et ce fut un sauve-qui-peut général. On courut au rivage à travers les glaces, en emportant tout ce que l'on put prendre, mais surtout tout ce qu'il fallait pour construire une hutte.

Alors quelques matelots, ayant poussé une pointe dans les terres, trouvèrent un cours d'eau douce, et quantité de bois que les flots avaient jeté sur le rivage. Aussitôt on se mit à élever un abri, sur le point même d'arrivée, en face du brick, et on y travaillait avec ardeur lorsque parurent des naturels assez peu agréables à voir...

Déjà, un matin, par une brume des plus épaisses, ayant été obligés d'amarrer notre vaisseau à un banc de glace, un ours blanc colossal, effrayant, s'était montré soudain sur le pont, venu par l'échelle du bord, tout comme un mousse des plus alertes. Je vous laisse à penser quel avait été l'effroi de tout l'équipage. Néanmoins, quelques officiers s'armant de piques et de tromblons, l'attaquèrent résolument et réussirent à le tuer.

Mais, cette fois, ce n'était pas un seul ours qui se présentait. Nous nous vîmes subitement entourés de trois de ces monstrueux animaux. Le plus gros de ces terribles gaillards, alléché par l'odeur, alla porter le nez dans un endroit réservé où l'on avait déposé les provisions de bouche. Heureusement il reçut dans la tête un coup de carabine qui le fit tomber raide mort. L'un de ses compagnons parut tout interdit de l'aventure : il regarda fixement son ami, étendu sans mouvement, le flaira, et, comme s'il eût deviné le péril, retourna gravement sur ses pas. Puis, se ravisant, il revint tout-à-coup, se dressa sur ses pattes de derrière et observa ses ennemis. La position choisie par l'animal était trop belle pour qu'on manquât l'occasion. Comme nous avions apporté plusieurs fusils du bord, deux de mes matelots s'armèrent à l'instant, épaulèrent et firent feu. La décharge le fit retomber sur ses pieds. Mais il n'était pas tué, car il fit volte-face et s'enfuit en criant à éveiller les échos d'alentour. Le troisième de nos visiteurs détala, sur ce signal, et assez vivement pour qu'on ne pût l'atteindre. Dès-lors nous nous tînmes sur nos gardes.

Nous n'étions qu'en septembre pourtant, mais c'était le moment de l'équinoxe, et la diminution rapide de la lumière du soleil annonçait que, depuis un mois déjà, en quittant le voisinage du pôle boréal, l'astre du jour retournait vers le pôle austral.

Nous allions donc subir, au milieu des glaces, les tourmentes de l'hiver et les ténèbres boréales : une nuit de plusieurs mois allait remplacer le jour polaire déjà si court et si rapide !

Le ciel, d'un bleu sombre et violacé, était bien encore faiblement éclairé par un soleil terne et sans chaleur, qui s'éloignait peu à peu, et dont le disque blafard, à peine élevé au-dessus de l'horizon, pâlissait devant l'éclat éblouissant de la neige qui couvrait à perte de vue l'immensité de la mer et de la steppe sur laquelle nous campions. Mais, au deuil de la nature, on pressentait une prochaine obscurité, une nuit de plusieurs mois !

Au nord, le désert était borné par une côte hérissée de rochers noirs, gigantesques : au pied de leur entassement titanique, était enchaîné l'océan pétrifié, un océan qui n'avait pour vagues immobiles que de grandes chaînes de montagnes de glace, dont les cimes bleuâtres disparaissaient au loin dans une brume neigeuse. A l'est, on entrevoyait une ligne d'un vert obscur, où la mer charriait lentement d'énormes glaçons blancs.

Ces latitudes désolées n'appartiennent plus au monde habitable. Sous les étreintes de leur formidable froidure, les pierres éclatent, les arbres se fendent, le sol se crevasse brusquement, en lançant au loin des gerbes de paillettes glacées. Nul être humain ne semble pouvoir affronter la solitude de ces régions de frimas, de tempêtes, de famine et de mort.

En effet, sur la terre que nous foulions, comme sur la mer que nous avions devant nous, le sombre crépuscule qui remplaçait le soleil, absent désormais, s'éteignit peu à peu : les bas-fonds, ainsi que les points culminants, se plongèrent insensiblement dans la plus épaisse obscurité. Les ombres montèrent graduellement le long des rampes des glaçons et des montagnes; elles s'étendirent ensuite sur la cime blanche des glaciers.

Certes, si l'homme avait le malheur de rester abandonné à lui-même en de telles contrées, nulle ressource, nulle consolation, aucune étincelle d'espérance ne pourrait adoucir ses derniers moments, et il devrait s'appliquer la fameuse inscription de la porte de l'Enfer, du Dante :

« *Lasciate ogni speranza, voi che entrate...* »

« Laissez toute espérance, vous qui pénétrez en ces lieux! »

Notre hutte était à peine achevée, quand octobre vint, et qu'il fallut nous enfermer dans ce tombeau malsain, où nous allions passer l'hiver...

Des lampes, entretenues à grand'peine, devinrent notre soleil...

Le firmament, toutefois, nous laissait entrevoir, quand la brume le permettait, les étoiles de sixième grandeur, alors que nos montres marquaient midi dans notre patrie...

Ah! mes chers amis, cet affreux hivernage dans les glaces, sur une île déserte, inconnue, inhabitée, fut pour nous tous, officiers et matelots, une détresse et une agonie sans nom. Peu ou prou de provisions, car ce que l'on pouvait tirer chaque jour du navire gelait aussitôt qu'il était à l'air. La bière, le vin, de vieux Sherry, que l'on gardait pour les cas extrêmes, se congelaient dans les coffres de l'entrepont, dans la cale, et à plus forte raison dans notre hutte de bois. Il n'était pas jusqu'au vin de Xérès, dont on connaît la chaleur, qui ne devînt un bloc de glace.

Une fois, le froid se faisant plus intense encore, on alla prendre à bord le charbon de terre qu'on y avait chargé au départ. On voulait se chauffer avec ce combustible, dont le feu est ardent et de longue durée.

En effet, ce fut bientôt une fournaise qui rendit la chaleur à tout l'équipage. Mais comme, pour mieux en jouir, on avait pris soin de boucher hermétiquement toutes les ouvertures de la hutte, afin de s'assurer une nuit chaude et douce, plusieurs d'entre nous faillirent être asphyxiés.

Il advint aussi, le 1er décembre, que la neige ayant absolument recouvert et enseveli notre asile, il fallut demeurer couché pendant soixante heures, sans autre soulagement que des pierres que l'on faisait chauffer et qu'on se passait tour à tour. On entendait au loin craquer les glaces avec un bruit qui nous plongeait dans la consternation, car notre brick, hélas! que devait-il souffrir? Et si jamais il était détruit, que deviendrions-nous dans une semblable position?

Le 6 du même mois, la gelée fut si forte et le froid si vif, que les plus robustes et les plus résignés de mes gens se regardaient d'un œil sombre où perçait le désespoir. Ce fut alors que, je vous l'ai dit, l'ange de la mort nous visita et plusieurs de nos compagnons moururent. Jugez combien nous avions à souffrir par ce simple détail : le cuir des souliers gela aux pieds et on ne put jamais plus s'en servir. Les habits étaient blancs de verglas ; sur les lèvres, aux oreilles, par tout le visage, s'élevaient des pustules qui gelaient également. Le feu lui-même semblait manquer de chaleur, ou du moins ne la communiquait plus aux objets. Ainsi fallait-il brûler ses bas et avoir l'odorat frappé par la puanteur de la laine qui s'enflammait, pour s'assurer que le feu conservait sa vertu.

Si le soleil ne se montrait plus à l'horizon, la lune y avait pris sa place, et lorsqu'elle fut à sa plus haute période, elle ne se coucha plus.

Enfin, un matin, errant sur le rivage, en compagnie de mon second, nous entrevîmes une lueur solaire qui annonçait la marche du soleil vers notre région ténébreuse, et son prochain retour.

Nous étions alors à la fin de janvier.

En effet, l'astre du jour fit une courte apparition, tout au plus une semaine après. On appela aussitôt tout l'équipage hors de la hutte, afin qu'il pût jouir de cette vue, et ce fut une grande fête pour nous tous.

Le ciel nous envoya ensuite un autre bonheur. Un jour, alors que nos gens se mettaient en mesure de réparer notre *Explorator*, si cruellement maltraité par les glaces, nous le trouvâmes flottant sur l'eau, débarrassé de sa prison de frimas, et n'ayant subi que de médiocres avaries, auxquelles il était facile d'apporter remède.

Rendu bientôt à l'espoir d'un meilleur avenir, je résolus, avec quatre de mes officiers, de reconnaître la terre qui nous avait reçus et abrités pendant ce terrible hiver.

Nous partons en effet, suivis de quelques matelots chargés de nos provisions. Nous nous acheminons à travers la steppe dont nous atteignons bientôt la limite opposée. Mais l'envie de voir et de connaître nous dominant, nous continuons à avancer sur les glaces qui nous offrent une plaine solide, quoique fort tourmentée. Nous traversons d'autres îles ; nous franchissons d'autres glaces.

Souvent il nous arrive d'être témoins de choses étranges.

Ainsi, les forces élastiques des couches marines font éclater ici et là de longues crevasses, dans la voûte solidifiée qui les couvre, et ces ouvertures, subitement béantes, se produisent si violemment que, parfois, de longues files de glaçons sont projetés, comme par l'explosion d'une mine, à plusieurs pieds de hauteur, et forment alors de véritables précipices, le long desquels on peut marcher ainsi que sur une chaussée. C'était un volcan d'eau ou plutôt de glace qui faisait ainsi éruption, éruption glaciale, certes. Fort heureusement nous ne nous trouvâmes jamais dans l'axe de ces éruptions, quoique bon nombre de soulèvements eussent eu lieu à quelques mètres de la direction que nous suivions.

Dirigés par la boussole, nous avançons toujours droit vers le pôle magnétique. Nous n'avons guère encore qu'un pâle crépuscule pour nous reconnaître dans ce voyage au milieu des glaces polaires : mais le courage et la curiosité nous donnent des forces.

Un jour que nous pénétrions sur une plaine de glaces surchargée de neige, l'océan sur lequel nous avançons, bouleversé dans ses abîmes, rompt ses entraves avec un fracas épouvantable, et, lançant dans les airs des masses désagrégées de glaçons d'un poids énorme, menace cent fois de nous écraser ou de nous engloutir. Néanmoins, nous avançons encore, et enfin nous gagnons une dernière steppe ou île de petite étendue.

Hélas! si la mer polaire se fût ouverte sous la frêle enveloppe dont le froid la couvrait, nous eussions à tout jamais dit adieu à la patrie, à l'existence, à tous ceux que nous aimions et dont nous étions aimés!

Nous arpentons rapidement la steppe en question.

Mais voici que, tout-à-coup, au détour d'un mamelon couvert de neige, affectant la forme d'un labyrinthe, et marchant malgré une froidure telle que le mercure est constamment gelé, nous apercevons, venant à nous, sur la neige blanche, quelques noirs fantômes, qui nous semblent des ours bruns, debout sur leurs pattes de derrière. Nombre d'animaux plus petits les entourent, marchant à quatre pattes, ceux-là. De cinq ou six qu'ils sont d'abord, ces spectres portent bientôt leur nombre jusqu'à quarante-cinq.

Le croirez-vous? Ce sont des naturels de ces froides régions, dont quelques tribus s'échelonnent vers l'est, sur cette steppe glacée; ce sont des Esquimaux, hommes et femmes, vêtus de peaux de phoques. Accompagnés d'un nombreux troupeau de chiens maigres, affamés, hérissés et plus semblables à des bêtes féroces qu'à des animaux domestiques, ces pauvres gens viennent curieusement à nous, mais non sans une certaine défiance. Rien de plus hideux à voir que cette répugnante légion d'Esquimaux basanés, trapus, difformes, avec leurs figures à nez épatés, à bouches de morses et à yeux de poissons, noirs et petits, remontant du nez vers la partie supérieure des tempes. Des cheveux plats, rudes et gras, couvrent ces faces d'un jaune sale. Les femmes sont laides, un peu moins que leurs maris peut-être, mais aussi malpropres. Quelques-unes de ces femmes sont tatouées de lignes sans régularité. Il émane de ces tristes personnages une odeur d'huile rance, de graisse de poisson, de fumée, le tout produisant un parfum détestable. La forme de leurs vêtements est des plus simples : c'est uniquement un étui qui dessine toutes les formes du corps, et auquel on adapte un capuchon. Aussi les mères s'en servent pour porter sur leur dos des enfants de deux et trois ans, que l'on n'est pas peu surpris de voir gigotter, tout nus, dans ces berceaux économiques.

En nous examinant, ces Esquimaux ont sur le visage l'hébêtement de la stupéfaction. Assurément ils n'ont rien de féroce, mais nous constatons bientôt qu'ils sont voraces comme des requins et larrons comme des pies.

Nous nous occupons à surveiller leurs mouvements. Nos instruments de cuivre, boussoles, télescopes, etc., semblent les tenter énormément. On entre toutefois en conversation avec eux, moitié par signes, moitié à l'aide de certains mots anglais et russes. Ils nous font comprendre qu'ils sont à notre disposition, eux, leurs traîneaux et leurs chiens, si nous voulons pousser nos recherches plus loin, vers le nord. Alors, afin de traiter avec eux, nous les accompagnons à leur résidence, qu'ils nous désignent du doigt.

Quel n'est pas notre étonnement, en suivant dans la steppe, de trouver au pied d'une chaîne de longs et formidables rochers noirs, blanchis par la neige sur leurs sommités, une assez nombreuse agglomération de maisons... Mais quelles maisons? des cahuttes de neige.

Oui, nous avons sous les yeux deux ou trois villages de neige... De vrais villages, de vraies maisonnettes bâties avec de la vraie neige!... Figurez-vous des ruches à miel, un peu vastes, faites de neige amoncelée, évidée à l'intérieur, et dont une ouverture basse permet l'accès en rampant, telles sont les cahuttes de nos Esquimaux. On y est à l'abri du vent, de la brise, et c'est un grand point déjà. Ensuite on y fait du feu, sans que la neige fonde. Celle qui nous reçut était à peu près grande comme la moitié de mon cabinet de travail, mais beaucoup plus basse; et, malgré le feu dont on nous réchauffa, à peine s'y forma-t-il quelques stalactites de gouttes de neige fondue, mais qui se congelaient immédiatement.

Il fut alors décidé que pour nous faciliter notre périlleux voyage vers le pôle, nous aurions pour auxiliaires les Esquimaux et leurs chiens. Six hommes nous suffisaient, avec autant de traîneaux : mais nous louâmes les services de toutes les meutes.

Mes gens étant tous placés dans les véhicules qui leur étaient assignés, je montai dans celui qui m'était destiné. Comme d'être côte à côte avec un de ces pauvres naturels me répugnait énormément, je tins à être seul dans mon traîneau. J'y étais couché dans un amoncellement de fourrures, et armé d'un fouet pour m'aider à activer au besoin la course des chiens. Quinze de ces animaux étaient attelés à mon équipage, cinq par cinq, sur trois rangs par conséquent. A un signal donné, nos traîneaux partirent tous en file, le mien cinquième. J'étais suivi par le traîneau chargé de provisions et de mes matelots. Les chiens s'élancèrent avec la rapidité du vent. Ce ne fut pas sans plaisir que je me sentis entraîné sur la neige dure et polie, telle qu'un dallage de marbre. Mon attelage, sans être dirigé, suivait exactement la trace des autres traîneaux, lancés à toute volée.

Ces traîneaux, faits d'écorce, doublés de peaux de phoques et d'ours, et tirés par des chiens d'une force et d'une ardeur sans égales, étaient d'un confortable parfait. On n'y voyait guère que nos têtes; tout le reste était caché sous les fourrures.

Notre longue file suivit d'abord une sorte de chenal glacé, que bordaient deux formidables banquises, car nous courions alors sur la mer Polaire. Mon cœur battait à la pensée d'atteindre enfin l'un des pôles de notre globe : aussi, malgré le froid, j'étais tout enthousiasme. C'était la première fois qu'il m'était donné de juger la resplendissante beauté de ces régions terribles : je les voyais à l'aide du terne soleil qui chaque jour se rapprochait quelque peu de ces parages : ils m'apparaissaient sous leur aspect véritable, grandiose, mais cependant effrayant.

Notre passage ne faisait pas plus de bruit, dans ces solitudes, que celui d'un vol de spectres.

Je crois que cette façon de voyager, aidée du froid, porte à dormir, ou au moins à rêver : le fait est que je m'abandonnais à un nonchaloir de sybarite. Par moments, un chien mordait son voisin pour l'empêcher de se ralentir, et celui-ci mordait un troisième, comme il paraît que c'est l'habitude chez ces animaux de trait. Aussitôt un cri de colère canine ranimait l'ardeur des attelages, et nous rappelait au sentiment de la locomotion et de la vie. Il arrivait en effet ceci : que la froidure engourdissant les sens, nous ne nous trouvions plus de ce monde, d'autant que les bruits des chiens, amortis par la neige, se perdaient brusquement dans l'espace, et le silence majestueux de l'hiver polaire reprenait son étrange et sublime éloquence. L'oreille n'avait pas à percevoir le plus léger craquement dans les glaces, pas la plus petite avalanche de neige, rien de ce qui fait pressentir le cataclysme qu'un dégel peut produire dans ces masses gigantesques de congélations qui nous entouraient.

Le soir était venu, et le crépuscule avait remplacé la pâle lueur du triste soleil qui nous avait éclairés un moment. Je distinguais toutefois les plus légers détails de l'admirable décor que nous traversions. Il subissait de continuelles transformations, au fur et à mesure que nous avancions : c'était une suite non interrompue de tableaux magiques. Ici, massifs de blocs anguleux qui faisaient saillie au-dessus de nos têtes, et nous couvraient d'immenses dais frangés de merveilleuses stalactites. Là, ces mêmes massifs, s'écartant l'un de l'autre, puis se partageant et se fendillant par la base, tandis que leurs têtes demeuraient confondues en une voûte formidable, produisaient des forêts de palmiers s'évasant par le haut et se couronnant de chapiteaux cyclopéens, de colonnes massives ou de délicieuses gerbes de sveltes colonnettes. Partout c'étaient des galeries féeriques, des arceaux élégants, des obélisques hardis, des grottes de cristal, des sculptures diaphanes, de lourds frontons et de profondes et miroitantes constructions ébauchées par les caprices de dame nature.

Ces apparitions fantastiques me promenaient dans le royaume de l'illusion. Je me demandais dans mon engourdissement léthargique si je me trouvais bien en face de la réalité et si je n'étais pas le jouet d'une hallucination fiévreuse. Mais, comme devant et derrière moi glissaient sur la neige d'autres traîneaux dont je recueillais le léger frôlement sur le sillage de frimas, j'étais bien obligé d'admettre que c'était vers le pôle que nous nous acheminions, et que je ne rêvais pas.

Cependant nous franchissions de vastes plaines blanches, capitonnées d'arborescences de glace et ponctuées d'éminences de neige. En quelques heures, nous nous trouvâmes ainsi transportés à une distance prodigieuse du point de départ.

Enfin vint un moment où notre course fut arrêtée.

Nous avions alors, à l'est, le cap Oulikine, pointe orientale extrême de la vaste Sibérie; et, à l'ouest, le cap de Galles, pointe extrême de l'Amérique septentrionale.

En face, au loin, se montrait le détroit de Behring.

Ainsi, nous étions arrivés aux confins du monde et de la mer Polaire. Aller plus loin était impossible.

Le pôle nous était caché par des barrières de glaces infranchissables. La froidure, une froidure inimaginable, nous rendait haletants; la respiration nous faisait défaut; il fallait nous éloigner au plus vite de ces parages inhospitaliers.

Toutefois nous nous arrêtâmes assez pour contempler ce spectacle unique de désolation et de deuil, et nous jouîmes de cette sublime poésie que présente le désordre même du chaos, pendant que nos Esquimaux nous élevaient rapidement une sorte de hangar composé de pièces de glace taillées en moellons. On la couvrit de larges toiles apportées dans ce but, puis on y installa nos traîneaux qui devaient nous servir de siéges et de lits. Nous y soupâmes d'un jambon d'ours, en face d'un feu clair, dont les éléments nous furent fournis par des débris de vieux traîneaux abandonnés, après quoi nous sortîmes pour revoir encore une fois le ciel de cet affreux climat. La nuit était venue depuis longtemps, nuit épouvantable dans ses ténèbres horribles. Pourtant nos yeux se firent à l'obscurité, car de pâles étoiles nous apparurent perçant avec peine les profondeurs brumeuses de la route glacée du firmament.

Mais voilà que, peu à peu, vers notre droite, où devait se trouver le pôle, une lueur légère colore l'horizon. Ce fut d'abord une clarté douce, bleuâtre, comme celle qui teint le ciel à l'approche de la lune. Puis, cette lueur suave augmenta petit à petit, rayonna, et se nuança d'un rose d'autant plus tranché que, sur tous les autres points, les ténèbres s'épaissirent davantage. C'était à peine si la blanche nappe des neiges polaires, visible un moment auparavant, se distinguait de la sombre voussure du firmament. En cet instant solennel, dans cette obscurité sinistre, nous pûmes recueillir des bruits confus, étranges. On aurait pu croire que c'était le vol tour à tour crépitant ou alourdi d'oiseaux de proie géants qui, éperdus, rasaient le sol du désert boréal et s'y abattaient. Toutefois, pas un cri, pas une plainte, pas le moindre gémissement. Cette muette épouvante annonçait l'approche de l'un de ces majestueux phénomènes qui inspirent la terreur et frappent d'épouvante tous les êtres animés, féroces par nature, ou inoffensifs par caractère.

Une *aurore boréale*, spectacle mystérieux, merveilleuse féerie, grandiose apparition, si fréquente dans ces régions du pôle, allait resplendir en face de nous. Aussi quelle fut notre joie !

En effet, au point occupé par le pôle s'éleva d'abord le brouillard lumineux dont je viens de parler. La lueur, grisâtre au début, passait insensiblement du rouge au violet, et du violet au bleuâtre.

C'était un segment de cercle bordé d'arcs concentriques séparés par des bandes obscures. Il partait de la partie obscure du segment des jets de lumière qui se renouvelaient quelquefois avec tant de rapidité, que le segment semblait être en mouvement. Enfin le phénomène se montra dans toute sa magnificence. Le segment avait acquis sa plus grande extension. Aussi se manifestait-il au zénith une couronne enflammée qui semblait être le centre vers lequel tous les mouvements se dirigeaient.

Bientôt l'apparition phénoménale diminua graduellement ; les jets de lumière et les vibrations devinrent plus rares ; toute la lumière conflua vers le nord. En dernier lieu, tout disparut.

Est-il rien qui rompe d'une façon plus admirable la monotonie des longues nuits hyperboréennes ?

Il y a peu de variantes dans l'aspect des aurores boréales. C'est toujours un arc enflammé, qui se produit ainsi pendant plusieurs heures. L'espace sombre entouré par cet arc est traversé, de temps à autre, par des éclairs diffus et colorés, tandis que l'arc lui-même est continuellement agité par des traits éclatants, qui forment des raies blanches analogues aux dents d'un peigne, et qui, lancés au-dehors, dépassent le zénith, et vont concentrer leur lumière dans un espace presque circulaire, appelé la *couronne de l'aurore boréale*.

Ces phénomènes se produisent de même dans les régions australes.

A cette heure toute d'extase pour nous, par suite d'un étrange mirage, ordinaire du reste sous ces latitudes, quoique séparée de la Sibérie par la largeur du bras de mer de Behring, — vingt lieues! — la côte de l'Amérique nous parut si rapprochée que l'on eût pensé pouvoir facilement jeter un pont du rivage de l'Ancien sur celui du Nouveau-Monde. Mais le brouillard s'épaissit peu à peu, et notre charmante vision disparut dans la plus sinistre obscurité.

Le lendemain, le soleil nous fit une courte visite. Son apparition dans un ciel tout marbré de tons roses et de nuances orangées, nous invitait au départ. Nous reprîmes donc nos traîneaux et nos chiens, et, deux jours après, nous retrouvions notre *Explorator* parfaitement réparé et tout prêt à nous porter sur d'autres points du globe.....

Pour la dernière fois, chers lecteurs, vous venez d'entendre les récits du capitaine Varnier.

Quant à moi, voici mes dernières paroles :

— Adieu ! Puissent les enseignements que j'ai cherché à vous donner vous être profitables ! Puissent-ils vous servir dans le cours de la vie, alors qu'on est fort heureux de connaître !

Car, ce qui distingue l'homme de la brute, c'est le savoir !

Savoir, est la jouissance intellectuelle la plus douce et la plus pure !

Adieu !

FIN.

TABLE.

Préface.   v

CHAPITRE PREMIER.

La nuit des temps éclairée par le flambeau de la science. — Temps antéhistoriques mis en opposition avec les temps historiques. — Recherches des savants. — Le déluge universel. — Dépôts diluviens. — Dépôts modernes. — Premières découvertes relatives à l'homme primitif. — Ustensiles, outils et armes en silex. — Découvertes en Picardie. — Ce que l'on exhume en Angleterre. — Age de pierre ébauchée. — Ere de l'aurochs et du renne. — Age de pierre polie. — Fouilles près de la Meuse. — Fouilles dans le Devonshire. — Ce que rendent les grottes de France. — Instruments aratoires en silex trouvés en Amérique. — Les rebuts de repas et les restes de cuisine du Danemarck. — Age de bronze. — Découvertes de stations d'hommes primitifs sur les lacs de Suisse, etc. — Palafites lacustres. — Villages palustres. — Descriptions de palafites. — Les reliques des lacs. — Les terramares de l'Emilie. — Cavernes à ossements. — Leurs richesses en fossiles. — Curiosités antéhistoriques de l'exposition de 1867.   7

CHAPITRE II.

Aspects de la planète terre après la création de l'homme. — L'homme primitif. — Vestiges de ses stations. — Recherches sur l'homme fossile. — Ossements de l'homme antédiluvien dans la grotte de Bize. — Découvertes du docteur Schmerling. — La caverne d'Engis. — Sépulture antéhistorique d'Aurignac. — Fouilles du sol diluvien de Moulin-Quignon. — Une mâchoire d'homme fossile. — Les découvertes de Rethondes. — Le squelette du coteau de Montebras. — Une station paludéenne remise au jour en plein centre de Bordeaux. — Ce qu'il faut attendre de l'avenir. — Une ville antéhistorique en Grèce. — Comment sort de terre cette nouvelle Pompéïa. — Ce que produisent les fouilles de Thérésia. — Maison. — Galeries. — Cours. — Squelette humain. — Outils en silex et en obsidienne. — Vases primitifs. — Autres vases artistement œuvrés. — Deux pépites d'or natif. — Comme quoi cette cité préhistorique appartient à l'âge de pierre polie.   22

CHAPITRE III.

Une descente dans les abîmes d'un volcan. — Les champs de feu, près du Vésuve. — Le lac bouillant. — La grotte du chien. — L'eau brûlante d'une rivière. — La Solfatare de Pouzzoles, miniature d'un volcan. — Les étuves de Néron. — Le golfe de Naples chauffé par le volcan souterrain. — L'île de Caprée. — La grotte d'azur. — Portici. — Herculanum. — Ascension du Vésuve. — Comment on descend dans le volcan. — Ce qu'on y voit. — Le Fosso-Grande. — Le grand cratère. — Les cratères latéraux. — Description. — Station dans les entrailles de la fournaise. — Une nuit au milieu du lac et des fleuves de feu. — Dîner chez Pluton. — Les volcans éteints de l'Auvergne. — Ascension du Puy-de-Dôme. — Les bouches de Chalucet. — Gorge de la Sioule. — Vision d'une île émergeant des abîmes de la mer, en 1831. — Péripéties du drame. — Magnificence du spectacle.   33

CHAPITRE IV.

Voyage dans les plaines de l'air. — L'aviation appliquée à l'étude des reliefs du globe. — L'aérostat de l'Anglais Wood. — Départ du ballon. — Panorama du plus beau pays du monde. — Aventures d'aéronautes. — Comment se conduit le ballon. — Spectacle qu'il donne. — Premiers aspects de l'Himalaya. — Les sommets du Gaurisankar. — Les pointes du Kinchinginga. — Les crêtes du Dsawala-Ghiri. — Vue du géant des montagnes. — Effets de l'air sur l'homme et les animaux. — Séjour dans les hautes sphères du globe. — Descente et retour. — Le Mont-Blanc mis en parallèle avec l'Himalaya. — Physionomie du Mont-Blanc. — Perspectives de la vallée de Chamouni. — Aiguilles-Vertes. — Rocher-Rouge. — Grands et Petits-Mulets. — Dôme du Goûter. — Croix de Flégères. — Le Courtil. — Le Montanvert. — Première ascension du Mont-Blanc faite par une Française. — Expériences de de Saussure. — Aventures de deux Anglais. — Le drame du 18 août 1820. — Le mal des montagnes. — Avalanches de la Jung-Frau. — Tragédies. 51

CHAPITRE V.

Transformations du globe. — Origine des montagnes. — Montagnes primitives et secondaires. — Chutes de montagnes. — Eboulement des Diablerets. — Engloutissement de la vallée de Goldau. — Drame lugubre. — La ruine de Coumélie. — Le chaos de Gavarnie. — Disposition des montagnes à s'affaisser. — Singularités de certaines montagnes. — Mont-Lupata. — Montagne de la Table. — Le globe de Pradelles. — La roche tremblante de la Roquette. — Le fronton de palais et la nacelle de Masclaux. — Le rocher mouvant d'Uchon. — Le Ray-Pic de l'Ardèche. — Peter-Bott de l'île Maurice. — La chaussée des géants. — La pierre pertuise du Jura. — Le Mont-Troué de la Corse. — Le Thorgat, en Norwége. — Les mitres d'évêque du Kilimandjaro. — Les Monts-Rocheux. — Curiosités des montagnes de l'Amérique. — Ce que l'on voit sur le plateau désert d'une montagne du Pérou. 68

CHAPITRE VI.

Grottes et cavernes. — Antres et spelunges. — Stalactites et stalagmites. — Ce que l'on nomme dolomies. — Histoire de certaines cavernes. — Ce qu'y voyait la mythologie. — Grotte de Fingal. — Nomenclature des grottes et cavernes. — La trouvaille d'un berger. — Grotte des Demoiselles. — Description de la chaîne des Cévennes. — Descente dans le Vestibule. — Salle du Manteau-Royal. — Salle de la Vierge. — Pas du Diable. — Passage du Serpent. — Pas du Chameau. — Le saut du Chat. — La Rotonde. — Penne de Lhiéris. — Le caveau de la tour Saint-Michel. — Où l'on voit les effondrements des côtes de Bretagne. — Un cimetière sous-marin. — Ce que l'on trouve dans les grèves de Naqueville. — Comme quoi la Seine a changé son lit. — Eboulements du sol remplacés par des lacs. 86

CHAPITRE VII.

Les forêts vierges. — Pampas et Llanos. — Les mangliers de l'Atlantique. — Entrée dans une forêt vierge. — Océan de végétaux. — Force créatrice de l'humus végétal. — Coupoles de verdure. — Guirlandes aériennes. — Légendes des bois. — Embarras des voyageurs dans les forêts vierges. — Effets du lever du soleil. — Sabbat général des animaux. — Etranges accidents de terrains. — Mornes rocheux. — Cavernes à serpents. — Savanes. — Admirables essences d'arbres. — Effets de la chaleur. — Quel est le moment favorable pour visiter les forêts vierges. — Inondations et tempêtes dans ces grandes solitudes. — Contrastes du vieux monde avec le nouveau. — Intelligence des animaux. — Enterrement d'une abeille. — Les éléphants artilleurs. 103

CHAPITRE VIII.

Les forêts vierges de l'Australie. — Etrange physionomie de ces bois. — Fourrés et clairières. — Rochers sauvages. — Paysages fantastiques. — Nuits merveilleuses. — Effets de lune. — Résurrection de la nature, au matin. — Aras et colibris. — Périques et bengalis. — Les amusements de la gélinotte. — Salons et soirées des oiseaux à berceau. — Kokoon et ouistitis. — Une aventure dans les forêts vierges de l'Amérique. — Villages de castors. — Les deux étages de leurs huttes. — Apparition d'un wolverenne. — Ménage des castors. — Le soir dans les forêts vierges de Guyane. — Le porte-lanterne. — Admirables insectes des tropiques. — Le macaque barbu. — Malice diabolique des singes. — L'orang-outang noir. — L'orangoutang roux. — Forêts vierges de l'Afrique. — Yuccas et baobabs. — Gorilles et papions. — Babouins et mandrilles. 116

CHAPITRE IX.

Vallons et vallées. — Gorges et chaos. — Vallée de Kandersteg. — Vallée du Lys. — Historique de la vallée du Rhin. — Magnificences des eaux. — Croquis de la vallée du Nil. — La Lutchmi, dans l'Inde. — Cascades et cours du Gange. — Le crocodile du Gange. — Ce qu'on appelle lagunes. — Venise et son Lido. — Coucher de soleil sur les lagunes. — Lac Majeur. — Lac Némi. — Les autres lacs de l'Italie. — Chute du fleuve Vélino. — Cascades de Terni. — Chutes de l'Anio. — Cascades de Tivoli. — Le lac Séculéjo (Pyrénées). — Cirque de Gavarnie. — Singularités du lac Leiknitz. — Splendeur du lac de Genève. — Aspects sauvages du lac des Quatre-Cantons. — Les trente chutes d'eau de la vallée de Lauterbrünnen. — Cascade de la Staubbach. — Les quatorze chutes du Giesbach. — Le Meschacébé, père des eaux. — Randales de l'Orénoque. — La rivière d'Argent. — Le fleuve des Amazones. — Monographie du caïman. — Les lacs de l'Amérique. — Cataracte du Niagara. — Cascades de Norwége. 137

CHAPITRE X.

Les grands déserts. — Désert de l'Arabie, etc. — Le Sahara. — Le Sahara jadis mer. Projet de recréer la mer saharienne. — Chameaux et dromadaires. — Tempêtes au désert. — Le simoun. — Mistral et sirocco. — Effets du simoun. — Mirages dans les déserts. — Explication du phénomène. — Paysages d'Amérique du nord, vus de l'Atlantique du sud par effets de mirage. — La fée Morgane, etc. — Caravanes et caravensérails. — Départ d'une caravane. — Une caravane vue de loin sur les sables du désert. — Campement d'une caravane. — Physionomie du désert. — Histoire d'un touraco. — Chasse aux éléphants. — Ce que l'on nomme oasis, au désert. — Peintures d'oasis. — Un bouc bleu. — Village huché sur les branches d'un arbre. — L'hippopotame dilettante. — La mort d'une giraffe. — Jungles de l'Inde. — Le lion du Bengale. — Combats de rhinocéros et d'éléphants. — Landes et steppes. — Les déserts de l'Amérique. — Peaux-Rouges et visages pâles. — Chevaux sauvages du désert. 156

CHAPITRE XI.

Ce qu'on appelle falaises. — Leurs aspects poétiques. — Ce qu'on nomme dunes. — Les dunes du Mexique. — Origines des îles. — Ce que notre imagination voit dans une île. — Grandeur de Dieu sur mer. — L'Océan vu le soir, au coucher du soleil. — Effets de mer. — Apparition des Antilles. — Comment les îles grandissent peu à peu aux regards. — Le pétrel. — Illusion produite par des tortues. — Approche des îles Malouines. — Le duel de deux baleines. — Où les pingouins sont pris pour des moines. — Perspectives de la Terre de Feu. — Ile Juan Fernandez, séjour du vrai Robinson. — Ile de Pâques. — Silhouette des îles Sandwich. — Le volcan de Mowée. — Profils des îles Marquises. — Les beautés de Taïti. — Physionomie sauvage des îles Pomotou. — Contraste des îles des Navigateurs. — Sumatra et la formidable nature. — Le requin. — Trésors de Bornéo. — Le bombax. — Une fleur sans rivale. — Une nuit au milieu des serpents. — Drame entre ciel et terre. — Les îles flottantes. 181

CHAPITRE XII.

L'île aux bijoux, Ceylan. — Ses magnificences. — Ses richesses. — Ses perles, larmes de la mer. — Gemmes et pierres précieuses de l'Orient. — La perle de Jules-César. — Lollia Paulina vêtue de perles. — Ce que Cléopâtre faisait d'une perle. — La pêche aux perles. — Les mangeurs de terre de Ceylan, etc. — Ses bêtes féroces. — Ses reptiles. — Le serpent cobra. — Ses insectes admirables. — Le

240 TABLE.

corail. — Le corail tout à la fois animal, végétal et minéral. — Comment on pêche le corail. — La nacre. — Drames de la mer. — Monographie de la pieuvre. — Horrible aspect de cette affreuse bête. — Les pieuvres du Hâvre. — Le regard sinistre de ce céphalopode. — Pêche d'une pieuvre de six mètres. — Monographie du crocodile. Une aventure dans la Guinée. 203

CHAPITRE XIII.

Effets du froid. — Le froid en Russie. — Certains hivers à Paris. — Les puits gelés. — Une foire sur la Tamise. — Comment la cavalerie française s'empara d'une flotte. — Un palais de glace à Saint-Pétersbourg. — Ce que l'on trouve dans les glaces de la Sibérie. — Voyages aux deux pôles. — Spectacle incomparable donné par les glaces de la mer Polaire australe. — Expédition vers le pôle boréal. — Innombrables îles de glace affectant toutes les formes. — Banquises colossales. — Visions magiques de nefs, frontons, édifices, vieux manoirs, etc., de glace. — Choc de ces banquises colossales. — Effets de neige et de froid. — Où le navire est saisi par la gelée. — Hivernage. — Jours crépusculaires. — Visite des ours. — Horrible hiver. — Une hutte sur les glaces. — Nuit de plusieurs mois. — Voyage à pied sur la mer Polaire. — Comment on arrive chez les Esquimaux. — Prosopographie des naturels. — Villages de neige. — Etranges habitations. — Où l'on voyage en traîneaux traînés par des chiens. — Comment on atteint le pôle. — Apparitions fantastiques. — Aurore boréale. — Mirage sans pareil. — Où le soleil reparaît. — Retour. — Conclusion. 216

FIN DE LA TABLE.

LIMOGES ET ISLE. — Typographies EUGÈNE ARDANT ET C. THIBAUT.

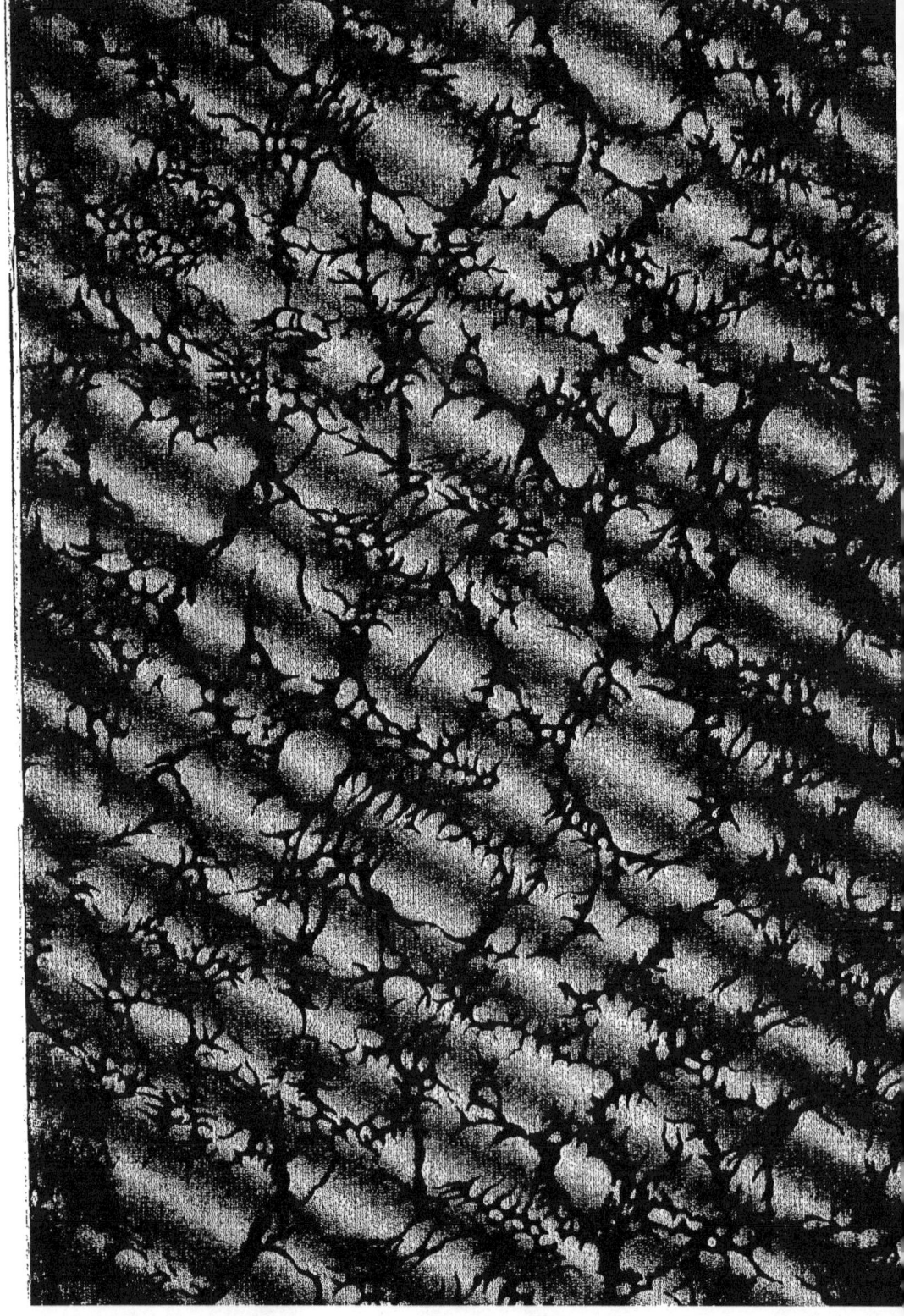

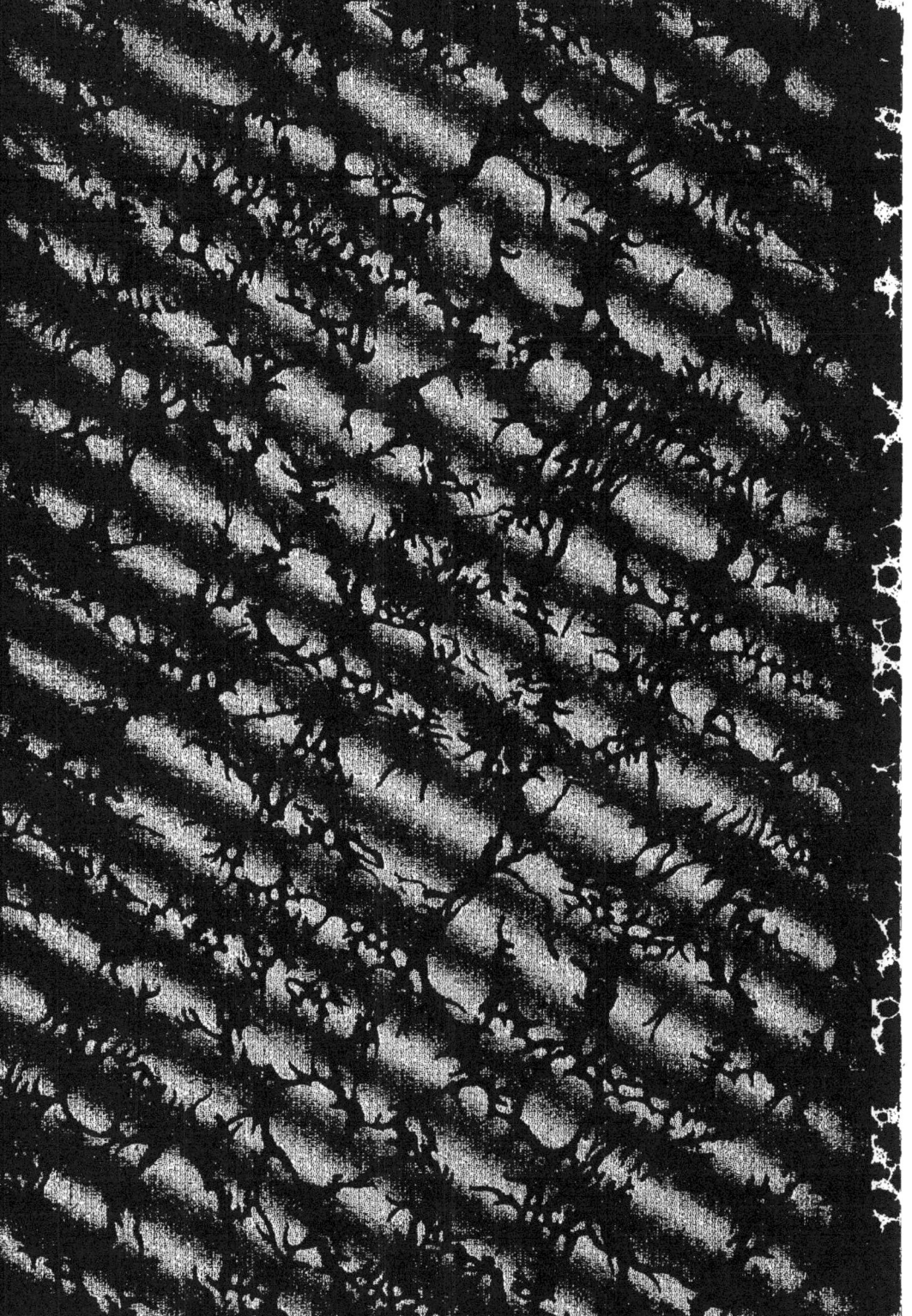

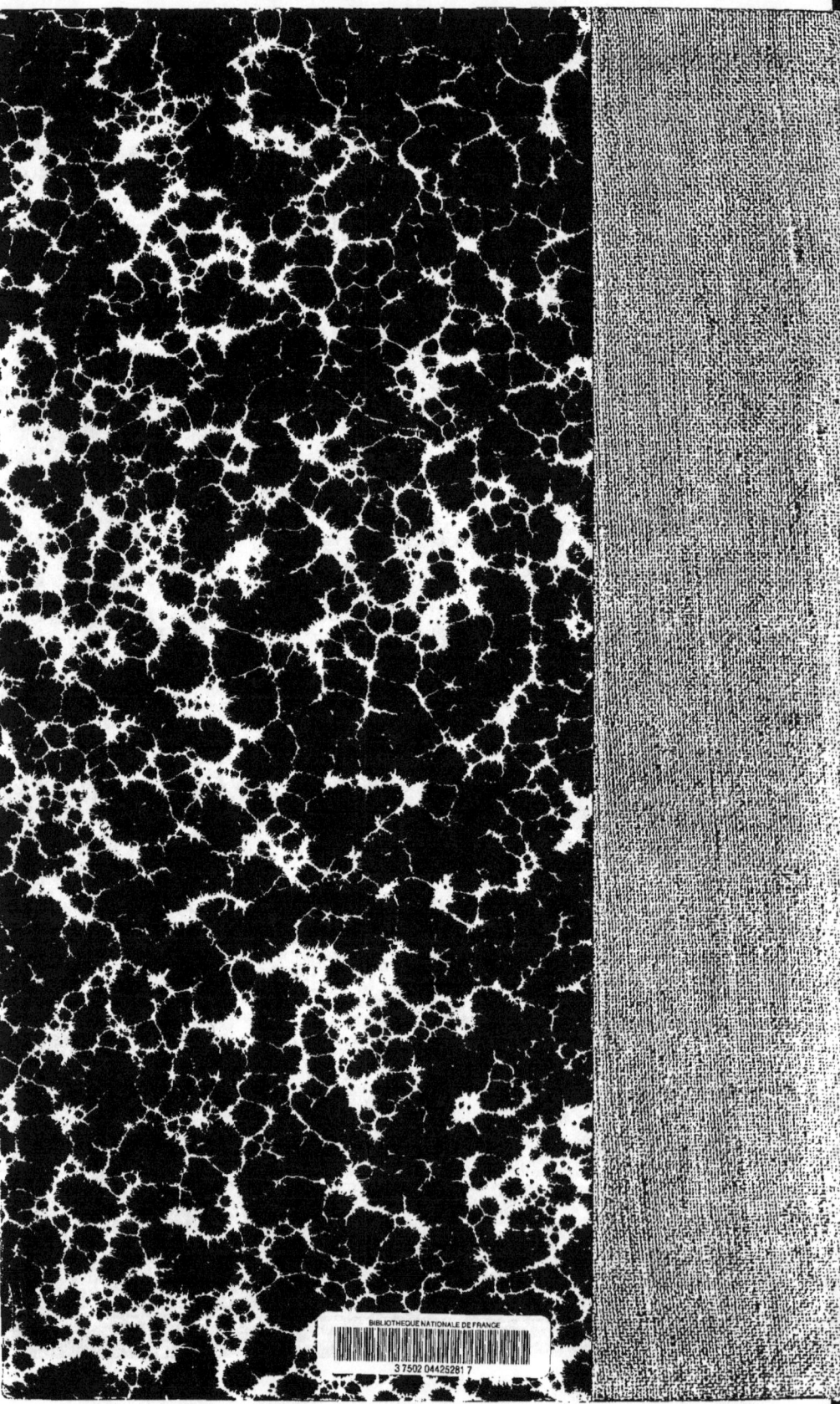

www.ingramcontent.com/pod-product-compliance
Lightning Source LLC
Chambersburg PA
CBHW070657170426
43200CB00010B/2277